BOULE DE SUIF
et autres histoires de guerre

Introduction, notes, variantes,
chronologie et bibliographie
mise à jour en 2009
par
Antonia FONYI

GF Flammarion

*Du même auteur
dans la même collection*

APPARITION ET AUTRES CONTES D'ANGOISSE.
BEL-AMI (édition avec dossier).
CONTES DE LA BÉCASSE.
CONTES DU JOUR ET DE LA NUIT.
LE HORLA ET AUTRES CONTES D'ANGOISSE.
MADEMOISELLE FIFI.
LA MAIN GAUCHE.
LA MAISON TELLIER. UNE PARTIE DE CAMPAGNE ET AUTRES
    CONTES.
MONT-ORIOL.
NOTRE CŒUR.
LA PETITE ROQUE ET AUTRES HISTOIRES CRIMINELLES.
PIERRE ET JEAN (édition avec dossier).
LE ROSIER DE MADAME HUSSON.
LES SŒURS RONDOLI ET AUTRES CONTES SENSUELS.
UNE VIE.

Antonia Fonyi (CNRS, Institut des textes et manuscrits modernes) a établi dans la collection GF les éditions de plusieurs œuvres de Maupassant (*Pierre et Jean, Le Horla et autres contes d'angoisse, Une vie, Les Sœurs Rondoli et autres contes sensuels, La Petite Roque et autres histoires criminelles...*) et de Mérimée (*La Vénus d'Ille et autres nouvelles, Tamango. Mateo Falcone*). Elle est également l'auteur de *Maupassant 1993*, Paris, Kimé, 1993.

© 1991, Flammarion, Paris, pour cette édition.
Édition corrigée et mise à jour en 2009.
ISBN 978-2-0812-2474-2

INTRODUCTION

HISTOIRES DE GUERRE

La guerre

« [...] se réunir en troupeaux de quatre cent mille hommes, marcher jour et nuit sans repos, [...] pourrir de saleté, coucher dans la fange, vivre comme les brutes dans un hébétement continu, piller les villes, brûler les villages, ruiner les peuples, puis rencontrer une autre agglomération de viande humaine, se ruer dessus, faire des lacs de sang, des plaines de chair pilée mêlée à la terre boueuse et rougie, des monceaux de cadavres, avoir les bras ou les jambes emportés, la cervelle écrabouillée [...] ! » (p. 258).

De 1881 à 1889, Maupassant reprend quatre fois ces termes à l'identique [1] : c'est sa définition de la guerre. Une définition reproductible, une certitude immuable, fondée sur la réalité de la guerre franco-prussienne qui, par les hécatombes de peuples qu'elle produisit, prit aux yeux de la postérité l'image de l'avant-première de 1914.

Recopier son propre texte est un acte littéraire ambigu. On n'y touche plus parce qu'il est parfait ; on n'y touche pas de peur de déchirer l'enveloppe qu'il forme autour d'un foyer d'émotions dangereuses. Répétée à l'identique, l'horreur du massacre collectif se pétrifie, se transforme en constellation permanente et lointaine : en généralité ;

---

1. Cf. la notice de « La Guerre », p. 299.

aussi le texte qui l'enserre ne sera-t-il repris que par Maupassant chroniqueur, préfacier, voyageur, dans le cadre de genres qui accueillent les réflexions générales. Comme si la mise en pratique narrative de la définition apocalyptique était impossible, le conteur repousse les batailles à l'arrière-plan pour ne parler que de prostituées patriotes, de commerçants héroïques, de paysans qui vengent au prix de leur sang leurs fils tués et leur fourrage volé. L'individu écrasé, confondu dans la foule anonyme aux innombrables bras et jambes coupés, fondu dans la masse de « chair pilée mêlée à la terre boueuse et rougie », se trouve donc restauré dans les nouvelles, ne serait-ce que le temps de s'affirmer par un acte de résistance, par une mort assumée.

C'est situées dans le champ de tension de ces contraires que nous présenterons les histoires de guerre de Maupassant [1]. Si, dans l'anecdote qui est à leur centre, la vérité individuelle est plus forte que la mort, la vérité collective, constellation pesant du poids de centaines de milliers de cadavres, est toujours présente à leur horizon.

Juillet 1870-juin 1871 : une année d'obscurité dans la vie de Maupassant

La guerre est déclarée le 16 juillet 1870. Maupassant aura vingt ans le 5 août. Il est appelé aussitôt. C'est sa vie d'adulte qui commence. Sa vie d'écrivain ne commencera que dix ans plus tard, avec la publication de *Boule de suif* dans *Les Soirées de Médan*, recueil de nouvelles où six écrivains insultent la mémoire de la guerre.

---

1. Quatre récits sur la guerre de 1870, parus dans d'autres volumes de la présente collection, sont absents dans celui-ci : *La Folle*, *Saint-Antoine*, *L'Aventure de Walter Schnaffs*, recueillis dans *Contes de la Bécasse* (GF, n° 272), et *Tombouctou*, recueilli dans *Contes du jour et de la nuit* (GF, n° 292).

Un tel début littéraire dit toute l'importance de l'année terrible pour Maupassant. Elle reste pourtant une année obscure de sa vie, un chapitre que les biographes remplissent d'extraits de récits qu'ils donnent pour ses vécus. Lui-même n'a jamais raconté ses expériences personnelles, sauf dans ses lettres de l'époque dont il nous reste trois, adressées à sa famille. Dans l'une d'elles, il écrit : « Quant à l'issue de la guerre, elle n'offre plus aucun doute. Les Prussiens sont perdus [...] [1]. » Mais si le jeune soldat partage l'illusion environnante, c'est sans enthousiasme aucun ; l'essentiel de son message se résume, au contraire, dans ce *post-scriptum* : « Je m'embête abominablement [2] ! » Dans une autre lettre il raconte une expédition périlleuse : chargé de porter un ordre de l'avant-garde à l'arrière-garde, il a failli tomber dans les mains de l'ennemi. « *J'ai fait quinze lieues à pied.* Après avoir marché et couru toute la nuit précédente pour les ordres, j'ai couché sur la pierre dans une cave glaciale ; sans mes bonnes jambes, j'étais pris [3]. » Danger, souffrance, misères ; mais on entend le sportif que Maupassant reste en toutes circonstances.

Ces bribes de renseignements pèsent d'autant moins lourd qu'on y lit comme une mise à distance de la guerre. Ajoutons, pour les compléter, une donnée négative : affecté à l'intendance, Maupassant n'a peut-être pas participé aux combats. Lorsqu'il les évoque dans sa chronique sur la guerre, c'est *Les Charniers* de Camille Lemonnier qu'il cite au lieu de décrire des charniers vus par lui-même. N'en aurait-il pas vu ? ou un effet de sidération l'empêcherait-il d'y reporter son regard ? « Voici,

---

1. Lettre à sa mère [27 août 1870], *Correspondance* (*Corr.* par la suite), établie par Jacques Suffel (3 vol., t. XVI des *Œuvres complètes*, Évreux, Le Cercle du Bibliophile, 1973), t. I, p. 19-20.
2. *Ibid.*, p. 20.
3. Lettre à sa mère [1870], *ibid.*, p. 19.

entre mille, une des choses qu'il a vues », écrit-il en présentant une scène du livre de Lemonnier. C'est un autre qui voit, qui écrit. Mais c'est Maupassant qui choisit une seule scène « entre mille », celle d'une amputation : le blessé hurle sous la scie, tout en reprenant par instants ses forces pour plaisanter. C'est crâne, héroïque ; c'est le triomphe de l'individu qui, son corps déchiqueté, survit moralement intact au massacre collectif. Se plaindre d'ennui ou se vanter de ses muscles dans la détresse, évoquer les plaisanteries d'un brave sous le couteau qui tranche les tronçons de deux jambes emportées par un boulet, exprimer par les paroles d'autrui l'épouvante ressentie par soi-même, ce sont des pratiques de mise à distance, défense efficace contre les vécus destructeurs. Tout ce qu'on connaît avec certitude des expériences de guerre de Maupassant est ce besoin de se défendre qu'elles ont suscité.

L'auteur de Boule de suif :
un écrivain né de la guerre

Pendant la décennie qui suit, la vie de Maupassant est bien connue : fonctionnaire, il gémit d'ennui dans les bureaux du ministère ; canotier le dimanche, il exhibe ses biceps et sa proverbiale puissance sexuelle ; mais il écrit, des vers surtout, qu'il soumet au regard sévère et patient de Flaubert. Aucune de ses tentatives littéraires ne laisse deviner l'auteur de Boule de suif. Tourgueniev soupire : « Dire que ce garçon n'aura jamais de talent ! » La phrase est citée par Léon Hennique quand, cinquante ans plus tard, il évoque la surprise produite par la lecture du récit de Maupassant sur les autres collaborateurs des Soirées de Médan[1].

---

1. Préface pour *Les Soirées du Médan*, Édition du Cinquantenaire, Paris, Fasquelle, 1930.

Ce recueil, qui sera considéré comme le manifeste de l'école naturaliste, résulte d'une entreprise dont les origines remontent à 1876, au scandale de *L'Assommoir*, un succès qui fait que Zola se trouve aussitôt entouré de jeunes écrivains. Ceux-ci, il est vrai, se réclament de Flaubert et de Goncourt aussi, mais c'est avec Zola, leur aîné d'une dizaine d'années à peine – nous reprenons ici une suggestion d'Alain Pagès [1] –, qu'ils ont en commun l'intérêt de former un groupe ; intérêt, pour l'auteur des *Rougon-Macquart*, en butte à de violentes attaques, de renforcer sa position, et, pour les jeunes, de se faire porter par la vague naturaliste.

Jeunes, la plupart ne sont plus des débutants lorsque *Les Soirées de Médan* paraissent en 1880. Paul Alexis (1847-1901) s'est fait connaître dès 1869 par *Les Vieilles Plaies*, pastiche de Baudelaire : un scandale, grâce à la colère de Poulet-Malassis. De Léon Hennique (1850-1935) a paru en 1876, en feuilleton, *Élisabeth Couronneau*, roman sur les convulsionnaires de Saint-Médard. De Henry Céard (1851-1924), en 1878, en feuilleton, *Une belle journée*, beau livre sur rien. Huysmans (1848-1907) est un écrivain confirmé : *Le Drageoir à épices*, publié à compte d'auteur en 1874, a eu de belles critiques ; *Marthe, histoire d'une fille*, a paru en 1876, et *Les Sœurs Vatard*, une des plus puissantes productions du naturalisme, en 1879. Maupassant est le seul vrai débutant du groupe. Entre 1876 et 1880, il publie quelques articles et poésies, six nouvelles qui passent inaperçues, écrit du théâtre et veut être poète. *Des vers*, son premier livre, sort le 25 avril 1880 chez Charpentier, une semaine après *Les Soirées de Médan*, paru le 17 chez le même éditeur. C'est en janvier 1880 qu'il a eu, lui aussi, son procès pour

---

1. « Le mythe de Médan », *Cahiers naturalistes*, 1981, p. 31-40.

outrage à la morale publique, à cause d'« Une fille »,
poème publié dans *La Revue moderne et naturaliste* [1].

La République, en effet, non moins pudibonde et
répressive que l'Empire qui a poursuivi vingt ans auparavant *Les Fleurs du Mal* et *Madame Bovary*, condamne en
1876 *Les Diaboliques* de Barbey d'Aurevilly et *La Chanson des gueux* de Richepin. En 1877, Goncourt tremble
pour *La Fille Élisa*, et Huysmans fait paraître *Marthe* à
Bruxelles pour éviter les poursuites. Maupassant les
craint d'autant plus que sa place au ministère de
l'Instruction publique est en jeu ; son affaire se termine
par un non-lieu grâce à Flaubert qui non seulement le
défend publiquement, mais fait intervenir ses relations
politiques.

Comme à l'époque de *Madame Bovary*, la vigilance
accrue du pouvoir est une réaction aux attaques contre
les idéaux qui assurent sa légitimité morale. Ce sont des
écrivains coupables de tels délits, les uns dans les faits,
les autres en intention, qui se réunissent le 16 avril 1877
au restaurant Trapp pour un dîner qu'Edmond de
Goncourt commente ainsi dans son journal : « Ce soir,
Huysmans, Céard, Hennique, Paul Alexis, Octave Mirbeau [2], Guy de Maupassant, la jeunesse des lettres réaliste, naturaliste, nous a sacrés, Flaubert, Zola et moi,
sacrés officiellement les maîtres de l'heure présente, dans
un dîner des plus cordiaux et des plus gais. Voici l'armée
nouvelle en train de se former [3]. » Les jeunes sont belli-
queux, en effet, et Zola les y encourage : attaquer, se
faire attaquer, se défendre sont des actions procédant du

---

1. Une première version de ce poème, peu différente, publiée en 1876
dans *La République des Lettres* sous le titre « Au bord de l'eau », n'a
soulevé aucune protestation.
2. Les contemporains assurent que Mirbeau aurait participé aux
Soirées de Médan s'il n'avait pas été absent de Paris à l'époque.
3. *Journal*, le 16 avril 1877. Édition de Robert Ricatte, Paris, Fasquelle et Flammarion, 1956, t. II, p. 1182-1183.

même intérêt de s'imposer en imposant la vérité naturaliste.

C'est dans cet esprit de provocation que *Les Soirées de
Médan* seront conçues par « Messieurs Zola[1] », à
l'automne 1879. Le récit de sa genèse que nous reproduisons dans ce volume (p. 251-255) est une légende inventée
par Maupassant à des fins publicitaires. En voici une version véridique, faite par le même, à l'intention de Flaubert : « Zola a publié en Russie[2], puis en France dans *La
Réforme*, une nouvelle intitulée *L'Attaque du Moulin*.
Huysmans a fait paraître à Bruxelles[3] une autre nouvelle
ayant pour titre *Sac au dos*. Enfin, Céard a envoyé à la
revue russe[4] dont il est le correspondant une très curieuse
et violente histoire sur le siège de Paris, qui s'appelle *Une
saignée*. Lorsque Zola connut ces deux dernières œuvres, il
nous a dit qu'à son avis cela formerait avec la sienne un
curieux volume, peu chauvin, et d'une note particulière.
Alors il engagea Hennique, Alexis et moi à faire chacun
une nouvelle pour compléter l'ensemble[5]. » Dans l'avertissement du recueil on lit : « Nous nous attendons à toutes
les attaques, à la mauvaise foi et à l'ignorance dont la critique courante nous a déjà donné tant de preuves. Notre
seul souci a été d'affirmer publiquement nos véritables
amitiés et, en même temps, nos tendances littéraires. »
L'objet du scandale désiré est décrit ainsi par Maupassant,
à l'intention de Flaubert toujours : « [...] nous avons voulu
[...] tâcher de donner à nos récits une note juste sur la

---

1. Titre d'un article consacré aux jeunes naturalistes par Mont-
joyeux dans *Le Gaulois* du 27 décembre 1878.
2. Dans *Le Messager de l'Europe*, où la nouvelle paraît en juillet
1877, sous le titre *Un épisode de l'invasion de 1870*.
3. Dans *L'Artiste*, du 19 août au 21 octobre 1877.
4. La nouvelle a paru dans *Slovo* en septembre 1879, sous le titre
L'Armistice.
5. Lettre du 5 janvier 1880, *Corr.*, t. I, p. 252-253.

guerre, de les dépouiller du chauvinisme à la Déroulède [1], de l'enthousiasme faux jugé jusqu'ici nécessaire dans toute narration où se trouve une culotte rouge et un fusil. Les généraux, au lieu d'être des puits de mathématiques où bouillonnent les plus nobles sentiments, les grands élans généreux, sont simplement des êtres médiocres comme les autres, mais portant en plus des képis galonnés et faisant tuer des hommes sans aucune mauvaise intention, par simple stupidité. Cette *bonne foi* de notre part dans l'appréciation des faits militaires donne au volume entier une drôle de gueule, et notre désintéressement voulu dans ces questions où chacun apporte inconsciemment de la passion exaspérera mille fois plus les bourgeois que des attaques à fond de train. Ce ne sera pas antipatriotique, mais simplement vrai [...] [2]. »

Résultat d'une coïncidence lucidement exploitée, le choix de la guerre comme sujet de six récits « simplement vrai[s] », réunis pour conférer une dimension collective au naturalisme, constitue en lui-même une attaque contre l'idéologie officielle obligée à prôner des mensonges pour panser la blessure d'amour-propre d'une nation dont l'image glorieuse, inchangée depuis Napoléon Ier, s'est brisée brutalement en 1870. Être « simplement vrai », c'est déchirer les pansements pour montrer que la blessure qu'ils cachent a été autant la faute de la victime que de l'adversaire. Cette agressivité s'exprime directement dans le titre proposé d'abord : *L'Invasion comique* ; on y renonce, probablement pour cette raison même, et aussi parce qu'il risque de dévier le tir dont la cible est la société française et non l'armée prussienne. La proposition de ce titre équivoque serait même étonnante, n'était

---

1. Grâce à leur grande popularité, *Chants du soldat* (1872), suivis des *Nouveaux Chants du soldat* (1875), de Paul Déroulède (1846-1914), donnent le ton de la littérature patriotique.
2. Lettre du 5 janvier 1880, *Corr.*, t. I, p. 252-253.

sa consonance avec *L'Illusion comique* : la cible, clairement désignée ainsi, est Matamore.

Le titre *Les Soirées de Médan* s'inscrit dans une tradition inoffensive. Par sa banalité, il sert de repoussoir à
l'agressivité des récits. Le procédé est efficace, à preuve
cet article publié le 29 juin 1880 dans *L'Union*, où Daniel
Bernard, en se référant à la légende des belles soirées
dans le jardin de Médan où ces histoires seraient nées,
déplore l'influence insolite du clair de lune sur les naturalistes : « il leur suggère une série de petites histoires polis-
sonnes, où les convenances sont blessées (j'ose le dire)
très grièvement ». Par « convenances » sont entendus les
interdits qui préservent la pureté dans la sexualité
– Maupassant, Céard, Hennique et Alexis les trans-
gressent –, ainsi que la propreté corporelle, celle-ci étant
un tabou littéraire, violé, non sans hésitation, par Huysmans. Zola ne touche pas à ces thèmes, mais lui aussi
outrage cette convenance suprême qu'est l'illusion
héroïque de Matamore. « L'extrême gauche de l'encrier
vient de se constituer », écrit Richepin dès le 21 avril
dans *Gil Blas*, dans un article qu'il intitule « Les six naturalistes ».

Pour des jeunes gens de trente ans, toutefois, écrire de
la guerre, c'est écrire d'un vécu fondateur : dans *La Crise
allemande de la pensée française (1871-1914)* de Claude
Digeon [1], somme critique de la littérature où s'inscrivent
Les Soirées de Médan, ils sont désignés comme « la géné-
ration de 1870 ». Démasquer les mensonges patriotiques,
c'est ressaisir la réalité de leur vécu afin d'en maîtriser le
souvenir. S'ils attaquent la victime sacrée qu'est la
France, s'ils se désolidarisent de cette position de victime
dont eux-mêmes sont sommés de bénéficier, c'est pour

---

1. Paris, PUF, 1959.

porter de la lumière dans l'obscurité de leur première jeunesse en s'enflammant de colère contre l'absurdité de la guerre.

Ils ont eu leur scandale, quoique moins retentissant qu'ils ne l'avaient espéré. Maupassant seul devient connu du jour au lendemain. C'est l'obligation d'écrire de la guerre avec l'âpreté impérative à Médan – *Le Mariage du lieutenant Laré*, qu'il publie en 1878, est encore une idylle militaire – qui le révèle aux autres, à lui-même. Flaubert, qui ne lit *Boule de suif* que sur épreuves, jubile : « [...] un *chef-d'œuvre*, ni plus ni moins. Conception, observation, personnages et paysages et surtout Composition (chose rare), c'est parfait. Deux ou trois fois, j'ai ri tout haut ! Quant à être immoral, c'est au contraire très moral, puisque l'Hypocrisie et la Lâcheté y sont flagellées durement. On goûte en lisant cela comme le plaisir d'une vengeance [...][1]. » Et à Maupassant, aussitôt sa lecture achevée : « J'ai envie de te bécoter pendant un quart d'heure[2] ! »

Mais l'auteur de *Boule de suif* semble ignorer qu'il vient de conquérir son art. Il considère le succès comme « une préparation parfaite à [son] volume de vers [...] qui coupera court, en ce qui [le] concerne, à ces bêtises *d'école naturaliste* qu'on répète dans les journaux[3] ». Ce n'est pas infidélité, à lui-même tout au moins. Un an auparavant, il écrivait à Flaubert : « Que dites-vous de Zola ? [...] "La République sera naturaliste ou elle ne sera pas." – *"Je ne suis qu'un savant."* ! ! ! [...] "L'enquête sociale." – Le document humain. La série des formules. [...] Et on ne rit pas...[4] » Et, en 1877 déjà, probablement

1. Lettre à Mme Brainne [3 février 1880], *Correspondance, Œuvres complètes*, Paris, Club de l'Honnête homme, 1975, t. XVI, p. 313.
2. Lettre du 1er février 1880, *ibid.*, p. 305.
3. Lettre à Flaubert [fin avril 1880], *Corr.*, t. I, p. 277.
4. Lettre du 24 avril 1879, *Corr.*, t. I, p. 218.

à Alexis : « J'ai réfléchi au manifeste qui nous occupe [...]. Je ne crois pas plus au naturalisme et au réalisme qu'au romantisme. » Mais il ajoute : « Il faudra discuter sérieusement sur les *moyens de parvenir*. À cinq on peut bien des choses, et peut-être y a-t-il des *trucs* inusités jusqu'ici[1]. » *Les Soirées de Médan*, c'était un de ces « *trucs* ».

Des vers auront un accueil flatteur. Ils marquent la fin des aspirations poétiques de Maupassant ; c'est sa carrière de conteur qui commence. Le 1er juin 1880, il obtient un congé au ministère, qui sera renouvelé jusqu'à sa démission en 1882. Flaubert meurt le 8 mai. Avec *Boule de suif*, l'apprentissage de son disciple a été terminé.

Message idéologique : l'individu est restauré par la guerre

Si les grandes catastrophes de 1870, prises dans l'ampleur mythique des *Légendes des Siècles*, sont nommées par Hugo dès 1872 dans *L'Année terrible*, le tableau complet du désastre, avec les marches et contre-marches qui ont épuisé les armées avant même qu'elles eussent rencontré l'ennemi, avec la confusion des batailles et le spectacle insoutenable de leurs lendemains, ne sera reconstitué qu'en 1892, dans *La Débâcle* de Zola. Auparavant, on se contente de noter des choses vues : les journaux et les « tableaux » abondent ; George Sand, Gautier, Dumas fils, Juliette Lamber, Francisque Sarcey, Ludovic Halévy, Vincent d'Indy et d'autres, moins illustres, y livrent leurs témoignages personnels, s'y délivrent du poids d'une expérience oppressante. Quant à ceux qui exaltent le patriotisme, ils réduisent la guerre, observe Claude Digeon, à la mesure de l'individu qui,

---

1. Lettre du 17 janvier 1877, *Corr.*, t. I, p. 112 et 115.

appelé par la patrie, découvre en lui-même un trésor d'énergie inemployée ; la visée de cette littérature est de cacher « une défaite immense sous une multitude de petites victoires »[1]. Les voix grinçantes ou prosaïques des *Soirées de Médan* troublent ce concert de plaintes d'innocents et de galéjades de justes. Mais elles non plus ne récitent pas autre chose que les tribulations de l'individu, des histoires en marge de la guerre.

Zola est plus discret que son jeune bataillon. Son sujet, l'histoire d'un moulin investi tour à tour par les Français et les Prussiens, aurait pu être traité, selon Maupassant, « de la même façon aussi bien par Mme Sand ou Daudet[2] ». Par George Sand, pour les amours champêtres, et par Daudet, pour le moulin ; par beaucoup d'autres pour les bons sentiments. Mais la note finale est cruelle : l'officier français qui reprend le moulin en ruine crie « victoire ! » en saluant la fille du meunier, « imbécile, entre les cadavres de son mari et de son père[3] ». C'est la débâcle d'une famille, un « épisode[4] » de la guerre.

Céard est le seul à évoquer le destin collectif, mais ce sont les motifs cachés, personnels, de la sortie désastreuse de la garde nationale de Paris qu'il analyse : comment le caprice d'une courtisane de l'Empire a amené Trochu à s'y décider. Maupassant est critique : « [...] pas vraisemblable, [...], mais des choses fines et curieuses[5] ». Chose forte, pourtant, que d'attribuer le nez de Cléopâtre à une femme qui, sous ses toilettes et son maquillage savants, n'est plus qu'une ruine et n'est désirée que par la vanité d'un haut dignitaire de la République épris des fastes impériaux.

---

1. Cl. Digeon, *La Crise allemande de la pensée française, op. cit.*, p. 51 *sq.*
2. Lettre à Flaubert [fin avril 1880], *Corr.*, t. I, p. 277.
3. *Les Soirées de Médan*, Paris, Charpentier, 1880, p. 49.
4. Cf. note 2, p. 13.
5. Lettre à Flaubert [fin avril 1880], *Corr.*, t. I, p. 277.

« Alexis ressemble à Barbey d'Aurevilly, mais comme Sarcey veut ressembler à Voltaire[1]. » La comparaison avec l'auteur d'*Un prêtre marié* est inspirée à Maupassant par le sujet d'*Après la bataille* : un prêtre, engagé volontaire, et une veuve de guerre font l'amour tout contre le cercueil qui renferme le corps du mari. Transgression sacrilège qui devrait plaire à Maupassant ; nous aurons à expliquer sa réticence. Retenons ici que cela se passe *après* la bataille.

L'Affaire du Grand 7 de Hennique est l'histoire d'une boucherie dans un bordel, commise par des troupiers en garnison. Elle reste impunie, les supérieurs craignant trop l'esprit de révolte exacerbé par l'attente des Prussiens, toujours annoncés et jamais en vue. Elle se substitue, en effet, à la bataille : en temps de guerre, l'instinct de destruction l'emporte sur l'instinct sexuel. Cette fois, Maupassant approuve : « bien, bonne patte d'écrivain[2] ».

Sac à dos de Huysmans est un journal du désordre. Un jeune appelé, souffrant de dysenterie, est ballotté d'hôpital en hôpital jusqu'à l'heureux moment où, échappé à l'absurde machine militaire, il rentre chez lui pour « savourer la solitude des endroits où l'on met culotte bas, à l'aise[3] ». Cette leçon, qui substitue à la promiscuité des batailles celles des latrines, n'a pas figuré dans la première version. Maupassant est méprisant : « Pas de sujet, pas de composition, peu de style[4]. »

Tous ces récits s'en prennent à l'illusion héroïque et, au-delà, au pouvoir qui œuvre à la maintenir. La particularité des *Soirées de Médan*, conclut Claude Digeon, est de combattre le chauvinisme pour « dénoncer la société

---

1. *Ibid.*
2. *Ibid.*
3. *Les Soirées de Médan*, *op. cit.*, p. 147.
4. Lettre à Flaubert [fin avril 1880], *Corr.*, t. I, p. 277.

qui autorise et sanctifie cette monstruosité, la guerre [1] ». Maupassant partage cette intention, c'est même lui qui la réalise le plus complètement en déployant dans *Boule de suif* un vaste panorama social pour mettre en cause tout à la fois la noblesse, la haute, la moyenne et la petite bourgeoisie, le clergé, les légitimistes, les bonapartistes, les républicains. Pourtant, sa hâte à « [couper] court à ces bêtises *d'école naturaliste* », de même que ses remarques critiques à l'égard de ses confrères trahissent le désir d'affirmer sa différence. Elle existe, le succès de *Boule de suif* l'atteste : les autres sont approuvés ou rejetés, tandis que Maupassant plaît. Il plaît, depuis plus d'un siècle la critique l'a souvent rappelé, par sa vigueur, sa sensualité, son humour, la crédibilité de son réalisme, l'équilibre de la composition de sa nouvelle, qualités qui rassurent, tandis que les autres jeunes conteurs, sardoniques, désespérés, morbides, misent sur l'effet de leur agressivité. La conclusion s'impose : il y a, sous-jacente au message commun, une différence idéologique. Pourtant, Maupassant est impitoyable dans son analyse de la défaite, fondée sur des convictions si bien arrêtées qu'elles ne changeront plus. Pour les restituer dans leur intégrité, on les évoquera en parcourant l'ensemble de ses histoires de guerre.

Boule de suif s'ouvre sur un grand tableau du dernier acte de la débâcle : l'armée en déroute traverse Rouen. Des « lambeaux d'armée » (p. 45), où se mêlent des vestiges des troupes régulières, de la garde mobile et des francs-tireurs, ces trois corps qui, avec la garde nationale, étaient chargés de la défense de la patrie. Aucun, on le sait, n'a rempli son devoir.

Dans le désordre de ce triste défilé, l'armée régulière n'a d'autre signe de distinction que quelques pièces de vêtement : culottes rouges de l'infanterie, casques

---

1. Cl. Digeon, *La Crise allemande de la pensée française, op. cit.*, p. 267.

brillants des dragons ; oripeaux tape-à-l'œil d'une armée de parade. C'est ainsi que les militaires apparaissent partout dans l'œuvre, exception faite du *Mariage du lieutenant Laré* où un petit lieutenant, « aussi prudent que brave, subtil, inventif, plein de ruses et de ressources » (p. 264), sauve, lors d'une longue marche nocturne dans la neige, la vie d'une jeune comtesse et celle d'une brigade. Le général reconnaissant le fait promouvoir au grade de capitaine, le comte reconnaissant lui accorde la main de sa fille, avec six cent mille francs de dot. Maupassant retravaillera encore deux fois cette anecdote banale, dans *Souvenir* et *Les Idées du colonel*. Peut-être est-ce un vécu personnel qui se trouve à son origine – on pense à la dangereuse marche nocturne dont le jeune sportif rend compte à sa mère en 1870 –, ce qui n'expliquerait qu'insuffisamment son importance puisqu'on connaît la réticence de Maupassant à exploiter des matériaux autobiographiques. On reviendra à ce récit *princeps*. Ici, retenons que dans les versions ultérieures le sauvetage de la jeune fille n'aura d'autre conséquence que de donner du cœur aux soldats épuisés ; aucun incident de guerre, même joyeux, ne doit être source de bonheur : telle est la leçon de ces élaborations successives. Notons aussi que le joyeux incident n'a pas été un exploit militaire. Le récit, il est vrai, en inclut un : les Français, rencontrant par hasard un détachement de uhlans, les tuent tous. Ils sont trois cents contre douze. Les militaires français n'affrontent nulle part ailleurs l'ennemi dans l'œuvre de Maupassant. Ils ne tuent que des Français, par méprise ; un sourd-muet, dans *Les Rois*, et une vieille femme qui cherche son fils soldat, dans *L'Horrible*.

Dans *Les Rois*, des officiers improvisent un souper. Ils défoncent à coups de pied la porte d'une maison, pillent les provisions cachées, font un beau feu avec la voiture coupée en morceaux : « C'est la guerre. Nous jouons notre vie à tout instant, n'avons-nous pas le droit de la jouer gaiement ? » (p. 209). Les officiers prussiens qui, dans *Mademoiselle Fifi*, se divertissent en détruisant les objets d'art du château occupé, raisonnent de la même manière. Et, de même qu'eux, les Français veulent des femmes à leur festin, faisant montre d'une virilité qui résiste aux épreuves de la guerre. Ils régaleront trois vieilles impotentes, conduites par une bonne sœur : la valeur du désir se mesure à l'objet qui lui est réservé. C'est cette valeur qui est bafouée aussi dans *Le Lit 29*. Inspiré par la seule vanité, le désir du capitaine Épivent est indigne de son objet, une prostituée magnanime qui tue les Prussiens en leur transmettant la vérole. Lorsque son piètre amant lui reproche de l'avoir rendu la risée du régiment, elle se redresse sur son lit de mort : « Ça serait-il arrivé si vous [...] aviez empêché [les Prussiens] de venir à Rouen ? dis ? C'est vous qui deviez les arrêter, entends-tu. [...] Je te dis que je leur ai fait plus de mal que toi, moi, et que j'en ai tué plus que tout ton régiment réuni... va donc... capon ! » (p. 188).

Le capitaine Épivent est fier de sa moustache superbe, « blonde, très forte, tombant martialement sur la lèvre en un beau bourrelet couleur de blé mûr » (p. 175) : il exhibe cet *épi* puissant, l'expose au *vent* qui véhicule – c'est sa fonction sexuelle dans la fantasmatique de Maupassant – la semence virile. « Et puis, ce que j'adore d'abord dans la moustache, c'est qu'elle est française, bien française. Elle nous vient de nos pères les Gaulois, et elle est demeurée le signe de notre caractère national » (p. 128), déclare une jeune femme pour couronner son éloge de cet instrument indispensable du plaisir érotique. Comme épilogue de son discours, elle évoque un souvenir de guerre : le spectacle de soldats morts, recouverts de terre jusqu'au cou en attendant la grande fosse, et parmi lesquels elle reconnut ses compatriotes qui, tous, « portaient la moustache française, bien distincte, la fière moustache » (p. 129). Qui dit militaires français, dit exhibition de virilité. Un commerçant jaloux s'écrie : « Je ne comprends pas qu'on tolère sur les promenades que ces meurtriers publics promènent leurs instruments de mort » (p. 177). Attributs de Matamore, le sabre et la moustache sont les signes d'une virilité de parade destinée à triompher des femmes ou, mieux, des maris, mais impuissante à défendre la patrie : au début de *Boule de suif*, des « hordes débandées » (p. 45) traversent Rouen.

Les francs-tireurs n'apparaissent que dans *Souvenir* où ils portent en triomphe la jeune fille sauvée de la neige, en criant « Vive la République ! » (p. 275). Dans *Les Idées du colonel*, c'est l'armée régulière qui se substitue à eux, et le cri devient « Vive la France ! » (p. 173). Changement logique, la galanterie n'étant pas républicaine. C'est par leurs « appellations héroïques » (p. 45) que les légions de francs-tireurs se distinguent dans le défilé de *Boule de suif* : par des mots qui occultent les faits. Si Maupassant les exclut pratiquement de ses récits de guerre, c'est que, situés entre les défenseurs officiels de la patrie et les civils qui s'insurgent contre les Prussiens, ils affaibliraient par leur présence le contraste entre ces deux groupes. Les atrocités qu'ils ont commises le rebutent aussi, certainement ; c'est un thème auquel il ne touche à aucun prix, fût-ce celui de la vérité.

La garde mobile est également exclue, afin que les bourgeois n'apparaissent que dans la position conforme à leur tempérament : dans les rangs de la garde nationale sédentaire. Celle-ci, au début de *Boule de suif*, est « rentrée dans ses foyers », ayant fait disparaître « son attirail meurtrier » à l'approche de l'ennemi (p. 46). Ses membres n'ayant jusqu'alors « manié [...] que des balances », deviennent « redoutables au premier venu » du « seul fait de tenir des armes » (p. 137). Comble de ridicule, ce sont eux que Maupassant montre passant à l'attaque. Ils sont deux cents contre six dans *Les Prisonniers*, cinquante contre un dans *L'Aventure de Walter Schnaffs*. Dans le

premier cas, ils s'emparent d'un détachement qu'une paysanne rusée a emprisonné dans sa cave ; dans le second,
leur capture est un père de famille terrorisé par les
batailles, qui ne souhaite que d'être fait prisonnier. Ce
sont des charges cruelles, ces guerriers d'occasion n'ayant
même pas la moustache réglementaire des militaires,
mais, pour seul signe distinctif, le gros ventre des « bourgeois [...], émasculés par le commerce » (p. 46).

L'armée régulière et la garde nationale correspondent
à deux époques historiques. Les militaires de carrière, fils
de bonnes familles – « Ça fait plaisir, dans le service, de
ne pas tutoyer des mufles » (p. 203) –, en place depuis
l'Empire, perpétuent une profession de l'Ancien Régime.
La garde, elle, a sévi pendant « cette démence » qui, commencée le lendemain de Sedan, « dura jusqu'après la
Commune » : « On jouait au soldat d'un bout à l'autre
du pays. [...] On exécutait des innocents pour prouver
qu'on savait tuer ; on fusillait [...] les chiens errants, les
vaches ruminant en paix, les chevaux malades pâturant
dans les herbages » (p. 137). Pour Maupassant, rappe-
lons-le, tuer une bête est un crime aussi grave que tuer un
innocent [1]. Dans *Un coup d'État*, l'Ancien et le Nouveau
Régime se confrontent dans les personnes du vicomte de
Varnetot et du citoyen Dr Massarel qui se relaient à la
mairie de Canneville. Le vieil aristocrate, ancien chasseur, menace seulement de tirer sur son successeur républicain qui, lui, usera de son pouvoir en tirant sur le
buste en plâtre de Badinguet avec un pistolet que sa main
rencontre sur son gros ventre « par hasard » (p. 148). Premier acte de la tragédie de Matamore, la défaite fut
l'œuvre commune de l'Empire et de la République.

---

1. Cf. notre introduction pour *La Petite Roque et autres histoires
criminelles*, Paris, GF-Flammarion, n° 545, 1989.

Après la défaite, c'était l'invasion : « cataclysme », « tremblement de terre », « fleuve débordé » (p. 47). La démesure écrase la parole.

« Mais à chaque porte des petits détachements frappaient, puis disparaissaient dans les maisons. C'était l'occupation après l'invasion » (p. 47). Elle est la période où surgissent les héros chez Maupassant.

L'armée et la garde nationale sont des institutions. À leur opposé se lèvent par « emportements naturels » (p. 61) des civils, des individus qui résistent : des patriotes. Boule de suif est patriote, c'est pour cela que l'histoire est scandaleuse. Appartenant à une institution complémentaire de celle du mariage et qui l'oblige à renoncer à disposer librement d'elle-même, elle ose se soustraire à cette obligation pour s'affirmer en tant qu'Élisabeth Rousset – c'est sous ce nom qu'elle sera appelée dans la chambre de l'officier prussien –, citoyenne française. Ses compagnons de voyage ne peuvent tolérer une telle transgression. Au nom de l'Église, de l'État et de la Nation – à grand renfort d'exemples bibliques et historiques –, ils l'amènent à reprendre sa fonction dans la société, à satisfaire le désir légitime du Prussien qui, « peut-être privé depuis longtemps », « respecte les femmes mariées » (p. 78), alors qu'il pourrait abuser de son pouvoir.

Le héros d'*Un duel*, M. Dubuis, pourvu d'un gros ventre, a servi dans la garde nationale de Paris ; aussi ne rencontre-t-il le premier Prussien qu'après l'armistice. Prudent, il évite de répondre aux insultes de l'officier arrogant, mais lorsque celui-ci le menace de lui couper la moustache, il le roue de coups et, lui qui n'a jamais tenu un pistolet, le tue en duel. Un coup de chance. Mais de tels hasards ne se produisent que dans la vie civile où même un ancien de la garde a la fierté de sa moustache. M. Morissot, horloger, entre en scène en uniforme de garde ; pourtant, lui aussi, c'est en tant que civil qu'il rencontre, en compagnie de son ami M. Sauvage, mercier, les premiers Prussiens : évadés de Paris assiégé, les deux amis s'adonnent à la pêche, occupation patiente, paisible. C'est en tant que civils qu'ils meurent pour avoir refusé de trahir le mot de passe ; en tant qu'individus, leurs dernières paroles étant leurs noms que les exécuteurs n'ont même pas demandés : « Adieu, monsieur Morissot » ; « Adieu, monsieur Sauvage » (p. 114).

« La mère Sauvage », une vieille paysanne dont le fils unique est à l'armée, vit selon la loi de l'institution ancestrale de la famille. Elle « [aime] bien [...] ses quatre ennemis » (p. 152), quatre soldats prussiens logés chez elle qui « [accomplissent] toutes les besognes de la maison, comme quatre bons fils autour de leur mère » (p. 152). Mais, en apprenant la mort de son enfant, elle met le feu à sa chaumière pour les y faire périr. Devant le peloton d'exécution, elle exige qu'on avertisse les familles : « [...] vous direz [...] que c'est moi qui ai fait ça, Victoire Simon, la Sauvage ! » (p. 157). Au début de la nouvelle, le narrateur se demande si « Sauvage » est un nom ou un surnom. Le nom authentique apparaît à l'heure suprême où l'héroïne, en assumant le meurtre, rejette les us institutionnels pour revendiquer son individualité : elle s'appelle Victoire. La ferme du « père Milon » est occupée par l'état-major ennemi. Revenu des champs un soir, il fait ses comptes : les Prussiens lui ont pris « pour pus de chinquante écus de fourrage avec une vaque et deux moutons » (p. 120). Il décide de tuer un soldat pour chaque somme de vingt écus volés, vengeance qui vaut aussi pour son père, tué par les Prussiens sous Napoléon Ier, et pour son fils cadet, mort en 1870. « Le vieux paysan [...], le père Milon, Pierre [...] » (p. 118) – c'est l'ordre administratif des termes qui marque, cette fois, que le nom, intégral et authentique, a été conquis par le meurtre. Saint-Antoine tue son « cochon » de Prussien dans une querelle d'ivrognes ; il est un farceur, un « fanfaron [1] » ; c'est un autre qui sera fusillé à sa place : « Saint-Antoine » est son surnom, en fait il s'appelle Antoine ; mais est-ce son nom ou son prénom ?

Le nom Milon est inspiré peut-être par le mot « moulin » dans le titre de la nouvelle de Zola dans *Les Soirées de Médan* : les deux récits sont ponctués par l'image de la vigne contre le mur de la maison, et tous deux se terminent par la mort du père sous le regard stupéfait des enfants. Mais le meunier de Zola est tué par une balle perdue, tandis que le père Milon crache dans la figure des exécuteurs, et, collé contre le mur, envoie des sourires à ses descendants. Pourtant, c'est un homme fruste, peu habitué à exprimer ce qu'il ressent. Avec « son air abruti » (p. 119), son corps « tors » pourvu de « grandes mains pareilles à des pinces de crabe », ses cheveux « rares et légers comme un duvet de jeune canard » (p. 119), c'est le type même du criminel sournois et sadique de Maupassant, qu'on rencontre dans *L'Orphelin*, *L'Âne*, *Le Garde* [2]. Son procédé répond bien à cette définition : revêtu de l'uniforme de sa première victime, il se porte à la rencontre des éclaireurs isolés, appelle au secours, et tue le soldat qui se penche sur lui pour l'aider. Son arme est celle du faible, la ruse, le piège. La mère Sauvage emplit de bottes de foin le grenier où vont dormir ses soldats, leur promettant qu'elles leur tiendront chaud ; ils l'aident en bons fils ; ils seront pris au piège de la feinte sollicitude maternelle. On se rappellera, par opposition à ces meurtriers fiers de leurs actes, les tueurs de Prussiens de Daudet. Maître Bélisaire (*Le Prussien de Bélisaire*) assène un coup de poing au soldat ivre qui le menace de son sabre ; il le tue comme par miracle et en situation de légitime défense. Quant au fermier dans

---

1. *Contes de la Bécasse*, Paris, GF-Flammarion, n° 272, 1979, p. 218.
2. *La Petite Roque et autres histoires criminelles*, op. cit.

Robert Helmont – Maupassant s'en souvient peut-être en écrivant *Le Père Milon* –, qui tue des Prussiens isolés pour venger le pillage de sa ferme, il est désavoué par le narrateur : c'est dans les rangs de la garde nationale qu'il devrait se venger.

La popularité des *Contes du lundi* tient, outre le patriotisme chauvin de quelques-uns, au respect, observé jusque dans le meurtre, de la règle institutionnelle. Le succès de *Boule de suif*, au contraire, est dû au mépris scandaleux de cette règle. Autre scandale, l'héroïne du *Lit 29*, une femme entretenue, reprend également son droit de disposer de son corps pour en faire une arme contre les Prussiens ; elle aussi, elle reconquiert son nom à l'heure de la mort : l'aumônier de l'hôpital appelle le capitaine Épivent au chevet de la « fille Irma Pavolin » (p. 186). Dans *Mademoiselle Fifi*, c'est l'institution elle-même que Rachel utilise comme arme : en se nommant « putain » – « je suis une putain ; c'est bien tout ce qu'il faut à des Prussiens » (p. 103) –, la jolie juive défend l'honneur des « femmes de France » (p. 103). Elle aussi rentrera en possession de son corps : un patriote la tirera de la maison close pour l'épouser. C'est l'exemple des prostituées qui illustre le plus clairement la thèse paradoxale de Maupassant : l'institution, du fait qu'elle prive les êtres de leur individualité, est l'ennemie de la cause commune. Il convient de restituer la logique qui mène à cette contradiction.

L'amour de la patrie est résistance, au sens fort, à l'occupant. Lorsque l'officier prussien menace M. Dubuis de lui couper la moustache, l'homme pacifique se jette sur lui : c'est son intégrité, corporelle, virile et morale, qu'il défend. MM. Morissot et Sauvage opposent leur mutisme aux demandes réitérées de l'ennemi : ils sont impénétrables, fermés, intègres, faisant obstacle de leurs corps au passage dans Paris encerclé, place forte impénétrable. Nous insistons sur les termes.

Boule de suif est une « citadelle vivante » (p. 79), sans
« brèche dans [sa] résistance » (p. 82) : impénétrable pour
l'agresseur militaire et sexuel. Elle l'est au point de résister à Cornudet aussi, lui rappelant qu'« il y a des Prussiens dans la maison » (p. 69). Son corps, composé de
formes sphériques, est la représentation géométrique de
l'intégrité. Représentation que Maupassant avait voulue
si parfaite que dans la scène avec Cornudet, il avait écrit
d'abord : « Boule de suif dont le ventre et les tetons se
mêlaient sous le peignoir […] » ; l'image, supprimée probablement à la suggestion de Flaubert qui proscrivit le
mot « tetons [1] », insiste, selon la leçon du texte définitif,
sur l'aspect « replet » (p. 68) de la prostituée, mais, par
effacement de la morphologie sexuelle, elle la dessine par
une ligne ronde ininterrompue, comme une forme close,
impénétrable.

Rachel consent à satisfaire le désir des Prussiens, mais
lorsque Mlle Fifi s'écrie : « À nous […] toutes les femmes
de France ! » (p. 103), elle s'insurge pour défendre la clôture du corps féminin qu'est l'honneur. L'agresseur s'en
prend alors à sa personne, en la giflant à toute volée ;
« affolée de rage » (p. 103), elle lui plonge un couteau
dans la gorge : c'est elle qui le pénètre. Irma, violée, rétablit son intégrité morale en propageant parmi les Prussiens la vérole qu'ils lui ont inoculée : elle les en pénètre.
Fils pour fils, hommes pour bêtes, les paysans prennent,
et au multiple, ce qu'on leur a pris. Calculateurs, âpres
au gain, ils agissent suivant une logique de possession ;
ils n'y gagnent rien, ils y laissent leur vie. Mais le compte
est rond : ils ont rétabli leur intégrité dont la preuve irré-
futable est l'intégralité du nom qui apparaît à l'heure où
la mort clôt l'addition.

Seuls les intègres sont capables de résister à l'occupant.
Par là s'explique l'interdiction de la sexualité en temps

---

1. Cf. note 49 de *Boule de suif*.

de guerre. Non seulement le corps féminin s'ouvre en acceptant le désir de l'autre, mais le corps masculin aussi, en « se mêlant » – c'est le verbe que Maupassant emploie de préférence pour décrire l'acte sexuel – à un autre corps, cesse d'être fermé sur lui-même. C'est pourquoi l'amour est exclu de ces histoires. Même le naïf auteur du *Mariage du lieutenant Laré* remet les noces au lendemain de la guerre, et dans les versions ultérieures toute idée d'accomplissement est absente. Irma fait l'amour pour détruire. Le désir des officiers des *Rois* est contrecarré par un « brave homme » (p. 208) de curé qui trouve que la guerre n'est pas « l'occasion de s'amuser » (p. 209). Celui des Prussiens dans *Mademoiselle Fifi* aboutira à un meurtre. Quant à Boule de suif, elle est prise au piège, trahie, vendue par ses compagnons de voyage ; leur immoralité se mesure à leur « joie égrillarde » (p. 84) pendant l'aventure : ce sont eux qui répondent au désir de l'occupant en brisant la résistance de la prostituée. Par là s'explique aussi qu'une armée, un « corps » dont l'attribut principal est la moustache, symbole d'une virilité qui triomphe des femmes, ne peut pas résister à l'ennemi. L'attitude critique de Maupassant à l'égard de Céard et d'Alexis se comprend par là : ni les Cléopâtre, ni les comtesses qui forniquent avec des prêtres n'ont leur place dans un récit sur la guerre.

Les bourgeois sont « émasculés par le commerce » (p. 46). Leur « gros ventre de marchand riche » que « [la] famine et les fatigues [n'ont] point diminué » (p. 131), est le synonyme corporel du capital qui s'accumule comme la graisse, et qui, malgré la guerre, a été préservé. Ce ventre, comme la richesse sur laquelle ils sont assis, immobilise leurs propriétaires enrôlés dans la garde nationale sédentaire. À l'approche de l'ennemi, ils se cachent parce que, contrairement à la rondeur recouverte d'une peau « tendue » (p. 55), faite pour résister, comme

l'est celle de Boule de suif, leur obésité est mollesse, lour-
deur, couardise. Deux cents contre six, cinquante contre
un, ils n'agissent que rassurés par leur poids. Le cas de
M. Dubuis qui écrase l'adversaire en combat singulier
« du poids énorme de son ventre » (p. 135) est une exception parce que la colère, un « emportement naturel »,
prend alors le dessus sur la prudence qui règle la
conduite de la bourgeoisie dont l'unique souci est d'éviter les pertes. Après le duel où il a tué le Prussien,
M. Dubois trotte, flanqué de ses témoins également
pourvus de gros ventres, pour ne pas manquer le train ;
pour ne pas le *perdre*. Si Maupassant n'a pas recueilli *Un
duel*, c'est, peut-être, à cause du ton oscillant entre la
satire et l'éloge, qui ne le satisfaisait pas. Le ton de *Deux
Amis*, en revanche, est sans équivoque : c'est un récit tragique. Il commence par l'image de M. Morissot se promenant au boulevard « le ventre vide » (p. 107).

Le capital est une institution. La morale qu'il implique
interdit la dépense : on ne donne pas son énergie ni son
sang. La raison principale de la défaite est que toutes les
classes dominantes observent cette morale, comme c'est
démontré dans *Boule de suif* où le pouvoir de l'aristocra-
tie est assimilé à celui du capital : « rapprochés par un
instinct de conservateurs » (p. 55), Loiseau, le marchand
de vin à « réputation de filou » (p. 52), M. Carré-
Lamadon, « homme considérable, posé dans les cotons »
(p. 53), et le comte Hubert de Bréville, « parlaient
argent » (p. 55). Le comte, collègue de M. Carré-
Lamadon au Conseil général, est un « grand seigneur dix
fois millionnaire » (p. 56). Un pays gouverné par ces
classes ne peut disposer que d'une armée de parade,
l'interdiction de se dépenser s'étendant à la carrière militaire qui, d'origine féodale, se confond, à l'instar de la
noblesse, avec la communauté instituée par le capital.
Boule de suif, constate Alain Boureau au terme d'une
analyse des rapports entre les voyageurs de la diligence,

est l'histoire d'une mutation profonde de la société française au lendemain de 1870[1].

Valeur dominante, l'argent est une valeur anonyme, à l'opposé de l'individualité. Il s'échange, circule, se mélange : il est à l'opposé de la clôture qu'est l'intégrité. Ceux qui ne résistent pas à son pouvoir envahissant ne peuvent pas résister non plus à l'envahisseur étranger : telle est la leçon des histoires de guerre de Maupassant. En se soustrayant à la règle de la prostitution, Boule de suif renie son gagne-pain. Le père Milon, « avare et difficile en affaires » (p. 119), commence à compter en écus, et finit par déclarer que c'est la mort de son père et de son fils qu'il s'est fait payer. Motif inspiré par la vigne vierge dans la nouvelle de Zola, la vigne, chez Maupassant, plantée à l'endroit où le fermier a été fusillé, « donnera » (p. 117).

Ainsi, l'intégrité va de pair chez Maupassant avec la clôture, c'est pourquoi elle seule résiste à l'agresseur. Or, seul l'individu est clos, imperméable, impénétrable. Lorsque, à l'heure suprême, les héros affirment leur individualité, c'est l'écrivain qui met ainsi en évidence le fondement de leur héroïsme en consacrant celui-ci. L'apparition exclusive de cet héroïsme à l'époque de l'occupation s'explique par la même logique : l'espace clos qu'est l'identité individuelle ne peut pas être occupé par l'étranger, il ne peut qu'être supprimé, disparaître à l'heure de la mort. Ceux qui reculent devant cette solution s'abritent, pour préserver leur vie, derrière les règles des institutions qui les privent de leur individualité et, partant, de leur capacité de résistance, annulant ainsi toute possibilité de conflit avec l'envahisseur.

C'est cette logique étrange qui permet de réduire la contradiction de la thèse de Maupassant : l'institution

---

1. « Maupassant et le cannibalisme social », *Stanford French Review*, 1978, n° 3, p. 351-362.

qui va à l'encontre de l'individualisme est l'ennemie de la cause commune parce que, en supprimant les frontières entre personnes, elle supprime la clôture qui arrête l'occupant.

La différence entre l'auteur de *Boule de suif* et les autres collaborateurs des *Soirées de Médan* s'instaure à partir de cette thèse : Maupassant est le seul à affirmer le patriotisme et l'intégrité morale, valeurs positives et traditionnelles. C'est par là qu'il rassure. Sa façon scandaleuse de les affirmer renouvelle ces valeurs, les renforce en les inscrivant dans un contexte de protestation. Les qualités littéraires de *Boule de suif*, le bel équilibre de la composition, la sensualité des descriptions, l'humour, la crédibilité des observations, sont liés à cette attitude positive, à cette foi en la capacité de résistance de l'individu. Il s'ensuit cependant que ces histoires de guerre imprégnées d'optimisme ne montrent que des cas d'exception. La vérité générale, celle qui fonde la définition de la guerre de Maupassant, est absente de ses récits. Ne pas sortir de l'anonymat des fosses communes « ceux qu'on tue par masses, qui forment la vraie chair à canon, parce qu'ils sont le nombre », les « humbles », les « pauvres » (p. 152), n'est-ce pas trahir leur mémoire ? Mettre en valeur les victoires morales de l'individu, n'est-ce pas occulter la défaite qui a écrasé une nation et le massacre qui a décimé deux nations ?

Message apocalyptique : l'intégrité est écrasée par la guerre

La nuit qui suivit la composition de *La Mère Sauvage*, Maupassant fit « le plus affreux cauchemar de [sa] vie » : « Dans la rue, un flot humain s'écoulait lentement, et, partout, les horribles casques à pointe brillaient au soleil. Il y en avait devant les portes, sur les bancs des avenues, sur l'impériale des omnibus, dans les loges de concierges, et je les devinais dans les appartements, derrière les portes, et dans les magasins, derrière les comptoirs, partout, partout [...]. / Et je restai là, oppressé, fou d'angoisse et de terreur. [...] / Et je me mis à pleurer, moi qui ne sais pas pleurer, je me mis à pleurer, la gorge brûlante et le cœur crispé. Tout à coup, comme en proie à un accès de folie, je bondis droit devant moi, avec une envie atroce de défoncer des poitrines couvertes de tuniques bleues et de cogner sur des crânes surmontés de casques à pointe. J'étais fou, vous dis-je, enragé de désespoir [1]. »

L'invasion, c'est la démesure, la multitude affolante. Dans le récit *princeps*, *Le Mariage du lieutenant Laré*, elle est comparée à « une mer débordée » qui, en « grands flots d'hommes », entre « par toute la frontière » (p. 264). C'est à ce cataclysme que l'individu tente de résister.

Boule de suif, lorsque les Prussiens entrent dans Rouen, pleure de colère ; lorsqu'ils entrent chez elle, elle saute à la gorge du premier. Elle doit fuir. C'est ainsi qu'elle se retrouve dans la diligence, arche qui vogue sur les flots de l'invasion, contenant un couple de chaque classe dominante. Par sa profession qui ne reconnaît d'autre but à la sexualité que le plaisir, elle est exclue de cette société vouée à se reproduire. Son exclusion qui la prédestine au sort de la victime est marquée par sa place dans la diligence : elle est la seule femme sur le banc des hommes. Elle échappe au premier danger, celui d'être dévorée – c'est l'interprétation d'Alain Boureau que nous suivons [2], confirmée sur ce point par celle de Philippe Bonnefis [3] –, en donnant à manger à ses compagnons affamés ; elle-même « appétissante », « grasse à lard », les

1. Mme X..., « Guy de Maupassant intime », *La Grande Revue*, 10 avril 1913.

2. « Maupassant et le cannibalisme social », art. cité.

3. *Comme Maupassant*, Presses universitaires de Lille, 1981, p. 44.

doigts « pareils à des chapelets de courtes saucisses »
(p. 55), elle possède, de plus, un panier de provisions
« sous ses jupons » (p. 57).

Innombrables, les soldats prussiens couvrent la France,
écrit ailleurs Maupassant, « comme les sauterelles
d'Afrique » (p. 133) : ils détruisent en dévorant. Les
corps de MM. Morissot et Sauvage seront jetés aux poissons ; leur pêche, des goujons frits vivants, sera dévorée
par l'officier prussien qui les fait fusiller. Le « corps
rouge », « encore palpitant », du lapin volé par les Prussiens que la mère Sauvage devait leur préparer, la faisait
penser à son fils mort, « coupé en deux, et tout rouge »
(p. 154). Elle ne put en manger. Ses commensaux le « dévorèrent », pendant qu'elle « les regardait de côté, sans
parler, mûrissant une idée » (p. 154) ; c'est alors qu'elle
décide de se venger sur eux. Dévorer, c'est tuer en dépeçant, morcelant, broyant : en détruisant l'intégrité. Tel
était le sort de la France sous l'invasion des « sauterelles ». Boule de suif y a échappé.

Mais la dévoration n'est pas seulement un symbole.
Les occupés devaient nourrir les occupants. Le Prussien
de Saint-Antoine « était un gros garçon à la chair grasse
et blanche [1] » ; le paysan lui donne à manger plus qu'il
ne peut, l'engraisse, en fait son « cochon ». Les pensionnaires de la mère Sauvage « étaient quatre gros garçons,
[...], demeurés gras malgré les fatigues qu'ils avaient
endurées », à la « chair blanche et rose » (p. 151). Des
« gros porcs », dit Boule de suif parlant de l'occupant
(p. 61). Le porc est immonde, mange les immondices, se
vautre dans l'immondice. Le Prussien de Saint-Antoine
meurt sur le fumier. « Oui, madame, ces gens-là, ça ne
fait que manger des pommes de terre et du cochon, et
puis du cochon et des pommes de terre. Et il ne faut
pas croire qu'ils sont propres ! – Oh non ! – Ils ordurent

---

1. *Ibid.*, p. 219.

partout, sauf le respect que je vous dois » (p. 67). Dans
Paris affamé pendant le siège, « on mangeait n'importe
quoi » (p. 107) : l'invasion a souillé la France. « Il y avait
[...] quelque chose dans l'air, quelque chose de subtil et
d'inconnu, une atmosphère étrangère intolérable, comme
une odeur répandue, l'odeur de l'invasion. Elle emplissait
les demeures et les places publiques, changeait le goût
des aliments, donnait l'impression d'être en voyage, très
loin, chez des tribus barbares et dangereuses » (p. 48-49).
C'est par la gravité que prend la symbolique anale dans
ses récits que s'explique le mépris de Maupassant pour
Sac au dos de Huysmans, histoire d'un transit intestinal.

Le panier de Boule de suif contenait des « provisions
préparées pour un voyage de trois jours, afin de ne point
toucher à la cuisine des auberges » (p. 58). Précaution
justifiée par l'aspect des denrées achetées à l'hôtel et qui
composent le second repas consommé dans la diligence :
un pâté de « chair brune [de] gibier mêlée à d'autres
viandes hachées », un carré de gruyère qui, « apporté
dans un journal, gardait imprimé : "fait divers" sur sa
pâte onctueuse », « un rond de saucisson qui sentait
l'ail », et des œufs durs dont Cornudet « détacha la
coque », puis « la jeta sous ses pieds dans la paille »
(p. 88). Des nourritures salies, salissantes ou de couleur
sale, informes, puantes. Mangeurs d'immondices, ses
compagnons de voyage empêchent d'abord Boule de suif
d'éviter le contact alimentaire qui lui répugne, et, ensuite,
le contact sexuel avec le Prussien, le porc, qui la laissera
repartir « souillée » (p. 87). Or, la souillure compromet
l'intégrité, et pas seulement au sens figuré.

Le matin de ce second départ, on s'éloignait du
« contact impur » de Boule de suif, « comme si elle eût
apporté une infection dans ses jupes » (p. 87). Irma, violée, est infectée réellement d'une maladie destructrice.
Mlle Fifi détruit en souillant, sa « mine » de poudre
emplit le salon de trombes de fumée noire, irrespirable.

Il « [bat] des mains avec délire devant une Vénus de terre cuite dont la tête [a] enfin sauté », et examine avec ses compagnons les « morceaux de porcelaine, s'étonnant aux dentelures étranges des éclats », « la figure souriante d'une curiosité enfantine » (p. 96) : des enfants, des barbares qui jouissent en détruisant. La description de ces ravages importe à Maupassant, les variantes en font preuve. C'est l'image de l'Allemand naïf, sentimental, savant, que la France a élaborée au cours du XIXe siècle, qui est annulée en 1870. Flaubert à George Sand : « Quelle barbarie ! quelle reculade ! [...] Ces officiers qui cassent des glaces en gants blancs, qui savent le sanscrit et se ruent sur le champagne, qui vous volent votre montre et vous envoient ensuite leur carte de visite, cette guerre pour de l'argent, ces civilisés sauvages me font plus horreur que les Cannibales [1]. » Plus horribles, selon Maupassant aussi, puisque, à la différence des officiers français qui, dans *Les Rois*, pillent et détruisent pour manger et se chauffer, les Prussiens de *Mademoiselle Fifi* transforment l'art en détritus.

Des barbares : « barbu[s] jusqu'aux yeux » (p. 132), contrairement aux Français qui se rasent « le jour même du combat » pour « être coquets jusqu'au dernier moment » (p. 129) ; or, un « homme barbu [...] n'a jamais de finesse dans le visage », tandis qu'un « homme à moustaches garde son allure propre et sa finesse en même temps » (p. 128). Des brutes, infantiles et sales. Mais pire encore est le petit lieutenant avec « sa naissante moustache », « sa taille fine », « sa tournure coquette » (p. 93) que ses camarades ont surnommé « Mlle Fifi ». Utilisant le surnom comme nom, Maupassant désigne son personnage par le pronom « elle » : de sexe inverti, c'est un pervers sadique que le couteau loyal d'une prostituée supprime au nom de l'intégrité des sexes.

---

1. Lettre du 11 mars [1871], *Corr.*, t. XIV, p. 625.

dans la psychose. Dans les histoires de guerre, en revanche, l'individu – le moi – résiste, parvient à garder ses structures, son intégrité, parce que c'est avec une réalité extérieure, avec une expérience historique qu'il est aux prises. C'est pourquoi le message idéologique est essentiel : capable de contrebalancer le poids du fantasme, du cauchemar affolant, il sauve l'équilibre de la personnalité. D'où l'optimisme surprenant de ces nouvelles où la restauration de l'individu implique aussi celle de la loi qui préserve le nom authentique. Dans le reste de l'œuvre, la loi se confond avec l'institution [1].

Deux Amis est l'histoire d'un amour. Morissot qui entre en scène le premier et qui, contrairement à son ami appelé « M. Sauvage » tout au long du récit, n'a son nom précédé de « M. » que dans les dialogues, occupe, initialement, la place du sujet de désir dans un amour heureux grâce à la distance sagement préservée, traduite par ce « M. » qui précède le nom de l'aimé. C'est l'amour idéal où le sexe perd sa signification parce que les partenaires ne « se mêlent » pas, mais gardent leur intégrité. Ils passent de belles heures « côte à côte », « ils [s'entendent] admirablement sans rien dire, ayant des goûts semblables et des sensations identiques » (p. 107). Ils s'entendent aussi, sans un mot, pour accepter la mort qu'ils subissent « côte à côte » (p. 113). Leurs corps tombent l'un sur l'autre, réunis. Ils ont sauvé leur amour.

Dans *Le Mariage du lieutenant Laré*, les soldats sauvent la vie d'une jeune fille par une nuit glaciale. Couchée sur un brancard, recouverte d'une dizaine de capotes militaires, portée sur leurs épaules, elle arrive en lieu sûr. Le fantasme angoissant prend ici une forme inversée : c'est la femme qui est prise dans un utérus

---

1. Cf. notre introduction pour *La Petite Roque et autres histoires criminelles, op. cit.*

fabriqué par un groupe d'hommes, dans un piège salvateur. C'est le fantasme *princeps*, trois fois retravaillé. Un fantasme joyeux de jeune sportif, inspiré par la guerre. Mais sa version tragique ne tarde pas à se constituer : il apparaît dans *La Folle*, histoire d'une femme paralysée par la démence, et que les Prussiens, qui ne croient pas à sa maladie, transportent, avec son lit, au fond de la forêt où elle mourra gelée.

La neige, présente dans la plupart de ces nouvelles – un souvenir personnel encore –, est la couverture meurtrière, le linceul dans lequel la nature ensevelit ses enfants qu'elle reprend dans son sein. Elle réapparaît dans *L'Angélus*, la dernière œuvre, inachevée, de Maupassant où la conjonction entre les thèmes de l'invasion et de l'utérus maléfique est explicitée : une femme enceinte, expulsée de son château et maltraitée par l'occupant, donne naissance à un enfant infirme. Le dernier feuillet connu du manuscrit est une série d'imprécations contre Dieu, le monstre qui a inventé la guerre.

Chaque être humain est la créature infirme, incapable de fuir son destin, de ce Dieu qui ne lui a donné la vie que pour la reprendre. Les envahisseurs ne sont que ses émissaires, de même que les « gredins honnêtes », innombrables eux aussi, puisqu'ils dominent toute la société. L'arche qu'il a autorisé de construire n'est qu'une de ses ruses : voguant sur les flots de l'invasion dans l'intimité d'autres rescapés, Boule de suif voit un instant tomber les barrières sociales, et se croit libre ; mais elle sera reprise dans sa double captivité de prostituée et de vaincue. Dieu s'est amusé, comme d'innombrables fois depuis l'éternité. À la lumière de la dernière œuvre de Maupassant, interrompue par l'effondrement psychique, celle qui l'a fait naître à la littérature apparaît aussi comme une parmi d'autres, comme un élément d'une série.

Maupassant a écrit plus de trois cents nouvelles. À la guerre, il n'en a consacré qu'une vingtaine. Parce qu'elle n'a instauré qu'une série parmi d'autres ? Ou parce que, en restaurant l'individu et la loi sur le fond de l'immense défaite, du gigantesque massacre, elle n'est sujet fécond qu'à des moments exceptionnels ?

Antonia FONYI.

BOULE DE SUIF
et
autres histoires de guerre

BOULE DE SUIF

Pendant plusieurs jours de suite des lambeaux d'armée
en déroute avaient traversé la ville [1]. Ce n'était point de
la troupe, mais des hordes débandées. Les hommes
avaient la barbe longue et sale, des uniformes en gue-
nilles, et ils avançaient d'une allure molle, sans [2] drapeau,
sans régiment. Tous semblaient accablés, éreintés, incapables d'une pensée ou d'une résolution, marchant seulement par habitude, et tombant de fatigue sitôt qu'ils
s'arrêtaient. On voyait surtout des mobilisés, gens pacifiques, rentiers tranquilles, pliant sous le poids du fusil [3] ;
des petits moblots [4] alertes, faciles à l'épouvante et
prompts à l'enthousiasme, prêts à l'attaque comme à la
fuite ; puis, au milieu d'eux, quelques culottes rouges [5],
débris d'une division moulue dans [6] une grande bataille ;
des artilleurs sombres alignés avec ces fantassins divers ;
et [7], parfois, le casque brillant d'un dragon au pied pesant
qui suivait avec peine la marche plus légère des lignards [8].

Des légions de francs-tireurs [9] aux appellations
héroïques : « les Vengeurs de la Défaite – les Citoyens de
la Tombe – les Partageurs de la Mort » – passaient à leur
tour, avec des airs de bandits.

Leurs chefs, anciens commerçants en draps ou en
graines, ex-marchands de suif ou de savon, guerriers de
circonstance, nommés officiers pour leurs écus ou la longueur de leurs moustaches, couverts d'armes, de flanelle

et de galons, parlaient d'une voix retentissante, discutaient plans de campagne, et prétendaient soutenir seuls
la France agonisante sur leurs épaules de fanfarons ;
mais ils redoutaient parfois leurs propres soldats, gens de
sac et de corde, souvent braves à outrance, pillards et
débauchés.

Les Prussiens allaient entrer dans Rouen, disait-on.

La Garde nationale [10] qui, depuis deux mois, faisait
des reconnaissances très prudentes dans les bois voisins,
fusillant parfois ses propres sentinelles, et se préparant
au combat quand un petit lapin remuait sous des brous-
sailles, était [11] rentrée dans ses foyers. Ses armes, ses uniformes, tout son attirail meurtrier dont elle épouvantait
naguère les bornes des routes nationales à trois lieues à
la ronde avaient subitement disparu.

Les derniers [12] soldats français venaient enfin de traverser la Seine pour gagner Pont-Audemer [13] par Saint-Sever
et Bourg-Achard ; et, marchant après tous, le général
désespéré, ne pouvant rien tenter avec ces loques dispa-
rates, éperdu lui-même dans la grande débâcle d'un
peuple habitué à vaincre et désastreusement battu malgré
sa bravoure légendaire, s'en allait à pied, entre deux [14]
officiers d'ordonnance.

Puis un calme profond, une attente épouvantée et
silencieuse avaient plané sur la cité. Beaucoup de bourgeois bedonnants, émasculés par le commerce, attendaient anxieusement les vainqueurs, tremblant qu'on ne
considérât comme une arme leurs broches à rôtir ou
leurs grands couteaux de cuisine.

La vie semblait arrêtée, les boutiques étaient closes, la
rue [15] muette. Quelquefois un habitant, intimidé par ce
silence, filait rapidement le long des murs.

L'angoisse de l'attente faisait désirer la venue de
l'ennemi.

Dans l'après-midi du jour qui suivit le départ des
troupes françaises, quelques uhlans, sortis on ne sait

d'où, traversèrent la ville avec célérité. Puis, un peu plus tard, une masse noire descendit de la côte Sainte-Catherine, tandis que deux autres flots envahisseurs apparaissaient par les routes de Darnetal et de Bois-Guillaume. Les avant-gardes des trois corps, juste au même moment, se joignirent sur la place de l'Hôtel-de-Ville ; et, par toutes les rues voisines, l'armée allemande arrivait, déroulant ses bataillons qui faisaient sonner les pavés sous leur pas dur et rythmé.

Des commandements criés d'une voix inconnue et gutturale montaient le long des maisons qui semblaient mortes et désertes, tandis que[16], derrière les volets fermés, des yeux guettaient ces hommes victorieux, maîtres de la cité, des fortunes et des vies de par le « droit de guerre[17] ». Les habitants, dans leurs chambres assombries, avaient[18] l'affolement que donnent les cataclysmes, les grands bouleversements meurtriers de la terre, contre lesquels toute sagesse et toute force sont inutiles. Car la même sensation reparaît chaque fois que l'ordre établi des choses est renversé, que la sécurité n'existe plus, que tout ce que protégeaient les lois des hommes ou celles de la nature, se trouve à la merci d'une brutalité inconsciente et féroce. Le tremblement de terre écrasant sous les maisons croulantes un peuple entier ; le fleuve débordé qui roule les paysans noyés avec les cadavres des bœufs et les poutres arrachées aux toits, ou l'armée glorieuse massacrant ceux qui se défendent, emmenant les autres prisonniers, pillant au nom du Sabre et remerciant un Dieu au son du canon, sont autant de fléaux effrayants qui déconcertent toute croyance à la justice éternelle, toute la confiance qu'on nous enseigne en la protection du ciel et la raison de l'homme.

Mais à chaque porte des petits détachements frappaient, puis disparaissaient dans les maisons. C'était l'occupation après l'invasion. Le devoir commençait pour les vaincus de se montrer gracieux envers les vainqueurs.

Au bout de quelque temps, une fois la première terreur disparue, un calme nouveau s'établit. Dans beaucoup de familles l'officier prussien mangeait à table. Il était parfois bien élevé, et, par politesse, plaignait la France, disait sa répugnance en prenant part à cette guerre. On lui était reconnaissant de ce sentiment ; puis on pouvait, un jour ou l'autre, avoir besoin de sa protection. En le ménageant on obtiendrait peut-être quelques hommes de moins à nourrir. Et pourquoi blesser quelqu'un dont on dépendait tout à fait ? Agir ainsi serait moins de la bravoure que de la témérité. – Et la témérité n'est plus un défaut des bourgeois de Rouen, comme au temps des défenses héroïques où s'illustra leur cité. – On se disait enfin, raison suprême tirée de l'urbanité française, qu'il demeurait bien permis d'être poli dans son intérieur pourvu qu'on ne se montrât pas familier en public, avec le soldat étranger. Au-dehors on ne se connaissait plus, mais dans la maison on causait volontiers, et l'Allemand demeurait plus longtemps, chaque soir, à se chauffer au foyer commun.

La ville même reprenait peu à peu de son aspect ordinaire. Les Français ne sortaient guère encore, mais les soldats prussiens grouillaient dans les rues. Du reste [19], les officiers de hussards bleus, qui traînaient avec arrogance leurs grands outils de mort sur le pavé, ne semblaient pas avoir pour les simples citoyens énormément plus de mépris que les officiers de chasseurs, qui, l'année d'avant, buvaient aux mêmes cafés.

Il y avait cependant quelque chose dans l'air, quelque chose de subtil et d'inconnu, une atmosphère étrangère intolérable, comme une odeur répandue, l'odeur de l'invasion. Elle emplissait les demeures et les places publiques, changeait le goût des aliments, donnait l'impression d'être en voyage, très loin, chez des tribus barbares et dangereuses.

Les vainqueurs exigeaient[20] de l'argent, beaucoup d'argent. Les habitants payaient toujours ; ils étaient riches d'ailleurs. Mais plus un négociant normand devient opulent et plus il souffre de tout sacrifice, de toute parcelle de sa fortune qu'il voit passer aux mains d'un autre.

Cependant, à deux ou trois lieues sous la ville, en suivant le cours de la rivière, vers Croisset, Dieppedalle ou Biessart, les mariniers et les pêcheurs ramenaient souvent du[21] fond de l'eau quelque cadavre d'Allemand gonflé dans son uniforme, tué d'un coup de couteau ou de savate, la tête écrasée par une pierre, ou jeté à l'eau d'une poussée du haut d'un pont. Les vases du fleuve ensevelissaient ces vengeances[22] obscures, sauvages et légitimes, héroïsmes inconnus, attaques muettes, plus périlleuses que les batailles au grand jour et sans le retentissement de la gloire.

Car[23] la haine de l'Étranger arme toujours quelques Intrépides prêts à mourir pour une Idée.

Enfin, comme les envahisseurs, bien qu'assujettissant[24] la ville à leur inflexible discipline[25], n'avaient accompli aucune des horreurs que la renommée leur faisait commettre tout le long de leur marche triomphale, on s'enhardit, et le besoin du négoce travailla de nouveau le cœur des commerçants du pays. Quelques-uns avaient de gros intérêts engagés au Havre que l'armée française occupait, et ils voulurent tenter de gagner ce port en allant par terre à Dieppe où ils s'embarqueraient[26].

On employa l'influence des officiers allemands dont on avait fait la connaissance, et une autorisation de départ fut obtenue du général en chef.

Donc, une grande diligence à quatre chevaux ayant été retenue pour ce voyage, et dix personnes s'étant fait inscrire chez le voiturier, on résolut de partir un mardi matin, avant le jour, pour éviter tout rassemblement.

Depuis quelque temps déjà la gelée avait durci la terre, et le lundi, vers trois heures, de gros nuages noirs venant du nord apportèrent la neige qui tomba sans interruption pendant toute la soirée et toute la nuit.

À quatre heures et demie du matin les voyageurs se réunirent dans la cour de l'Hôtel de Normandie, où l'on devait monter en voiture.

Ils étaient encore pleins de sommeil, et grelottaient de froid sous leurs couvertures. On se voyait mal dans l'obscurité ; et l'entassement des lourds vêtements d'hiver faisait ressembler tous ces corps à des curés obèses avec leurs longues soutanes. Mais deux hommes se reconnurent, un troisième les aborda, ils causèrent : « J'emmène ma femme, dit l'un. – J'en fais autant. – Et moi aussi. » Le premier ajouta : « Nous ne reviendrons pas à Rouen, et si les Prussiens approchent du Havre nous gagnerons l'Angleterre. » Tous avaient les mêmes projets, étant de complexion semblable.

Cependant, on n'attelait pas la voiture. Une petite lanterne que portait un valet d'écurie, sortait de temps à autre d'une porte obscure pour disparaître immédiatement dans une autre. Des pieds de chevaux frappaient la terre, amortis par le fumier des litières ; et une voix d'homme parlant aux bêtes et jurant s'entendait au fond du bâtiment. Un léger murmure de grelots annonça qu'on maniait les harnais ; ce murmure devint bientôt un frémissement clair et continu, rythmé par le mouvement de l'animal, s'arrêtant parfois, puis reprenant dans une brusque secousse qu'accompagnait le bruit mat d'un sabot ferré battant le sol.

La porte subitement se ferma. Tout bruit cessa. Les bourgeois gelés s'étaient tus ; ils demeuraient immobiles et roidis.

Un rideau de flocons blancs ininterrompu miroitait sans cesse en descendant vers la terre ; il effaçait les formes, poudrait les choses d'une mousse de glace ; et l'on n'entendait plus, dans le grand silence de la ville calme et ensevelie sous l'hiver que ce froissement vague, innommable et flottant de la neige qui tombe, plutôt sensation que bruit, entremêlement d'atomes légers qui semblaient emplir l'espace, couvrir le monde.

L'homme reparut, avec sa lanterne, tirant au bout d'une corde un cheval triste qui ne venait pas volontiers. Il le plaça contre le timon, attacha les traits, tourna longtemps autour pour assurer les harnais, car il ne pouvait se servir que d'une main, l'autre portant sa lumière. Comme il allait chercher la seconde bête, il remarqua tous ces voyageurs immobiles, déjà blancs de neige, et leur dit : « Pourquoi ne montez-vous pas dans la voiture ? vous serez à l'abri, au moins. »

Ils n'y avaient pas songé, sans doute, et ils se précipitèrent. Les trois hommes installèrent leurs femmes dans le fond, montèrent ensuite ; puis les autres formes indécises et voilées prirent à leur tour les dernières places sans échanger une parole.

Le plancher était couvert de paille où les pieds s'enfoncèrent. Les dames du fond, ayant apporté des petites chaufferettes en cuivre avec un charbon chimique, allumèrent ces appareils, et, pendant quelque temps, à voix basse, elles en énumérèrent les avantages, se répétant des choses qu'elles savaient déjà depuis longtemps.

Enfin, la diligence étant attelée avec six chevaux au lieu de quatre à cause du tirage plus pénible, une voix du dehors demanda : « Tout le monde est-il monté ? » Une voix du dedans répondit : « Oui. » On partit.

La voiture avançait lentement, lentement, à tous petits pas. Les roues s'enfonçaient dans la neige ; le coffre entier geignait avec des craquements sourds ; les bêtes glissaient, soufflaient, fumaient, et le fouet gigantesque du cocher claquait sans repos, voltigeait de tous les côtés, se nouant et se déroulant comme un serpent mince, et cinglant brusquement quelque croupe rebondie qui se tendait alors sous un effort plus violent.

Mais le jour imperceptiblement grandissait. Ces flocons légers qu'un voyageur, Rouennais pur sang, avait comparés à une pluie de coton, ne tombaient plus. Une lueur sale filtrait à travers de gros nuages obscurs et lourds qui rendaient plus éclatante la blancheur de la campagne où apparaissaient tantôt une ligne de grands arbres vêtus de givre, tantôt une chaumière avec un capuchon de neige.

Dans la voiture on se regardait curieusement, à la triste clarté de cette aurore.

Tout au fond, aux meilleures places, sommeillaient, en face l'un de l'autre, M. et Mme Loiseau, des marchands de vin en gros de la rue Grand-Pont[27].

Ancien commis d'un patron ruiné dans les affaires, Loiseau avait acheté le fonds et fait fortune. Il vendait à très bon marché de très mauvais vin aux petits débitants des campagnes, et passait parmi ses connaissances et ses amis pour un fripon madré, un vrai Normand plein de ruses et de jovialité.

Sa réputation de filou était si bien établie, qu'un soir, à la préfecture, M. Tournel, auteur de fables et de chansons, esprit mordant et fin, une gloire locale, ayant proposé aux dames qu'il voyait un peu somnolentes de faire une partie de « Loiseau vole », le mot lui-même vola à travers les salons du préfet, puis, gagnant ceux de la ville, avait fait rire pendant un mois toutes les mâchoires de la province.

Loiseau était en outre célèbre par ses farces de toute nature, ses plaisanteries bonnes ou mauvaises ; et personne ne pouvait parler de lui sans ajouter immédiatement : « Il est impayable, ce Loiseau. »

De taille exiguë, il présentait un ventre en ballon sur-monté d'une face rougeaude entre deux favoris grison-nants.

Sa femme, grande, forte, résolue, avec la voix haute et la décision rapide, était l'ordre et l'arithmétique de la maison de commerce qu'il animait par son activité[28] joyeuse.

À côté d'eux se tenait, plus digne, appartenant à une caste supérieure, M. Carré-Lamadon[29], homme considé-rable, posé dans les cotons, propriétaire de trois filatures, officier de la Légion d'honneur et membre du Conseil général. Il était resté tout le temps de l'Empire chef de l'opposition bienveillante, uniquement pour se faire payer plus cher son ralliement à la cause qu'il combattait avec des armes courtoises, selon sa propre expression. Mme Carré-Lamadon, beaucoup plus jeune que son mari, demeurait la consolation des officiers de bonne famille envoyés à Rouen en garnison.

Elle faisait vis-à-vis à son époux, toute petite, toute mignonne, toute jolie, pelotonnée dans ses fourrures, et regardait d'un œil navré l'intérieur lamentable de la voiture.

Ses voisins, le comte et la comtesse Hubert de Bréville, portaient un des noms les plus anciens et les plus nobles de Normandie. Le comte, vieux gentilhomme de grande tournure, s'efforçait d'accentuer, par les artifices de sa toilette, sa ressemblance naturelle avec le roy Henri IV qui, suivant une légende glorieuse pour la famille, avait rendu grosse une dame de Bréville dont le mari, pour ce fait, était devenu comte et gouverneur de province.

Collègue de M. Carré-Lamadon au Conseil général, le comte Hubert représentait le parti orléaniste dans le département. L'histoire de son mariage avec la fille d'un petit armateur de Nantes était toujours demeurée mysté-rieuse. Mais comme la comtesse avait grand air, recevait mieux que personne, passait même pour avoir été aimée par un des fils de Louis-Philippe, toute la noblesse lui faisait fête, et son salon demeurait le premier du pays, le seul où se conservât la vieille galanterie, et dont l'entrée fût difficile.

La fortune des Bréville, toute en biens-fonds, atteignait, disait-on, cinq cent mille livres de revenu [30].

Ces six personnes formaient le fond de la voiture, le côté de la société rentée, sereine et forte, des honnêtes gens autorisés qui ont de la Religion et des Principes.

Par un hasard étrange toutes les femmes se trouvaient sur le même banc ; et la comtesse avait encore pour voisines deux bonnes sœurs qui égrenaient de longs chapelets en marmottant des *Pater* et des *Ave*. L'une était vieille avec une face défoncée par la petite vérole comme si elle eût reçu à bout portant une bordée de mitraille en pleine figure. L'autre, très chétive [31], avait une tête jolie et maladive sur une poitrine de phtisique rongée par cette foi dévorante qui fait les martyrs et les illuminés.

En face des deux religieuses un homme et une femme attiraient les regards de tous.

L'homme, bien connu, était Cornudet [32], le démoc, la terreur des gens respectables. Depuis vingt ans il trempait sa grande barbe rousse dans les bocks de tous les cafés démocratiques. Il avait mangé avec les frères et amis une assez belle fortune qu'il tenait de son père, ancien confiseur, et il attendait impatiemment la République pour obtenir enfin la place méritée par tant de consommations révolutionnaires. Au quatre septembre, par suite d'une farce peut-être, il s'était cru nommé préfet, mais quand il voulut entrer en fonctions, les garçons de bureau, demeurés seuls maîtres de la place, refusèrent de le reconnaître, ce qui le contraignit à la retraite. Fort bon garçon du reste, inoffensif et serviable, il s'était occupé avec une ardeur incomparable d'organiser la défense. Il avait fait creuser des trous dans les plaines, coucher tous les jeunes arbres des forêts voisines, semé des pièges sur toutes les routes, et, à l'approche de l'ennemi, satisfait de ses préparatifs, il s'était vivement replié vers la ville. Il pensait maintenant se rendre plus utile au Havre, où de nouveaux retranchements allaient être nécessaires.

La femme, une de celles appelées galantes, était célèbre par son embonpoint précoce qui lui avait valu le surnom de Boule de suif[33]. Petite, ronde de partout, grasse à lard, avec des doigts bouffis, étranglés aux phalanges, pareils à des chapelets de courtes saucisses, avec une peau luisante et tendue, une gorge énorme qui[34] saillait sous sa robe, elle restait cependant appétissante et courue, tant sa fraîcheur faisait plaisir à voir. Sa figure était une pomme rouge, un bouton de pivoine prêt à fleurir, et là-dedans s'ouvraient, en haut, deux yeux noirs magnifiques, ombragés de grands cils épais qui mettaient une ombre dedans ; en bas, une bouche charmante, étroite, humide pour le baiser, meublée de quenottes luisantes et microscopiques.

Elle était de plus, disait-on, pleine de qualités inappréciables.

Aussitôt qu'elle fut reconnue, des chuchotements coururent parmi les femmes honnêtes, et les mots de « prostituée », de « honte publique » furent chuchotés si haut qu'elle leva la tête. Alors elle promena sur ses voisins un regard tellement provocant et hardi qu'un grand silence aussitôt régna, et tout le monde baissa les yeux à l'exception de Loiseau, qui la guettait d'un air émoustillé.

Mais bientôt la conversation reprit entre les trois dames que la présence de cette fille avait rendues subitement amies, presque intimes. Elles devaient faire, leur semblait-il, comme un faisceau de leurs dignités d'épouses en face de cette vendue sans vergogne ; car l'amour légal le prend toujours de haut avec son libre confrère.

Les trois hommes aussi, rapprochés par un instinct de conservateurs à l'aspect de Cornudet, parlaient argent

d'un certain ton dédaigneux pour les pauvres. Le comte
Hubert disait les dégâts que lui avaient fait subir les Prussiens, les pertes qui résulteraient du bétail volé et des
récoltes perdues, avec une assurance de grand seigneur
dix fois millionnaire que ces ravages gêneraient à peine
une année. M. Carré-Lamadon, fort éprouvé dans
l'industrie cotonnière, avait eu soin d'envoyer six cent
mille francs en Angleterre, une poire pour la soif qu'il se
ménageait à toute occasion. Quant à Loiseau, il s'était
arrangé pour vendre à l'Intendance française tous les
vins communs qui lui restaient en cave, de sorte que
l'État lui devait une somme formidable qu'il comptait
bien toucher au Havre.

Et tous les trois se jetaient des coups d'œil rapides et
amicaux. Bien que de conditions différentes, ils se sentaient frères par l'argent, de la grande franc-maçonnerie
de ceux qui possèdent, qui font sonner de l'or en mettant
la main dans la poche de leur culotte.

La voiture allait si lentement qu'à dix heures du matin
on n'avait pas fait quatre lieues. Les hommes descendirent trois fois pour monter des côtes à pied. On commençait à s'inquiéter, car on devait déjeuner à Tôtes et
l'on désespérait maintenant d'y parvenir avant la nuit.
Chacun guettait pour apercevoir un cabaret sur la route,
quand la diligence sombra dans un amoncellement de
neige, et il fallut deux heures pour la dégager.

L'appétit grandissait, troublait les esprits, et aucune
gargote, aucun marchand de vin ne se montraient,
l'approche des Prussiens et le passage des troupes françaises affamées ayant effrayé toutes les industries.

Les messieurs coururent aux provisions dans les
fermes au bord du chemin, mais ils n'y trouvèrent pas
même de pain, car le paysan défiant cachait ses réserves
dans la crainte d'être pillé par les soldats qui, n'ayant
rien à se mettre sous la dent, prenaient par force ce qu'ils
découvraient.

Vers une heure de l'après-midi, Loiseau annonça que décidément il se sentait un rude creux dans l'estomac. Tout le monde souffrait comme lui depuis longtemps ; et le violent besoin de manger, augmentant toujours, avait tué les conversations.

De temps en temps quelqu'un bâillait ; un autre presque aussitôt l'imitait ; et chacun, à tour de rôle, suivant son caractère, son savoir-vivre et sa position sociale, ouvrait la bouche avec fracas ou modestement en portant vite sa main devant le trou béant d'où sortait une vapeur.

Boule de suif, à plusieurs reprises, se pencha comme si elle cherchait quelque chose sous ses jupons. Elle hésitait une seconde, regardait ses voisins, puis se redressait tranquillement. Les figures étaient pâles et crispées. Loiseau affirma qu'il payerait mille francs un jambonneau. Sa femme fit un geste comme pour protester ; puis elle se calma. Elle souffrait toujours en entendant parler d'argent gaspillé, et ne comprenait même pas les plaisanteries sur ce sujet. « Le fait est que je ne me sens pas bien, dit le comte ; comment n'ai-je pas songé à apporter des provisions ? » Chacun se faisait le même reproche.

Cependant Cornudet avait une gourde pleine de rhum ; il en offrit ; on refusa froidement. Loiseau seul en accepta deux gouttes, et, lorsqu'il rendit la gourde, il remercia : « C'est bon tout de même, ça réchauffe et ça trompe l'appétit. » L'alcool le mit en belle humeur et il proposa de faire comme sur le petit navire de la chanson : de manger le plus gras des voyageurs. Cette allusion indirecte à Boule de suif choqua les gens bien élevés. On ne répondit pas ; Cornudet seul eut un sourire. Les deux bonnes sœurs avaient cessé de marmotter leur rosaire, et, les mains enfoncées dans leurs grandes manches, elles se tenaient immobiles, baissant obstinément les yeux, offrant sans doute au ciel la souffrance qu'il leur envoyait.

Enfin, à trois heures, comme on se trouvait au milieu d'une plaine interminable, sans un seul village en vue, Boule de suif, se baissant vivement, retira de sous la banquette un large panier couvert d'une serviette blanche.

Elle en sortit d'abord une petite assiette de faïence, une fine timbale en argent, puis une vaste terrine dans laquelle deux poulets entiers, tout découpés, avaient confit sous leur gelée ; et l'on apercevait encore dans le panier d'autres bonnes choses enveloppées, des pâtés, des fruits, des friandises, les provisions préparées pour un voyage de trois jours afin de ne point toucher à la cuisine des auberges. Quatre goulots de bouteilles passaient entre les paquets de nourriture. Elle prit une aile de poulet et, délicatement, se mit à la manger avec un de ces petits pains qu'on appelle « Régence [35] » en Normandie.

Tous les regards étaient tendus vers elle. Puis l'odeur se répandit, élargissant les narines, faisant venir aux bouches une salive abondante avec une contraction douloureuse de la mâchoire sous les oreilles. Le mépris des dames pour cette fille devenait féroce, comme une envie de la tuer, ou de la jeter en bas de la voiture, dans la neige, elle, sa timbale, son panier et ses provisions.

Mais Loiseau dévorait des yeux la terrine de poulet. Il dit : « À la bonne heure, madame a eu plus de précaution que nous. Il y a des personnes qui savent toujours penser à tout. » Elle leva la tête vers lui : « Si vous en désirez, monsieur ? C'est dur de jeûner depuis le matin. » Il salua : « Ma foi, franchement, je ne refuse pas, je n'en peux plus. À la guerre comme à la guerre, n'est-ce pas, madame ? » Et, jetant un regard circulaire, il ajouta : « Dans des moments comme celui-ci, on est bien aise de trouver des gens qui vous obligent. » Il avait un journal qu'il étendit pour ne point tacher son pantalon, et sur la pointe d'un couteau toujours logé dans sa poche, il enleva une cuisse toute vernie de gelée, la dépeça des dents, puis la mâcha avec une satisfaction si évidente qu'il y eut dans la voiture un grand soupir de détresse.

Mais Boule de suif, d'une voix humble et douce, proposa aux bonnes sœurs de partager sa collation. Elles acceptèrent toutes les deux instantanément, et, sans lever les yeux, se mirent à manger très vite après avoir balbutié des remerciements. Cornudet ne refusa pas non plus les offres de sa voisine, et l'on forma avec les religieuses une sorte de table en développant des journaux sur les genoux.

Les bouches s'ouvraient et se fermaient sans cesse, avalaient, mastiquaient, engloutissaient férocement. Loiseau, dans son coin, travaillait dur, et, à voix basse, il engageait sa femme à l'imiter. Elle résista longtemps, puis, après une crispation qui lui parcourut les entrailles, elle céda. Alors son mari, arrondissant sa phrase, demanda à leur « charmante compagne » si elle lui permettait d'offrir un petit morceau à Mme Loiseau. Elle dit : « Mais oui, certainement, monsieur », avec un sourire aimable, et tendit la terrine.

Un embarras se produisit lorsqu'on eut débouché la première bouteille de bordeaux : il n'y avait qu'une timbale. On se la passa après l'avoir essuyée. Cornudet seul, par galanterie sans doute, posa ses lèvres à la place humide encore des lèvres de sa voisine.

Alors, entourés de gens qui mangeaient, suffoqués par les émanations de nourritures, le comte et la comtesse de Bréville, ainsi que M. et Mme Carré-Lamadon souffrirent ce supplice odieux qui a gardé le nom de Tantale. Tout d'un coup la jeune femme du manufacturier poussa un soupir qui fit retourner les têtes ; elle était aussi blanche que la neige du dehors ; ses yeux se fermèrent, son front tomba ; elle avait perdu connaissance. Son mari, affolé, implorait le secours de tout le monde. Chacun perdait l'esprit, quand la plus âgée des bonnes sœurs, soutenant la tête de la malade, glissa entre ses lèvres la timbale de Boule de suif et lui fit avaler quelques gouttes de vin. La jolie dame remua, ouvrit les yeux, sourit, et déclara d'une voix mourante qu'elle se sentait fort bien maintenant. Mais afin que cela ne se renouvelât plus, la religieuse la contraignit à boire un plein verre de bordeaux, et elle ajouta : « C'est la faim, pas autre chose. »

Alors Boule de suif, rougissante et embarrassée, balbutia en regardant les quatre voyageurs restés à jeun : « Mon Dieu, si j'osais offrir à ces messieurs et à ces dames... » Elle se tut, craignant un outrage. Loiseau prit la parole : « Eh, parbleu, dans des cas pareils tout le monde est frère et doit s'aider. Allons, mesdames, pas de cérémonie, acceptez, que diable ! Savons-nous si nous trouverons seulement une maison où passer la nuit ? Du train dont nous allons, nous ne serons pas à Tôtes avant demain midi. » On hésitait, personne n'osant assumer la responsabilité du « oui ». Mais le comte trancha la question. Il se tourna vers la grosse fille intimidée, et, prenant son grand air de gentilhomme, il lui dit : « Nous acceptons avec reconnaissance, madame. »

Le premier pas seul coûtait. Une fois le Rubicon passé on s'en donna carrément. Le panier fut vidé. Il contenait encore un pâté de foie gras, un pâté de mauviettes [36], un morceau de langue fumée, des poires de Crassane, un pavé de pont-l'évêque [37], des petits-fours et une tasse pleine de cornichons et d'oignons au vinaigre : Boule de suif, comme toutes les femmes, adorant les crudités.

On ne pouvait manger les provisions de cette fille sans lui parler. Donc on causa, avec réserve d'abord, puis, comme elle se tenait fort bien, on s'abandonna davantage. Mmes de Bréville et Carré-Lamadon, qui avaient un grand savoir-vivre, se firent gracieuses avec délicatesse. La comtesse surtout montra cette condescendance aimable des très nobles dames qu'aucun contact ne peut salir, et fut charmante. Mais la forte Mme Loiseau, qui avait une âme de gendarme, resta revêche, parlant peu et mangeant beaucoup.

On s'entretint de la guerre naturellement. On raconta des faits horribles des Prussiens, des traits de bravoure des Français ; et tous ces gens qui fuyaient rendirent hommage au courage des autres. Les histoires personnelles commencèrent bientôt, et Boule de suif raconta, avec une émotion vraie, avec cette chaleur de parole qu'ont parfois les filles pour exprimer leurs emportements naturels, comment elle avait quitté Rouen : « J'ai cru d'abord que je pourrais rester, disait-elle. J'avais ma maison pleine de provisions, et j'aimais mieux nourrir quelques soldats que m'expatrier je ne sais où. Mais quand je les ai vus, ces Prussiens, ce fut plus fort que moi ! Ils m'ont tourné le sang de colère ; et j'ai pleuré de honte toute la journée. Oh ! si j'étais un homme, allez ! Je les regardais de ma fenêtre, ces gros porcs avec leur casque à pointe, et ma bonne me tenait les mains pour m'empêcher de leur jeter mon mobilier sur le dos. Puis il en est venu pour loger chez moi ; alors j'ai sauté à la gorge du premier. Ils ne sont pas plus difficiles à étrangler que d'autres ! Et je l'aurais terminé, celui-là, si l'on ne m'avait pas tirée par les cheveux. Il a fallu me cacher après ça. Enfin, quand j'ai trouvé une occasion, je suis partie, et me voici [38]. »

On la félicita beaucoup. Elle grandissait dans l'estime de ses compagnons qui ne s'étaient pas montrés si crânes ; et Cornudet, en l'écoutant, gardait un sourire approbateur et bienveillant d'apôtre ; de même un prêtre entend un dévot louer Dieu, car les démocrates à longue barbe ont le monopole du patriotisme comme les hommes en soutane ont celui de la religion. Il parla à son tour d'un ton doctrinaire, avec l'emphase apprise dans les proclamations qu'on collait chaque jour aux murs, et il finit par un morceau d'éloquence où il étrillait magistralement cette « crapule de Badinguet [39] ».

Mais Boule de suif aussitôt se fâcha, car elle était bonapartiste. Elle devenait plus rouge qu'une guigne[40] et, bégayant d'indignation : « J'aurais bien voulu vous voir à sa place, vous autres. Ça aurait été du propre, ah oui ! C'est vous qui l'avez trahi, cet homme ! On n'aurait plus qu'à quitter la France si l'on était gouverné par des polissons comme vous ! » Cornudet, impassible, gardait un sourire dédaigneux et supérieur, mais on sentait que les gros mots allaient arriver quand le comte s'interposa et calma, non sans peine, la fille exaspérée, en proclamant avec autorité que toutes les opinions sincères étaient respectables. Cependant la comtesse et la manufacturière, qui avaient dans l'âme la haine irraisonnée des gens comme il faut pour la République, et cette instinctive tendresse que nourrissent toutes les femmes pour les gouvernements à panache et despotiques, se sentaient, malgré elles, attirées vers cette prostituée pleine de dignité, dont les sentiments ressemblaient si fort aux leurs.

Le panier était vide. À dix on l'avait tari sans peine, en regrettant qu'il ne fût pas plus grand. La conversation continua quelque temps, un peu refroidie néanmoins depuis qu'on avait fini de manger.

La nuit tombait, l'obscurité peu à peu devint profonde, et le froid, plus sensible pendant les digestions, faisait frissonner Boule de suif, malgré sa graisse. Alors Mme de Bréville lui proposa sa chaufferette dont le charbon depuis le matin avait été plusieurs fois renouvelé, et l'autre accepta tout de suite, car elle se sentait les pieds gelés. Mmes Carré-Lamadon et Loiseau donnèrent les leurs aux religieuses.

Le cocher avait allumé ses lanternes. Elles éclairaient d'une lueur vive un nuage de buée au-dessus de la croupe en sueur des timoniers, et, des deux côtés de la route, la neige qui semblait se dérouler sous le reflet mobile des lumières.

On ne distinguait plus rien dans la voiture ; mais tout à coup un mouvement se fit entre Boule de suif et Cornudet ; et Loiseau, dont l'œil fouillait l'ombre, crut voir l'homme à la grande barbe s'écarter vivement comme s'il eût reçu quelque bon coup lancé sans bruit.

Des petits points de feu parurent en avant sur la route. C'était Tôtes. On avait marché onze heures, ce qui, avec les deux heures de repos laissées en quatre fois aux chevaux pour manger l'avoine et souffler, faisait quatorze[41]. On entra dans le bourg et devant l'Hôtel du Commerce[42] on s'arrêta.

La portière s'ouvrit ! Un bruit bien connu fit tressaillir tous les voyageurs ; c'étaient les heurts d'un fourreau de sabre sur le sol. Aussitôt la voix d'un[43] Allemand cria quelque chose.

Bien que la diligence fût immobile, personne ne descendait, comme si l'on se fût attendu à être massacré à la sortie. Alors le conducteur apparut tenant à la main une de ses lanternes qui éclaira subitement jusqu'au fond de la voiture les deux rangs de têtes effarées, dont les bouches étaient ouvertes et les yeux écarquillés de surprise et d'épouvante.

À côté du cocher se tenait, en pleine lumière, un officier allemand, un grand jeune homme excessivement mince et blond, serré dans son uniforme comme une fille en son corset, et portant sur le côté sa casquette plate et cirée qui le faisait ressembler au chasseur d'un hôtel anglais. Sa moustache démesurée, à longs poils droits, s'amincissant indéfiniment de chaque côté et terminée par un seul fil blond si mince qu'on[44] n'en apercevait pas la fin, semblait peser sur les coins de sa bouche, et, tirant la joue, imprimait aux lèvres un pli tombant.

Il invita en français d'Alsacien les voyageurs à sortir, disant d'un ton raide : « Foulez-fous tescentre, messieurs et tames ? »

Les deux bonnes sœurs obéirent les premières avec une docilité de saintes filles habituées à toutes les soumissions. Le comte et la comtesse parurent ensuite, suivis du manufacturier et de sa femme, puis de Loiseau poussant devant lui sa grande moitié. Celui-ci, en mettant pied à terre, dit à l'officier : « Bonjour, monsieur », par un sentiment de prudence bien plus que de politesse. L'autre, insolent comme les gens tout-puissants, le regarda sans répondre.

Boule de suif et Cornudet, bien que près de la portière, descendirent les derniers, graves et hautains devant l'ennemi. La grosse fille tâchait de se dominer et d'être calme : le démoc tourmentait d'une main tragique et un peu tremblante sa longue barbe roussâtre. Ils voulaient garder de la dignité, comprenant qu'en ces rencontres-là chacun représente un peu son pays ; et pareillement révoltés par la souplesse de leurs compagnons, elle, tâchait de se montrer plus fière que ses voisines les femmes honnêtes, tandis que lui, sentant bien qu'il devait l'exemple, continuait en toute son attitude sa mission de résistance commencée au défoncement des routes.

On entra dans la vaste cuisine de l'auberge, et l'Allemand, s'étant fait présenter l'autorisation de départ signée par le général en chef et où étaient mentionnés les noms, le signalement et la profession de chaque voyageur, examina longuement tout ce monde, comparant les personnes aux renseignements écrits.

Puis il dit brusquement : « C'est pien », et il disparut.

Alors on respira. On avait faim encore ; le souper fut commandé. Une demi-heure était nécessaire pour l'apprêter ; et, pendant que deux servantes avaient l'air de s'en occuper, on alla visiter les chambres. Elles se trouvaient toutes dans un long couloir que terminait une porte vitrée marquée d'un numéro parlant.

Enfin on allait se mettre à table, quand le patron de l'auberge parut lui-même. C'était un ancien marchand de chevaux, un gros homme asthmatique, qui avait toujours des sifflements, des enrouements, des chants de glaires dans le larynx. Son père lui avait transmis le nom de Follenvie.

Il demanda :

« Mademoiselle Élisabeth Rousset ? »

Boule de suif tressaillit, se retourna :

« C'est moi. »

– Mademoiselle, l'officier prussien veut vous parler immédiatement.

– À moi ?

– Oui, si vous êtes bien mademoiselle Élisabeth Rousset. »

Elle se troubla, réfléchit une seconde, puis déclara carrément :

« C'est possible, mais je n'irai pas. »

Un mouvement se fit autour d'elle ; chacun discutait, cherchait la cause de cet ordre. Le comte s'approcha :

« Vous avez tort, madame, car votre refus peut amener des difficultés considérables, non seulement pour vous, mais même pour tous vos compagnons. Il ne faut jamais résister aux gens qui sont les plus forts. Cette démarche assurément ne peut présenter aucun danger ; c'est sans doute pour quelque formalité oubliée. »

Tout le monde se joignit à lui, on la pria, on la pressa, on la sermonna, et l'on finit par la convaincre ; car tous redoutaient les complications qui pourraient résulter d'un coup de tête. Elle dit enfin :

« C'est pour vous que je le fais, bien sûr ! »

La comtesse lui prit la main :

« Et nous vous en remercions. »

Elle sortit. On l'attendit pour se mettre à table. Chacun se désolait de n'avoir pas été demandé à la place de cette fille violente et irascible, et préparait mentalement des platitudes pour le cas où on l'appellerait à son tour.

Mais au bout de dix minutes elle reparut, soufflant, rouge à suffoquer, exaspérée. Elle balbutiait : « Oh la canaille ! la canaille ! »

Tous s'empressaient pour savoir, mais elle ne dit rien ; et, comme le comte insistait, elle répondit avec une grande dignité : « Non, cela ne vous regarde pas, je ne peux pas parler. »

Alors on s'assit autour d'une haute soupière d'où sortait un parfum de choux. Malgré cette alerte, le souper fut gai. Le cidre était bon, le ménage Loiseau et les bonnes sœurs en prirent, par économie. Les autres[45] demandèrent du vin ; Cornudet réclama de la bière. Il avait une façon particulière de déboucher la bouteille, de faire mousser le liquide, de le considérer en penchant le verre, qu'il élevait ensuite entre la lampe et son œil pour bien apprécier la couleur. Quand il buvait, sa grande barbe, qui avait gardé la nuance[46] de son breuvage aimé, semblait tressaillir de tendresse ; ses yeux louchaient pour ne point perdre de vue sa chope, et il avait l'air de remplir l'unique fonction pour laquelle il était né. On eût dit qu'il établissait en son esprit un rapprochement et comme une affinité entre les deux grandes passions qui occupaient toute sa vie : le Pale-Ale et la Révolution ; et assurément il ne pouvait déguster l'un sans songer à l'autre.

M. et Mme Follenvie dînaient tout au bout de la table. L'homme, râlant comme une locomotive crevée, avait trop de tirage dans la poitrine pour pouvoir parler en mangeant ; mais la femme ne se taisait jamais. Elle raconta toutes ses impressions à l'arrivée des Prussiens, ce qu'ils faisaient, ce qu'ils disaient, les exécrant d'abord parce qu'ils lui coûtaient de l'argent, et, ensuite, parce qu'elle avait deux fils à l'armée. Elle s'adressait surtout à la comtesse, flattée de causer avec une dame de qualité.

Puis elle baissait la voix pour dire les choses délicates, et son mari, de temps en temps, l'interrompait : « Tu ferais mieux de te taire, madame Follenvie. » Mais elle n'en tenait aucun compte, et continuait :

« Oui, madame, ces gens-là, ça ne fait que manger des pommes de terre et du cochon, et puis du cochon et des pommes de terre. Et il ne faut pas croire qu'ils sont propres. – Oh non ! – Ils ordurent partout, sauf le respect que je vous dois. Et si vous les voyiez faire l'exercice pendant des heures et des jours ; ils sont là tous dans un champ : – Et marche en avant, et marche en arrière, et tourne par-ci, et tourne par-là. – S'ils cultivaient la terre au moins, ou s'ils travaillaient aux routes dans leur pays ! – Mais non, madame, ces militaires, ça n'est profitable à personne ! Faut-il que le pauvre peuple les nourrisse pour n'apprendre rien qu'à massacrer ! – Je ne suis qu'une vieille femme sans éducation, c'est vrai, mais en les voyant qui s'esquintent le tempérament à piétiner du matin au soir, je me dis : – Quand il y a des gens qui font tant de découvertes pour être utiles, faut-il que d'autres se donnent tant de mal pour être nuisibles. Vraiment, n'est-ce pas une abomination de tuer des gens, qu'ils soient Prussiens, ou bien Anglais, ou bien Polonais, ou bien Français ? – Si l'on se revenge sur quelqu'un qui vous a fait tort, c'est mal, puisqu'on vous condamne ; mais quand on extermine nos garçons comme du gibier, avec des fusils, c'est donc bien, puisqu'on donne des décorations à celui qui en détruit le plus ? – Non, voyez-vous, je ne comprendrai jamais cela ! [47] »

Cornudet éleva la voix :

« La guerre est une barbarie quand on attaque un voisin paisible ; c'est un devoir sacré quand on défend la patrie. »

La vieille femme baissa la tête :

« Oui, quand on se défend, c'est autre chose ; mais si l'on ne devrait pas plutôt tuer tous les rois qui font ça pour leur plaisir ? »

L'œil de Cornudet s'enflamma :

« Bravo citoyenne », dit-il.

M. Carré-Lamadon réfléchissait profondément. Bien qu'il fût fanatique des illustres capitaines, le bon sens de cette paysanne le faisait songer à l'opulence qu'apporteraient dans un pays tant de bras inoccupés et par conséquent ruineux, tant de forces qu'on entretient improductives, si on les employait aux grands travaux industriels qu'il faudra des siècles pour achever.

Mais Loiseau, quittant sa place, alla causer tout bas avec l'aubergiste. Le gros homme riait, toussait, crachait ; son énorme ventre sautillait de joie aux plaisanteries de son voisin, et il lui acheta six feuillettes[48] de bordeaux pour le printemps, quand les Prussiens seraient partis.

Le souper à peine achevé, comme on était brisé de fatigue, on se coucha.

Cependant Loiseau, qui avait observé les choses, fit mettre au lit son épouse, puis colla tantôt son oreille et tantôt son œil au trou de la serrure, pour tâcher de découvrir ce qu'il appelait : « les mystères du corridor ».

Au bout d'une heure environ, il entendit un frôlement, regarda bien vite, et aperçut Boule de suif qui paraissait plus replète encore sous un peignoir[49] de cachemire bleu, bordé de dentelles blanches. Elle tenait un bougeoir à la main et se dirigeait vers le gros numéro tout au fond du couloir. Mais une porte, à côté, s'entrouvrit, et, quand elle revint au bout de quelques minutes, Cornudet, en bretelles, la suivait. Ils parlaient bas, puis ils s'arrêtèrent. Boule de suif semblait défendre[50] l'entrée de sa chambre avec énergie. Loiseau, malheureusement, n'entendait pas les paroles, mais à la fin, comme ils élevaient la voix, il put en saisir quelques-unes. Cornudet insistait avec vivacité. Il disait :

« Voyons, vous êtes bête, qu'est-ce que ça vous fait ? »

Elle avait l'air indignée[51] et répondit :

« Non, mon cher, il y a des moments où ces choses-là ne se font pas ; et puis, ici, ce serait une honte. »

Il ne comprenait point, sans doute, et demanda pourquoi. Alors elle s'emporta, élevant encore le ton :

« Pourquoi ? Vous ne comprenez pas pourquoi ? Quand il y a des Prussiens dans la maison, dans la chambre à côté peut-être ? »

Il se tut. Cette pudeur patriotique de catin qui ne se laissait point caresser près de l'ennemi, dut réveiller en son cœur sa dignité défaillante, car, après l'avoir seulement embrassée, il regagna sa porte à pas de loup.

Loiseau, très allumé, quitta la serrure, battit un entrechat dans sa chambre, mit son madras [52], souleva le drap sous lequel gisait la dure carcasse de sa compagne qu'il réveilla d'un baiser en murmurant : « M'aimes-tu, chérie ? »

Alors toute la maison devint silencieuse. Mais bientôt s'éleva quelque part, dans une direction indéterminée qui pouvait être la cave aussi bien que le grenier, un ronflement puissant, monotone, régulier, un bruit sourd et prolongé, avec des tremblements de chaudière sous pression. M. Follenvie dormait.

Comme on avait décidé qu'on partirait à huit heures le lendemain, tout le monde se trouva dans la cuisine ; mais la voiture, dont la bâche avait un toit de neige, se dressait solitaire au milieu de la cour, sans chevaux et sans conducteur. On chercha en vain celui-ci dans les écuries, dans les fourrages, dans les remises. Alors tous les hommes se résolurent à battre le pays et ils sortirent. Ils se trouvèrent sur la place, avec l'église au fond et, des deux côtés, des maisons basses où l'on apercevait des soldats prussiens. Le premier qu'ils virent épluchait des pommes de terre. Le second, plus loin, lavait la boutique du coiffeur. Un autre, barbu jusqu'aux yeux, embrassait un mioche qui pleurait et le berçait sur ses genoux pour tâcher de l'apaiser ; et les grosses paysannes dont les hommes étaient à « l'armée de la guerre », indiquaient par signes à leurs vainqueurs obéissants le travail qu'il fallait entreprendre : fendre du bois, tremper la soupe, moudre le café ; un d'eux même lavait le linge de son hôtesse, une aïeule toute impotente.

Le comte, étonné, interrogea le bedeau qui sortait du presbytère. Le vieux rat d'église lui répondit : « Oh ! ceux-là ne sont pas méchants ; c'est pas des Prussiens, à ce qu'on dit. Ils sont de plus loin ; je ne sais pas bien d'où ; et ils ont tous laissé une femme et des enfants au pays ; ça ne les amuse pas, la guerre, allez ! Je suis sûr qu'on pleure bien aussi là-bas après les hommes ; et ça fournira une fameuse misère chez eux comme chez nous. Ici, encore, on n'est pas trop malheureux pour le moment, parce qu'ils ne font pas de mal et qu'ils travaillent comme s'ils étaient dans leurs maisons. Voyez-vous, monsieur, entre pauvres gens, faut bien qu'on s'aide... C'est les grands qui font la guerre. »

Cornudet, indigné de l'entente cordiale établie entre les vainqueurs et les vaincus, se retira, préférant s'enfermer dans l'auberge. Loiseau eut un mot pour rire : « Ils repeuplent. » M. Carré-Lamadon eut un mot grave : « Ils réparent. » Mais on ne trouvait pas le cocher. À la fin on le découvrit dans le café du village, attablé fraternellement avec l'ordonnance de l'officier. Le comte l'interpella :

« Ne vous avait-on pas donné l'ordre d'atteler pour huit heures ?

– Ah bien oui, mais on m'en a donné un autre depuis.

– Lequel ?

– De ne pas atteler du tout.

– Qui vous a donné cet ordre ?

– Ma foi ! le commandant prussien.

– Pourquoi ?

– Je n'en sais rien. Allez lui demander. On me défend d'atteler, moi je n'attelle pas. – Voilà.

– C'est lui-même qui vous a dit cela ?

« – Non, monsieur, c'est l'aubergiste qui m'a donné l'ordre de sa part.

– Quand ça ?

– Hier soir, comme j'allais me coucher. »

Les trois hommes rentrèrent fort inquiets.

On demanda M. Follenvie, mais la servante répondit que Monsieur, à cause de son asthme, ne se levait jamais avant dix heures. Il avait même formellement défendu de le réveiller plus tôt, excepté en cas d'incendie.

On voulut voir l'officier, mais cela était impossible absolument, bien qu'il logeât dans l'auberge. M. Follenvie seul était autorisé à lui parler pour les affaires civiles. Alors on attendit. Les femmes remontèrent dans leurs chambres, et des futilités les occupèrent.

Cornudet s'installa sous la haute cheminée de la cuisine, où flambait un grand feu. Il se fit apporter là une des petites tables de café, une canette, et il tira sa pipe qui jouissait parmi les démocrates d'une considération presque égale à la sienne, comme si elle avait servi la patrie en servant à Cornudet. C'était une superbe pipe en écume admirablement culottée, aussi noire que les dents de son maître, mais parfumée, recourbée, luisante, familière à sa main, et complétant sa physionomie. Et il demeura immobile, les yeux tantôt fixés sur la flamme du foyer, tantôt sur la mousse qui couronnait sa chope ; et chaque fois qu'il avait bu, il passait d'un air satisfait ses longs doigts maigres dans ses longs cheveux gras pendant qu'il humait sa moustache frangée d'écume.

Loiseau, sous prétexte de se dégourdir les jambes, alla placer du vin aux débitants du pays. Le comte et le manufacturier se mirent à causer politique. Ils prévoyaient l'avenir de la France. L'un croyait aux d'Orléans, l'autre à un sauveur inconnu, un héros qui se révélerait quand tout serait désespéré ; un du Guesclin, une Jeanne d'Arc peut-être ? ou un autre Napoléon Ier ?

Ah ! si le prince impérial[53] n'était pas si jeune ? Cornudet, les écoutant, souriait en homme qui sait le mot des destinées. Sa pipe embaumait la cuisine.

Comme dix heures sonnaient, M. Follenvie parut. On l'interrogea bien vite ; mais il ne put que répéter deux ou trois fois, sans une variante, ces paroles : « L'officier m'a dit comme ça : "Monsieur Follenvie, vous défendrez qu'on attelle demain la voiture de ces voyageurs. Je ne veux pas qu'ils partent sans mon ordre. Vous entendez. Ça suffit." »

Alors on voulut voir l'officier. Le comte lui envoya sa carte où M. Carré-Lamadon ajouta son nom et tous ses titres. Le Prussien fit répondre qu'il admettrait ces deux hommes à lui parler quand il aurait déjeuné, c'est-à-dire vers une heure.

Les dames reparurent et l'on mangea quelque peu, malgré l'inquiétude. Boule de suif semblait malade et prodigieusement troublée.

On achevait le café quand l'ordonnance vint chercher ces messieurs.

Loiseau se joignit aux deux premiers ; comme on essayait d'entraîner Cornudet pour donner plus de solennité à leur démarche, il déclara fièrement qu'il entendait n'avoir jamais aucun rapport avec les Allemands ; et il se remit dans sa cheminée, demandant une autre canette.

Les trois hommes montèrent et furent introduits dans la plus belle chambre de l'auberge où l'officier les reçut, étendu dans un fauteuil, les pieds sur la cheminée, fumant une longue pipe de porcelaine, et enveloppé par une robe de chambre flamboyante, dérobée sans doute dans la demeure abandonnée de quelque bourgeois de mauvais goût. Il ne se leva pas, ne les salua pas, ne les regarda pas. Il présentait un magnifique échantillon de la goujaterie naturelle au militaire victorieux.

Au bout de quelques instants il dit enfin :

« Qu'est-ce que fous foulez ? »

Le comte prit la parole : « Nous désirons partir, monsieur.

– Non.

– Oserai-je vous demander la cause de ce refus ?

– Parce que che ne feux pas.

– Je vous ferai respectueusement observer, monsieur, que votre général en chef nous a délivré une permission de départ pour gagner Dieppe ; et je ne pense pas que nous ayons rien fait pour mériter vos rigueurs.

– Che ne feux pas... foilà tout... Fous poufez tescentre. »

S'étant inclinés tous les trois ils se retirèrent.

L'après-midi fut lamentable. On ne comprenait rien à ce caprice d'Allemand ; et les idées les plus singulières troublaient les têtes. Tout le monde se tenait dans la cuisine, et l'on discutait sans fin, imaginant des choses invraisemblables. On voulait peut-être les garder comme otages – mais dans quel but ? – ou les emmener prisonniers ? ou, plutôt, leur demander une rançon considérable ? À cette pensée une panique les affola. Les plus riches étaient les plus épouvantés, se voyant déjà contraints, pour racheter leur vie, de verser des sacs pleins d'or entre les mains de ce soldat insolent. Ils se creusaient la cervelle pour découvrir des mensonges acceptables, dissimuler leurs richesses, se faire passer pour pauvres, très pauvres. Loiseau enleva sa chaîne de montre et la cacha dans sa poche. La nuit qui tombait augmenta les appréhensions. La lampe fut allumée, et comme on avait encore deux heures avant le dîner, Mme Loiseau proposa une partie de trente-et-un [54]. Ce serait une distraction. On accepta. Cornudet lui-même, ayant éteint sa pipe par politesse, y prit part.

Le comte battit les cartes – donna – Boule de suif avait trente-et-un d'emblée ; et bientôt l'intérêt de la partie apaisa la crainte qui hantait les esprits. Mais Cornudet s'aperçut que le ménage Loiseau s'entendait pour tricher.

Comme on allait se mettre à table, M. Follenvie reparut ; et de sa voix graillonnante il prononça : « L'officier prussien fait demander à Mlle Élisabeth Rousset si elle n'a pas encore changé d'avis. »

Boule de suif resta debout, toute pâle ; puis, devenant subitement cramoisie, elle eut un tel étouffement de colère qu'elle ne pouvait plus parler. Enfin elle éclata : « Vous lui direz à cette crapule, à ce saligaud, à cette charogne de Prussien, que jamais je ne voudrai ; vous entendez bien, jamais, jamais, jamais. »

Le gros aubergiste sortit. Alors Boule de suif fut entourée, interrogée, sollicitée par tout le monde de dévoiler le mystère de sa visite. Elle résista d'abord ; mais l'exaspération l'emporta bientôt : « Ce qu'il veut ?... ce qu'il veut ?... Il veut coucher avec moi ! » cria-t-elle. Personne ne se choqua du mot, tant l'indignation fut vive. Cornudet brisa sa chope en la reposant violemment sur la table. C'était une clameur de réprobation contre ce soudard ignoble, un souffle de colère, une union de tous pour la résistance, comme si l'on eût demandé à chacun une partie du sacrifice exigé d'elle. Le comte déclara avec dégoût que ces gens-là se conduisaient à la façon des anciens barbares. Les femmes surtout témoignèrent à Boule de suif une commisération énergique et caressante. Les bonnes sœurs, qui ne se montraient qu'aux repas, avaient baissé la tête et ne disaient rien.

On dîna néanmoins lorsque la première fureur fut apaisée ; mais on parla peu, on songeait.

Les dames se retirèrent de bonne heure ; et les hommes, tout en fumant, organisèrent un écarté [55] auquel fut convié M. Follenvie qu'on avait l'intention d'interroger habilement sur les moyens à employer pour vaincre la résistance de l'officier. Mais il ne songeait qu'à ses cartes, sans rien écouter, sans rien répondre ; et il répétait sans cesse : « Au jeu, messieurs, au jeu. » Son attention était si tendue qu'il en oubliait de cracher, ce qui lui mettait parfois des points d'orgue dans la poitrine. Ses poumons sifflants donnaient toute la gamme de l'asthme, depuis les notes graves et profondes jusqu'aux enrouements aigus des jeunes coqs essayant de chanter.

Il refusa même de monter quand sa femme, qui tombait de sommeil, vint le chercher. Alors elle partit toute seule, car elle était « du matin », toujours levée avec le soleil, tandis que son homme était « du soir », toujours prêt à passer la nuit avec des amis. Il lui cria : « Tu placeras mon lait de poule [56] devant le feu », et se remit à sa partie. Quand on vit bien qu'on n'en pourrait rien tirer on déclara qu'il était temps de s'en aller, et chacun gagna son lit.

On se leva encore d'assez bonne heure le lendemain, avec un espoir indéterminé, un désir plus grand de s'en aller, une terreur du jour à passer dans cette horrible petite auberge.

Hélas ! les chevaux restaient à l'écurie, le cocher demeurait invisible. On alla, par désœuvrement, tourner autour de la voiture.

Le déjeuner fut bien triste ; et il s'était produit comme un refroidissement vis-à-vis de Boule de suif, car la nuit, qui porte conseil, avait un peu modifié les jugements. On en voulait presque à cette fille, maintenant, de n'avoir pas été trouver secrètement le Prussien, afin de ménager, au réveil, une bonne surprise à ses compagnons. Quoi de plus simple ? Qui l'eût su d'ailleurs ? Elle aurait pu sauver les apparences en faisant dire à l'officier qu'elle prenait en pitié leur détresse. Pour elle ça avait si peu d'importance !

Mais personne n'avouait encore ces pensées.

Dans l'après-midi, comme on s'ennuyait à périr, le comte proposa de faire une promenade aux alentours du village. Chacun s'enveloppa avec soin et la petite société partit, à l'exception de Cornudet, qui préférait rester près du feu, et des bonnes sœurs, qui passaient leurs journées dans l'église ou chez le curé.

Le froid, plus intense de jour en jour, piquait cruellement le nez et les oreilles ; les pieds devenaient si douloureux que chaque pas était une souffrance ; et lorsque la campagne se découvrit, elle leur apparut si effroyablement lugubre sous cette blancheur illimitée que tout le monde aussitôt retourna, l'âme glacée et le cœur serré.

Les quatre femmes marchaient devant, les trois hommes suivaient, un peu derrière.

Loiseau, qui comprenait la situation, demanda tout à coup si cette « garce-là » allait les faire rester longtemps encore dans un pareil endroit. Le comte, toujours courtois, dit qu'on ne pouvait exiger d'une femme un sacrifice aussi pénible, et qu'il devait venir d'elle-même. M. Carré-Lamadon remarqua que si les Français faisaient, comme il en était question, un retour offensif par Dieppe, la rencontre ne pourrait avoir lieu qu'à Tôtes. Cette réflexion rendit les deux autres soucieux. « Si l'on se sauvait à pied », dit Loiseau. Le comte haussa les épaules : « Y songez-vous, dans cette neige ? avec nos femmes ? Et puis nous serions tout de suite poursuivis, rattrapés en dix minutes, et ramenés prisonniers à la merci des soldats. » C'était vrai ; on se tut.

Les dames parlaient toilette ; mais une certaine contrainte semblait les désunir.

Tout à coup, au bout de la rue, l'officier parut. Sur la neige qui fermait l'horizon il profilait sa grande taille de guêpe en uniforme, et marchait, les genoux écartés, de ce mouvement particulier aux militaires qui s'efforcent de ne point maculer leurs bottes soigneusement cirées.

Il s'inclina en passant près des dames, et regarda dédaigneusement les hommes qui eurent, du reste, la dignité de ne se point découvrir, bien que Loiseau ébauchât un geste pour retirer sa coiffure.

Boule de suif était devenue rouge jusqu'aux oreilles ;
et les trois femmes mariées ressentaient une grande humi-
liation d'être ainsi rencontrées par ce soldat, dans la
compagnie de cette fille qu'il avait si cavalièrement
traitée.

Alors on parla de lui, de sa tournure, de son visage.
Mme Carré-Lamadon, qui avait connu beaucoup d'officiers et qui les jugeait en connaisseur, trouvait celui-là
pas mal du tout ; elle regrettait même qu'il ne fût pas
Français, parce qu'il ferait un fort joli hussard dont
toutes les femmes assurément raffoleraient.

Une fois rentrés, on ne sut plus que faire. Des paroles
aigres furent mêmes échangées à propos de choses insi-
gnifiantes. Le dîner silencieux dura peu, et chacun monta
se coucher, espérant dormir pour tuer le temps.

On descendit le lendemain avec des visages fatigués et
des cœurs exaspérés. Les femmes parlaient à peine à
Boule de suif.

Une cloche tinta. C'était pour un baptême. La grosse
fille avait un enfant élevé chez des paysans d'Yvetot. Elle
ne le voyait pas une fois l'an, et n'y songeait jamais ; mais
la pensée de celui qu'on allait baptiser lui jeta au cœur
une tendresse subite et violente pour le sien, et elle voulut
absolument assister à la cérémonie.

Aussitôt qu'elle fut partie, tout le monde se regarda,
puis on rapprocha les chaises, car on sentait bien qu'à
la fin il fallait décider quelque chose. Loiseau eut une
inspiration : il était d'avis de proposer à l'officier de garder Boule de suif toute seule, et de laisser partir les
autres.

M. Follenvie se chargea encore de la commission, mais
il redescendit presque aussitôt. L'Allemand, qui connaissait la nature humaine, l'avait mis à la porte. Il prétendait
retenir tout le monde tant que son désir ne serait pas
satisfait.

Alors le tempérament populacier de Mme Loiseau éclata : « Nous n'allons pourtant pas mourir de vieillesse ici. Puisque c'est son métier, à cette gueuse, de faire ça avec tous les hommes, je trouve qu'elle n'a pas le droit de refuser l'un plutôt que l'autre. Je vous demande un peu, ça a pris tout ce qu'elle a trouvé dans Rouen, même des cochers ! oui, madame, le cocher de la préfecture ! Je le sais bien, moi, il achète son vin à la maison. Et aujourd'hui qu'il s'agit de nous tirer d'embarras, elle fait la mijaurée, cette morveuse !... Moi, je trouve qu'il se conduit très bien, cet officier. Il est peut-être privé depuis longtemps ; et nous étions là trois qu'il aurait sans doute préférées. Mais non, il se contente de celle à tout le monde. Il respecte les femmes mariées. Songez donc, il est le maître. Il n'avait qu'à dire : "Je veux", et il pouvait nous prendre de force avec ses soldats. »

Les deux femmes eurent un petit frisson. Les yeux de la jolie Mme Carré-Lamadon brillaient, et elle était un peu pâle, comme si elle se sentait déjà prise de force par l'officier.

Les hommes, qui discutaient à l'écart, se rapprochèrent. Loiseau, furibond, voulait livrer « cette misérable » pieds et poings liés à l'ennemi. Mais le comte, issu de trois générations d'ambassadeurs, et doué d'un physique de diplomate, était partisan de l'habileté : « Il faudrait la décider », dit-il.

Alors on conspira.

Les femmes se serrèrent, le ton de la voix fut baissé, et la discussion devint générale, chacun donnant son avis. C'était fort convenable du reste. Ces dames surtout trouvaient des délicatesses de tournures, des subtilités d'expression charmantes, pour dire les choses les plus scabreuses. Un étranger n'aurait rien compris tant les précautions du langage étaient observées. Mais la légère tranche de pudeur dont est bardée toute femme du

monde ne recouvrant que la surface, elles s'épanouis-
saient dans cette aventure polissonne, s'amusaient follement au fond, se sentant dans leur élément, tripotant de
l'amour avec la sensualité d'un cuisinier gourmand qui
prépare le souper d'un autre.

La gaieté revenait d'elle-même, tant l'histoire leur semblait drôle à la fin. Le comte trouva des plaisanteries un
peu risquées, mais si bien dites qu'elles faisaient sourire.
À son tour Loiseau lâcha quelques grivoiseries plus
raides dont on ne se blessa point ; et la pensée brutalement exprimée par sa femme dominait tous les esprits :
« Puisque c'est son métier à cette fille, pourquoi refuse-
rait-elle celui-là plus qu'un autre ? » La gentille
Mme Carré-Lamadon semblait même penser qu'à sa
place elle refuserait celui-là moins qu'un autre.

On prépara longuement le blocus, comme pour une
forteresse investie. Chacun convint du rôle qu'il jouerait,
des arguments dont il s'appuierait, des manœuvres qu'il
devrait exécuter. On régla le plan des attaques, les ruses
à employer, et les surprises de l'assaut, pour forcer cette
citadelle vivante à recevoir l'ennemi dans la place.

Cornudet cependant restait à l'écart, complètement
étranger à cette affaire.

Une attention si profonde tendait les esprits, qu'on
n'entendit point rentrer Boule de suif. Mais le comte
souffla un léger : « Chut » qui fit relever tous les yeux.
Elle était là. On se tut brusquement, et un certain embarras empêcha d'abord de lui parler. La comtesse, plus
assouplie que les autres aux duplicités des salons, l'interrogea : « Était-ce amusant, ce baptême ? »

La grosse fille, encore émue, raconta tout, et les
figures, et les attitudes, et l'aspect même de l'église. Elle
ajouta : « C'est si bon de prier quelquefois. »

Cependant, jusqu'au déjeuner, ces dames se conten-
tèrent d'être aimables avec elle, pour augmenter sa
confiance et sa docilité à leurs conseils.

Aussitôt à table, on commença les approches. Ce fut d'abord une conversation vague sur le dévouement. On cita des exemples anciens : Judith et Holopherne, puis, sans aucune raison, Lucrèce avec Sextus, Cléopâtre faisant passer par sa couche tous les généraux ennemis, et les y réduisant à des servilités d'esclave. Alors se déroula une histoire fantaisiste, éclose dans l'imagination de ces millionnaires ignorants, où les citoyennes de Rome allaient endormir à Capoue Annibal entre leurs bras, et, avec lui, ses lieutenants, et les phalanges des mercenaires[57]. On cita toutes les femmes qui ont arrêté des conquérants, fait de leur corps un champ de bataille, un moyen de dominer, une arme, qui ont vaincu par leurs caresses héroïques des êtres hideux ou détestés, et sacrifié leur chasteté à la vengeance et au dévouement.

On parla même en termes voilés de cette Anglaise de grande famille qui s'était laissé inoculer une horrible et contagieuse maladie pour la transmettre à Bonaparte sauvé miraculeusement, par une faiblesse subite, à l'heure du rendez-vous fatal.

Et tout cela était raconté[58] d'une façon convenable et modérée, où parfois éclatait un enthousiasme voulu propre à exciter l'émulation.

On aurait pu croire, à la fin, que le seul rôle de la femme, ici-bas, était un perpétuel sacrifice de sa personne, un abandon continu aux caprices des soldatesques.

Les deux bonnes sœurs ne semblaient point entendre, perdues en des pensées profondes. Boule de suif ne disait rien.

Pendant toute l'après-midi on la laissa réfléchir. Mais, au lieu de l'appeler « madame » comme on avait fait jusque-là, on lui disait simplement « mademoiselle », sans que personne sût bien pourquoi, comme si l'on avait voulu la faire descendre d'un degré dans l'estime qu'elle avait escaladée, lui faire sentir sa situation honteuse.

Au moment où l'on servit le potage, M. Follenvie reparut, répétant sa phrase de la veille : « L'officier prussien fait demander à Mlle Élisabeth Rousset si elle n'a point encore changé d'avis. »

Boule de suif répondit sèchement : « Non, monsieur. »

Mais au dîner la coalition faiblit. Loiseau eut trois phrases malheureuses. Chacun se battait les flancs pour découvrir des exemples nouveaux et ne trouvait rien, quand la comtesse, sans préméditation peut-être, éprouvant un vague besoin de rendre hommage à la Religion, interrogea la plus âgée des bonnes sœurs sur les grands faits de la vie des saints. Or beaucoup avaient commis des actes qui seraient des crimes à nos yeux ; mais l'Église absout sans peine ces forfaits quand ils sont accomplis pour la gloire de Dieu, ou pour le bien du prochain. C'était un argument puissant ; la comtesse en profita. Alors, soit par une de ces ententes tacites, de ces complaisances voilées, où excelle quiconque porte un habit ecclésiastique, soit simplement par l'effet d'une inintelligence heureuse, d'une secourable bêtise, la vieille religieuse apporta à la conspiration un formidable appui. On la croyait timide, elle se montra hardie, verbeuse, violente. Celle-là n'était pas troublée par les tâtonnements de la casuistique ; sa doctrine semblait une barre de fer ; sa foi n'hésitait jamais ; sa conscience n'avait point de scrupules. Elle trouvait tout simple le sacrifice d'Abraham, car elle aurait immédiatement tué père et mère sur un ordre venu d'en haut ; et rien, à son avis, ne pouvait déplaire au Seigneur quand l'intention était louable. La comtesse, mettant à profit l'autorité sacrée de sa complice inattendue, lui fit faire comme une paraphrase édifiante de cet axiome de morale : « La fin justifie les moyens. »

Elle l'interrogeait :

« Alors, ma sœur, vous pensez que Dieu accepte toutes les voies, et pardonne le fait quand le motif est pur ?

– Qui pourrait en douter, madame ? Une action blâmable en soi devient souvent méritoire par la pensée qui l'inspire. »

Et elles continuaient ainsi, démêlant les volontés de Dieu, prévoyant ses décisions, le faisant s'intéresser à des choses qui, vraiment, ne le regardaient guère.

Tout cela était enveloppé, habile[59], discret. Mais chaque parole de la sainte fille en cornette faisait brèche dans la résistance indignée de la courtisane. Puis, la conversation se détournant un peu, la femme aux chapelets pendants parla des maisons de son ordre, de sa supérieure, d'elle-même, et de sa mignonne voisine la chère sœur Saint-Nicéphore. On les avait demandées au Havre pour soigner dans les hôpitaux des centaines de soldats atteints de la petite vérole. Elles les dépeignit, ces misérables, détailla leur maladie. Et tandis qu'elles étaient arrêtées en route par les caprices de ce Prussien, un grand nombre de Français pouvaient mourir qu'elles auraient sauvés peut-être ! C'était sa spécialité, à elle, de soigner les militaires ; elle avait été en Crimée, en Italie, en Autriche, et, racontant ses campagnes, elle se révéla tout à coup une de ces religieuses à tambours et à trompettes qui semblent faites pour suivre les camps, ramasser des blessés dans les remous des batailles, et, mieux qu'un chef, dompter d'un mot les grands soudards indisciplinés ; une vraie bonne sœur Ran-tan-plan dont la figure ravagée, crevée de trous sans nombre, paraissait une image des dévastations de la guerre.

Personne ne dit rien après elle, tant l'effet semblait excellent.

Aussitôt le repas terminé on remonta bien vite dans les chambres pour ne descendre, le lendemain, qu'assez tard dans la matinée.

Le déjeuner fut tranquille. On donnait à la graine semée la veille le temps de germer et de pousser ses fruits.

La comtesse proposa de faire une promenade dans l'après-midi ; alors le comte, comme il était convenu, prit le bras de Boule de suif, et demeura derrière les autres, avec elle.

Il lui parla de ce ton familier, paternel, un peu dédaigneux, que les hommes posés emploient avec les filles, l'appelant : « ma chère enfant », la traitant du haut de sa position sociale, de son honorabilité indiscutée. Il pénétra tout de suite au vif de la question :

« Donc vous préférez nous laisser ici, exposés comme vous-même à toutes les violences qui suivraient un échec des troupes prussiennes, plutôt que de consentir à une de ces complaisances que vous avez eues si souvent en votre vie ? »

Boule de suif ne répondit rien.

Il la prit par la douceur, par le raisonnement, par les sentiments. Il sut rester « monsieur le comte », tout en se montrant galant quand il le fallut, complimenteur, aimable enfin. Il exalta le service qu'elle leur rendrait, parla de leur reconnaissance ; puis soudain, la tutoyant gaiement : « Et tu sais, ma chère, il pourrait se vanter d'avoir goûté d'une jolie fille comme il n'en trouvera pas beaucoup dans son pays. »

Boule de suif ne répondit pas et rejoignit la société.

Aussitôt rentrée, elle monta chez elle et ne reparut plus. L'inquiétude était extrême. Qu'allait-elle faire ? Si elle résistait, quel embarras !

L'heure du dîner sonna ; on l'attendit en vain. M. Follenvie, entrant alors, annonça que Mlle Rousset se sentait indisposée, et qu'on pouvait se mettre à table. Tout le monde dressa l'oreille. Le comte s'approcha de l'aubergiste, et, tout bas : « Ça y est ? – Oui. » Par convenance, il ne dit rien à ses compagnons, mais il leur fit seulement un léger signe de la tête. Aussitôt un grand soupir de soulagement sortit de toutes les poitrines, une allégresse parut sur les visages. Loiseau cria : « Saperlipopette ! je

paye du champagne si l'on en trouve dans l'établissement » ; et Mme Loiseau eut une angoisse lorsque le
patron revint avec quatre bouteilles aux mains. Chacun
était devenu subitement communicatif et bruyant ; une
joie égrillarde emplissait les cœurs. Le comte parut
s'apercevoir que Mme Carré-Lamadon était charmante,
le manufacturier fit des compliments à la comtesse. La
conversation fut vive, enjouée, pleine de traits.

Tout à coup, Loiseau, la face anxieuse et levant les
bras, hurla : « Silence ! » Tout le monde se tut, surpris,
presque effrayé déjà. Alors il tendit l'oreille en faisant
« Chut » des deux mains, leva les yeux vers le plafond,
écouta de nouveau, et reprit, de sa voix naturelle : « Ras-
surez-vous, tout va bien. »

On hésitait à comprendre, mais bientôt un sourire
passa.

Au bout d'un quart d'heure il recommença la même
farce, la renouvela souvent dans la soirée ; et il faisait
semblant d'interpeller quelqu'un à l'étage au-dessus, en
lui donnant des conseils à double sens puisés dans son
esprit de commis voyageur. Par moments il prenait un
air triste pour soupirer : « Pauvre fille ! » ou bien il murmurait entre ses dents d'un air rageur : « Gueux de Prussien, va ! » Quelquefois, au moment où l'on n'y songeait
plus, il poussait d'une voix vibrante plusieurs : « Assez !
assez ! » et ajoutait, comme se parlant à lui-même :
« Pourvu que nous la revoyions ; qu'il ne l'en fasse pas
mourir, le misérable ! »

Bien que ces plaisanteries fussent d'un goût déplo-
rable, elles amusaient et ne blessaient personne, car l'indignation dépend des milieux comme le reste, et
l'atmosphère qui s'était peu à peu créée autour d'eux
était chargée de pensées grivoises.

Au dessert, les femmes elles-mêmes firent des allusions
spirituelles et discrètes. Les regards luisaient ; on avait bu
beaucoup. Le comte, qui conservait même en ses écarts

sa grande apparence de gravité, trouva une comparaison fort goûtée sur la fin des hivernages au pôle et la joie des naufragés qui voient s'ouvrir une route vers le sud.

Loiseau, lancé, se leva, un verre de champagne à la main : « Je bois à notre délivrance ! » Tout le monde fut debout ; on l'acclamait. Les deux bonnes sœurs, elles-mêmes, sollicitées par ces dames, consentirent à tremper leurs lèvres dans ce vin mousseux dont elles n'avaient jamais goûté. Elles déclarèrent que cela ressemblait à la limonade gazeuse, mais que c'était plus fin cependant.

Loiseau résuma la situation.

« C'est malheureux de ne pas avoir de piano parce qu'on pourrait pincer un quadrille. »

Cornudet n'avait pas dit un mot, pas fait un geste ; il paraissait même plongé dans des pensées très graves, et tirait parfois, d'un geste furieux, sa grande barbe qu'il semblait vouloir allonger encore. Enfin, vers minuit, comme on allait se séparer, Loiseau, qui titubait, lui tapa soudain sur le ventre et lui dit en bredouillant : « Vous n'êtes pas farce, vous, ce soir ; vous ne dites rien, citoyen ? » Mais Cornudet releva brusquement la tête, et parcourant la société d'un regard luisant et terrible : « Je vous dis à tous que vous venez de faire une infamie ! » Il se leva, gagna la porte, répéta encore une fois : « Une infamie ! » et disparut.

Cela jeta un froid d'abord. Loiseau interloqué restait bête ; mais il reprit son aplomb, puis, tout à coup, se tordit en répétant : « Ils sont trop verts mon vieux, ils sont trop verts. » Comme on ne comprenait pas, il raconta les « mystères du corridor ». Alors il y eut une reprise de gaieté formidable. Ces dames s'amusaient comme des folles. Le comte et M. Carré-Lamadon pleuraient à force de rire. Ils ne pouvaient croire.

« Comment. Vous êtes sûr ? Il voulait…

– Je vous dis que je l'ai vu.

– Et, elle a refusé…

– Parce que le Prussien était dans la chambre à côté.

– Pas possible ?

– Je vous le jure. »

Le comte étouffait. L'industriel se comprimait le ventre à deux mains. Loiseau continuait :

« Et, vous comprenez, ce soir, il ne la trouve pas drôle, mais pas du tout. »

Et tous les trois repartaient, malades, essoufflés, toussant.

On se sépara là-dessus. Mais Mme Loiseau, qui était de la nature des orties, fit remarquer à son mari, au moment où ils se couchaient, que « cette chipie » de petite Carré-Lamadon avait ri jaune toute la soirée : « Tu sais, les femmes, quand ça en tient pour l'uniforme, qu'il soit Français ou bien Prussien ça leur est, ma foi, bien égal. Si ce n'est pas une pitié, Seigneur Dieu ! »

Et toute la nuit, dans l'obscurité du corridor coururent comme des frémissements, des bruits légers, à peine sensibles, pareils à des souffles, des effleurements de pieds nus, d'imperceptibles craquements. Et l'on ne dormit que très tard, assurément, car des filets de lumière glissèrent longtemps sous les portes. Le champagne a de ces effets-là ; il trouble, dit-on, le sommeil.

Le lendemain, un clair soleil d'hiver rendait la neige éblouissante. La diligence, attelée enfin, attendait devant la porte, tandis qu'une armée de pigeons blancs, rengorgés dans leurs plumes épaisses, avec un œil rose, taché, au milieu, d'un point noir, se promenaient gravement entre les jambes des six chevaux, et cherchaient leur vie dans le crottin fumant qu'ils éparpillaient.

Le cocher, enveloppé dans sa peau de mouton, grillait une pipe sur le siège, et tous les voyageurs radieux faisaient rapidement empaqueter des provisions pour le reste du voyage.

On n'attendait plus que Boule de suif. Elle parut.

Elle semblait un peu troublée, honteuse ; et elle s'avança timidement vers ses compagnons, qui, tous, d'un même mouvement, se détournèrent comme s'ils ne l'avaient pas aperçue. Le comte prit avec dignité le bras de sa femme et l'éloigna de ce contact impur.

La grosse fille s'arrêta, stupéfaite ; alors, ramassant tout son courage, elle aborda la femme du manufacturier d'un « bonjour, madame » humblement murmuré. L'autre fit de la tête seule un petit salut impertinent qu'elle accompagna d'un regard de vertu outragée. Tout le monde semblait affairé, et l'on se tenait loin d'elle comme si elle eût apporté une infection dans ses jupes. Puis on se précipita vers la voiture, où elle arriva seule, la dernière, et reprit en silence la place qu'elle avait occupée pendant la première partie de la route.

On semblait ne pas la voir, ne pas la connaître ; mais Mme Loiseau, la considérant de loin avec indignation, dit à mi-voix à son mari : « Heureusement que je ne suis pas à côté d'elle. »

La lourde voiture s'ébranla, et le voyage recommença.

On ne parla point d'abord. Boule de suif n'osait pas lever les yeux. Elle se sentait en même temps indignée contre tous ses voisins, et humiliée d'avoir cédé, souillée par les baisers de ce Prussien entre les bras duquel on l'avait hypocritement jetée.

Mais la comtesse, se tournant vers Mme Carré-Lamadon, rompit bientôt ce pénible silence.

« Vous connaissez, je crois, Mme d'Étrelles ?

– Oui, c'est une de mes amies.

– Quelle charmante femme !

– Ravissante ! Une vraie nature d'élite, fort instruite d'ailleurs, et artiste jusqu'au bout des doigts ; elle chante à ravir et dessine dans la perfection. »

Le manufacturier causait avec le comte, et au milieu du fracas des vitres un mot parfois jaillissait : « Coupon – échéance – prime – à terme. »

Loiseau, qui avait chipé le vieux jeu de cartes de l'auberge engraissé par cinq ans de frottement sur les tables mal essuyées, attaqua un bésigue[60] avec sa femme.

Les bonnes sœurs prirent à leur ceinture le long rosaire qui pendait, firent ensemble le signe de la croix, et tout à coup leurs lèvres se mirent à remuer vivement, se hâtant de plus en plus, précipitant leur vague murmure comme pour une course d'*oremus* ; et de temps en temps elles baisaient une médaille, se signaient de nouveau, puis recommençaient leur marmottement rapide et continu.

Cornudet songeait, immobile.

Au bout de trois heures de route, Loiseau ramassa ses cartes : « Il fait faim », dit-il.

Alors sa femme atteignit un paquet ficelé d'où elle fit sortir un morceau de veau froid. Elle le découpa proprement par tranches minces et fermes, et tous deux se mirent à manger.

« Si nous en faisions autant », dit la comtesse. On y consentit et elle déballa les provisions préparées pour les deux ménages. C'était, dans un de ces vases allongés dont le couvercle porte un lièvre en faïence, pour indiquer qu'un lièvre en pâté gît au-dessous, une charcuterie succulente, où de blanches rivières de lard traversaient la chair brune du gibier, mêlée à d'autres viandes hachées fin. Un beau carré de gruyère, apporté dans un journal, gardait imprimé : « faits divers » sur sa pâte onctueuse.

Les deux bonnes sœurs développèrent un rond de saucisson qui sentait l'ail ; et Cornudet, plongeant les deux mains en même temps dans les vastes poches de son paletot sac, tira de l'une quatre œufs durs et de l'autre le croûton d'un pain. Il détacha la coque, la jeta sous ses pieds dans la paille et se mit à mordre à même les œufs, faisant tomber sur sa vaste barbe des parcelles de jaune clair qui semblaient, là-dedans, des étoiles.

Boule de suif, dans la hâte et l'effarement de son lever, n'avait pu songer à rien ; et elle regardait, exaspérée, suffoquant de rage, tous ces gens qui mangeaient placidement. Une colère tumultueuse la crispa d'abord, et elle ouvrit la bouche pour leur crier leur fait avec un flot d'injures qui lui montait aux lèvres ; mais elle ne pouvait pas parler tant l'exaspération l'étranglait.

Personne ne la regardait, ne songeait à elle. Elle se sentait noyée dans le mépris de ces gredins honnêtes qui l'avaient sacrifiée d'abord, rejetée ensuite, comme une chose malpropre et inutile. Alors elle songea à son grand panier tout plein de bonnes choses qu'ils avaient goulûment dévorées, à ses deux poulets luisants de gelée, à ses pâtés, à ses poires, à ses quatre bouteilles de bordeaux ; et sa fureur tombant soudain, comme une corde trop tendue qui casse, elle se sentit prête à pleurer. Elle fit des efforts terribles, se raidit, avala ses sanglots comme les enfants, mais les pleurs montaient, luisaient au bord de ses paupières, et bientôt deux grosses larmes se détachant des yeux roulèrent lentement sur ses joues. D'autres les suivirent plus rapides, coulant comme les gouttes d'eau qui filtrent d'une roche, et tombant régulièrement sur la courbe rebondie de sa potirine. Elle restait droite, le regard fixe, la face rigide et pâle, espérant qu'on ne la verrait pas.

Mais la comtesse s'en aperçut et prévint son mari d'un signe. Il haussa les épaules comme pour dire : « Que voulez-vous, ce n'est pas ma faute. » Mme Loiseau eut un rire muet de triomphe et murmura : « Elle pleure sa honte. »

Les deux bonnes sœurs s'étaient remises à prier après avoir roulé dans un papier le reste de leur saucisson.

Alors Cornudet, qui digérait ses œufs, étendit ses longues jambes sous la banquette d'en face, se renversa, croisa ses bras, sourit comme un homme qui vient de trouver une bonne farce, et se mit à siffloter *La Marseillaise*[61].

Toutes les figures se rembrunirent. Le chant populaire, assurément, ne plaisait point à ses voisins. Ils devinrent nerveux, agacés, et avaient l'air prêts à hurler comme des chiens qui entendent un orgue de barbarie. Il s'en aperçut, ne s'arrêta plus. Parfois même il fredonnait les paroles :

> *Amour sacré de la patrie,*
> *Conduis, soutiens, nos bras vengeurs,*
> *Liberté, liberté chérie,*
> *Combats avec tes défenseurs !*

On fuyait plus vite, la neige étant plus dure ; et jusqu'à Dieppe, pendant les longues heures mornes du voyage, à travers les cahots du chemin, par la nuit tombante, puis dans l'obscurité profonde de la voiture, il continua, avec une obstination féroce, son sifflement vengeur et monotone, contraignant les esprits las et exaspérés à suivre le chant d'un bout à l'autre, à se rappeler chaque parole qu'ils appliquaient sur chaque mesure.

Et Boule de suif pleurait toujours ; et parfois un sanglot qu'elle n'avait pu retenir passait, entre deux couplets, dans les ténèbres.

MADEMOISELLE FIFI [1]

Le major, commandant prussien [2], comte de Farlsberg [3], achevait de lire son courrier, le dos au fond d'un grand fauteuil de tapisserie et ses pieds bottés sur le marbre élégant de la cheminée, où ses éperons, depuis trois mois [4] qu'ils occupaient le [5] château d'Uville [6], avaient tracé deux trous profonds, fouillés un peu plus tous les jours.

Une tasse de café fumait sur un guéridon de marqueterie maculé par les liqueurs, brûlé par les cigares, entaillé par le canif de l'officier conquérant qui, parfois, s'arrêtant d'aiguiser un crayon, traçait sur le meuble gracieux des chiffres ou des dessins, à la fantaisie de son rêve nonchalant.

Quand il eut achevé ses lettres et parcouru les journaux allemands que son vaguemestre venait de lui apporter, il se leva, et, après avoir jeté au feu trois ou quatre énormes morceaux de bois vert, car ces messieurs abattaient peu à peu le parc pour se chauffer, il s'approcha de la fenêtre.

La pluie tombait à flots, une pluie normande qu'on aurait dit jetée par une main furieuse, une pluie en biais, épaisse comme un rideau, formant une sorte de mur à raies obliques, une pluie cinglante, éclaboussante, noyant tout, une vraie pluie des environs de Rouen, ce pot de chambre de la France.

L'officier regarda longtemps les [7] pelouses inondées, et, là-bas, l'Andelle [8] gonflée qui débordait ; et il tambourinait contre la vitre une valse du Rhin, quand un bruit le fit se retourner : c'était son second, le baron de Kelweingstein [9], ayant le grade équivalent à celui de capitaine.

Le major était un géant, large d'épaules, orné d'une longue barbe en éventail formant nappe sur sa poitrine ; et toute sa grande personne solennelle éveillait l'idée d'un paon militaire, un paon qui aurait porté sa queue déployée à son menton. Il avait des yeux bleus, froids et doux, une joue fendue d'un coup [10] de sabre dans la guerre d'Autriche [11] ; et on le disait brave homme autant que brave officier.

Le capitaine, un petit rougeaud à gros ventre, sanglé de force, portait presque ras son poil [12] ardent, dont les fils de feu auraient fait croire, quand ils se trouvaient sous certains reflets, sa figure frottée de [13] phosphore. Deux dents perdues dans une nuit de noce, sans qu'il se rappelât au [14] juste comment, lui faisaient cracher des paroles épaisses, qu'on n'entendait pas toujours ; et il était chauve du sommet du crâne seulement, tonsuré comme un moine, avec une toison de petits cheveux frisés, dorés et luisants, autour de ce cerceau de chair nue.

Le commandant lui serra la main, et il avala d'un [15] trait sa tasse de café (la sixième depuis le matin), en [16] écoutant le rapport de son subordonné sur les incidents survenus dans le service ; puis tous deux se rapprochèrent de la fenêtre en déclarant que ce n'était pas gai. Le major, homme tranquille, marié chez lui, s'accommodait de tout ; mais le baron capitaine, viveur [17] tenace, coureur de bouges, forcené trousseur de filles, rageait d'être enfermé depuis trois mois [18] dans la chasteté obligatoire de ce poste perdu.

Comme on grattait à la porte, le commandant cria d'ouvrir, et un homme, un de leurs soldats automates, apparut dans l'ouverture, disant par sa seule présence que le déjeuner était prêt.

Dans la salle ils trouvèrent les trois officiers de moindre grade : un lieutenant, Otto de Grossling ; deux sous-lieutenants, Fritz Scheunaubourg et le marquis Wilhem d'Eyrik, un [19] tout petit blondin fier et brutal avec les hommes, dur aux vaincus, et violent comme une arme à feu.

Depuis son entrée en France, ses camarades ne l'appelaient plus que Mlle Fifi [20]. Ce surnom lui venait de sa tournure coquette, de sa taille fine qu'on aurait dit tenue en un corset, de sa figure pâle où sa naissante moustache apparaissait à peine, et aussi de l'habitude qu'il avait prise, pour exprimer son souverain mépris des êtres et des choses, d'employer à tout moment la locution française – *fî, fî donc*, qu'il prononçait avec un léger sifflement.

La salle à manger du château d'Uville était une longue et royale pièce dont les glaces de cristal ancien, étoilées de balles, et les hautes tapisseries des Flandres, tailladées à coups de sabre et pendantes par endroits, disaient les occupations de Mlle Fifi [21] en ses heures de désœuvrement.

Sur les murs, trois portraits de famille, un guerrier vêtu de fer, un cardinal et un président, fumaient de longues pipes de porcelaine, tandis qu'en son cadre dédoré par les ans, une noble dame à poitrine serrée montrait d'un air arrogant une énorme paire de moustaches faite [22] au charbon.

Et le déjeuner des officiers s'écoula presque en silence dans cette pièce mutilée, assombrie par l'averse, attristante par son aspect vaincu, et dont le vieux parquet de chêne était devenu sordide comme [23] un sol de cabaret.

À l'heure du tabac, quand ils commencèrent à boire, ayant fini de manger, ils se mirent, de même que chaque jour, à parler de leur ennui. Les bouteilles de cognac et de liqueurs passaient [24] de main en main ; et tous, renversés sur leurs chaises, absorbaient à petits coups répétés, en gardant au coin de la bouche le long tuyau courbé que terminait l'œuf de faïence, toujours peinturluré comme pour séduire des Hottentots.

Dès que leur verre était vide, ils le remplissaient avec un geste de lassitude résignée. Mais Mlle Fifi [25] cassait à tout moment le sien, et un soldat immédiatement lui en présentait un autre.

Un brouillard [26] de fumée âcre les noyait, et ils semblaient s'enfoncer dans une ivresse endormie et triste, dans cette saoulerie morne des gens qui n'ont rien à faire.

Mais le baron, soudain, se redressa. Une révolte le secouait ; il jura : « Nom de Dieu, ça ne peut pas durer, il faut inventer quelque chose à la fin. »

Ensemble le lieutenant Otto et le sous-lieutenant Fritz, deux Allemands doués éminemment de physionomies allemandes lourdes et graves, répondirent : « Quoi, mon capitaine ? »

Il réfléchit quelques secondes, puis reprit : « Quoi ? Eh bien, il faut organiser une fête, si le commandant le permet. »

Le major quitta sa pipe : « Quelle fête, capitaine ? »

Le baron s'approcha : « Je [27] me charge de tout, mon commandant. J'enverrai à [28] Rouen *Le Devoir* qui nous ramènera des dames ; je [29] sais où les prendre. On préparera ici un souper ; rien ne manque d'ailleurs, et, au moins, nous passerons une bonne soirée. »

Le comte de Farlsberg haussa les épaules en souriant : « Vous [30] êtes fou, mon ami. »

Mais tous les officiers s'étaient levés, entouraient leur chef, le suppliaient : – « Laissez faire le capitaine, mon commandant, c'est si triste ici. »

À la fin le major céda : « Soit », dit-il ; et aussitôt le baron fit appeler *Le Devoir*. C'était un vieux sous-officier qu'on n'avait jamais vu rire, mais qui accomplissait fanatiquement tous les ordres de ses chefs, quels qu'ils fussent.

Debout, avec sa figure impassible, il reçut les instructions du baron ; puis il sortit ; et, cinq minutes plus tard, une grande voiture du train militaire, couverte d'une bâche de meunier tendue en dôme, détalait sous la pluie acharnée, au galop de quatre chevaux.

Aussitôt un frisson de réveil sembla courir dans les esprits ; les poses alanguies se redressèrent, les visages s'animèrent et on se mit à causer.

Bien que l'averse continuât avec autant de furie, le major affirma qu'il faisait moins sombre ; et le lieutenant Otto annonçait avec conviction que le ciel allait s'éclaircir. Mlle Fifi elle-même ne semblait pas tenir en place. Elle se levait, se rasseyait. Son œil clair et dur cherchait quelque chose à briser. Soudain, fixant la dame aux moustaches, le jeune blondin tira son revolver. « Tu ne verras pas cela toi », dit-il ; et, sans quitter son siège, il visa. Deux balles successivement crevèrent les deux yeux du portrait.

Puis il s'écria : « Faisons la mine ! » Et brusquement les conversations s'interrompirent, comme si un intérêt puissant et nouveau se fût emparé de tout le monde.

La mine, c'était son invention, sa manière de détruire, son amusement préféré.

En quittant son château, le propriétaire légitime, le comte Fernand d'Amoys d'Uville, n'avait eu le temps de rien emporter ni de rien cacher, sauf l'argenterie enfouie dans le trou d'un mur. Or, comme il était fort riche et magnifique, son grand salon, dont la porte ouvrait dans la salle à manger, présentait, avant la fuite précipitée du maître, l'aspect d'une galerie de musée.

Aux murailles pendaient des toiles, des dessins et des aquarelles de prix, tandis que sur les meubles, les étagères, et dans les vitrines élégantes, mille bibelots, des potiches, des statuettes, des bonshommes de Saxe et des magots de Chine, des ivoires anciens et des verres de Venise, peuplaient le vaste appartement de leur foule précieuse et bizarre.

Il n'en restait guère maintenant. Non qu'on les eût pillés, le major comte de Farlsberg ne l'aurait point permis ; mais Mlle Fifi, de temps en temps, faisait la *mine* ; et tous les officiers, ce jour-là, s'amusaient vraiment pendant cinq minutes.

Le petit marquis alla chercher dans le salon ce qu'il lui fallait. Il rapporta une toute mignonne théière de Chine famille Rose qu'il emplit de poudre à canon, et, par le bec, il introduisit délicatement un long morceau d'amadou, l'alluma, et courut reporter cette machine infernale dans l'appartement voisin.

Puis il revint bien vite, en fermant la porte. Tous les Allemands attendaient, debout, avec la figure souriante d'une curiosité enfantine ; et, dès que l'explosion eut secoué le château, ils se précipitèrent ensemble.

Mlle Fifi, entrée la première, battait des mains avec délire devant une Vénus de terre cuite dont la tête avait enfin sauté ; et chacun ramassa des morceaux de porcelaine, s'étonnant aux dentelures étranges des éclats, examinant les dégâts nouveaux, contestant certains ravages comme produits par l'explosion précédente ; et le major considérait d'un air paternel le vaste salon bouleversé par cette mitraille à la Néron et sablé de débris d'objets d'art. Il en sortit le premier, en déclarant avec bonhomie : « Ça a bien réussi, cette fois. »

Mais une telle trombe de fumée était entrée dans la salle à manger, se mêlant à celle du tabac, qu'on ne pouvait plus respirer. Le commandant ouvrit la fenêtre, et tous les officiers, revenus pour boire un dernier verre de cognac, s'en approchèrent.

L'air humide s'engouffra dans la pièce, apportant une sorte de poussière d'eau qui poudrait les barbes, et une odeur d'inondation. Ils regardaient les grands arbres accablés sous l'averse, la large vallée embrumée par ce dégorgement des nuages sombres et bas, et tout au loin le clocher [31] de l'église dressé comme une pointe grise dans la pluie battante.

Depuis leur arrivée, il n'avait plus sonné. C'était, du reste, la seule résistance que les envahisseurs eussent rencontrée aux environs : celle du clocher. Le curé ne s'était nullement refusé à recevoir et à nourrir des soldats prussiens ; il avait même plusieurs fois accepté de boire une bouteille de bière ou de bordeaux avec le commandant ennemi, qui l'employait souvent comme intermédiaire bienveillant ; mais il ne fallait pas lui demander un seul tintement de sa cloche ; il se serait plutôt laissé fusiller. C'était sa manière à lui de protester contre l'invasion, protestation pacifique, protestation du silence, la seule, disait-il, qui convînt au prêtre, homme de douceur et non de sang ; et tout le monde, à dix lieues à la ronde, vantait la fermeté, l'héroïsme de l'abbé Chantavoine, qui osait affirmer le deuil public, le proclamer, par le mutisme obstiné de son église.

Le village entier, enthousiasmé par cette résistance, était prêt à soutenir jusqu'au bout son pasteur, à tout braver, considérant cette protestation tacite comme la sauvegarde de l'honneur national. Il semblait aux paysans qu'ils avaient ainsi mieux mérité de la patrie que Belfort et que Strasbourg [32], qu'ils avaient donné un exemple équivalent, que le nom du hameau en deviendrait immortel ; et, hormis [33] cela, ils ne refusaient rien aux Prussiens vainqueurs.

Le commandant et ses officiers riaient ensemble de ce courage inoffensif ; et [34] comme le pays entier se montrait obligeant et souple à leur égard, ils toléraient volontiers son patriotisme muet.

Seul, le petit marquis Wilhem aurait bien voulu forcer la cloche à sonner. Il enrageait de la condescendance politique de son supérieur pour le prêtre ; et chaque jour il suppliait le commandant de le laisser faire « Ding-don-don », une fois, une seule petite fois, pour rire un peu seulement. Et il demandait cela avec des grâces de chatte, des cajoleries de femme, des douceurs de voix d'une maî-tresse affolée par une envie ; mais le commandant ne cédait point, et Mlle Fifi[35], pour se consoler, faisait la *mine* dans le château d'Uville.

Les cinq hommes restèrent là, en tas, quelques minutes, aspirant l'humidité. Le lieutenant Fritz, enfin, prononça en jetant un rire pâteux : « Ces temoiselles técitément, n'auront pas peau temps pour leur bromenate. »

Là-dessus, on se sépara, chacun allant à son service, et le capitaine ayant fort à faire pour les préparatifs du dîner.

Quand ils[36] se retrouvèrent de nouveau à la nuit tom-bante, ils se mirent à rire en se voyant tous coquets et reluisants comme aux jours de grande revue, pommadés, parfumés, tout frais. Les cheveux du commandant sem-blaient moins gris que le matin ; et le capitaine s'était rasé, ne gardant que sa moustache, qui lui mettait une flamme sous le nez.

Malgré la pluie, on laissait la fenêtre ouverte ; et l'un d'eux parfois allait écouter. À six heures dix minutes le[37] baron signala un lointain roulement. Tous[38] se précipi-tèrent ; et bientôt la grande voiture accourut, avec ses quatre chevaux toujours au galop, crottés jusqu'au dos, fumants et soufflants.

Et cinq femmes descendirent sur le perron, cinq belles filles choisies avec soin par un camarade du capitaine à qui *Le Devoir* était allé porter une carte de son officier.

Elles ne s'étaient point fait prier, sûres d'être bien payées, connaissant d'ailleurs les Prussiens, depuis trois mois [39] qu'elles en tâtaient, et prenant leur parti des hommes comme des choses. « C'est le métier qui veut ça », se disaient-elles en route, pour répondre sans doute à quelque picotement secret d'un reste de conscience.

Et tout de suite on entra dans la salle à manger. Illuminée, elle semblait plus lugubre encore en son délabrement piteux ; et la table couverte de viandes, de vaisselle riche et d'argenterie retrouvée dans le mur où l'avait cachée le propriétaire, donnait à ce lieu l'aspect [40] d'une taverne de bandits qui soupent après un pillage. Le capitaine, radieux, s'empara des femmes comme d'une chose familière, les appréciant, les embrassant [41], les flairant, les évaluant à leur valeur de filles de plaisir ; et comme les trois jeunes gens voulaient en prendre chacun une, il s'y opposa avec autorité, se réservant de faire le partage, en toute justice, suivant les grades, pour ne blesser en rien la hiérarchie.

Alors, afin d'éviter toute discussion, toute contestation et tout soupçon de partialité, il les aligna par rang de taille, et s'adressant à la plus grande, avec le ton du commandement : « Ton nom ? »

Elle répondit en grossissant sa voix : « Paméla. »

Alors il proclama : « Numéro un, la nommée Paméla, adjugée au commandant. »

Ayant ensuite embrassé Blondine, la seconde, en signe de propriété, il offrit au lieutenant Otto la grosse Amanda, Eva *la Tomate* au sous-lieutenant Fritz, et la plus petite de toutes, Rachel, une brune toute jeune, à l'œil noir comme une tache d'encre, une juive dont le nez retroussé confirmait la règle qui donne des becs courbes à toute sa race, au plus jeune des officiers, au frêle marquis Wilhem d'Eyrik.

Toutes, d'ailleurs, étaient jolies et grasses, sans physionomies bien distinctes, faites à peu près pareilles de tournure et de peau par les pratiques d'amour quotidiennes et la vie commune des maisons publiques.

Les trois jeunes gens prétendaient tout de suite entraîner leurs femmes, sous prétexte de leur offrir des brosses et du savon pour se nettoyer ; mais le capitaine s'y opposa sagement, affirmant qu'elles étaient assez propres pour se mettre à table et que ceux qui monteraient voudraient changer en descendant et troubleraient les autres couples. Son expérience l'emporta. Il y eut seulement beaucoup de baisers, des baisers d'attente.

Soudain, Rachel suffoqua, toussant aux larmes, et rendant de la fumée par les narines. Le marquis, sous prétexte de l'embrasser, venait de lui souffler un jet de tabac dans la bouche. Elle ne se fâcha point, ne dit pas un mot, mais elle regarda fixement son possesseur avec une colère éveillée tout au fond de son œil noir.

On s'assit. Le commandant lui-même semblait enchanté ; il prit à sa droite Paméla, Blondine à sa gauche, et déclara, en dépliant sa serviette : « Vous[42] avez eu là une charmante idée, capitaine. »

Les lieutenants Otto et Fritz, polis comme auprès de femmes du monde, intimidaient un peu leurs voisines ; mais le[43] baron de Kelweingstein[44], lâché dans son vice, rayonnait, lançait des mots grivois, semblait[45] en feu avec sa couronne de cheveux rouges. Il[46] galantisait en français du Rhin ; et ses compliments de taverne, expectorés par le trou des deux dents brisées, arrivaient aux filles au milieu d'une mitraille de salive.

Elles ne comprenaient rien, du reste ; et leur intelligence ne sembla s'éveiller que lorsqu'il cracha des paroles obscènes, des expressions crues, estropiées par son accent. Alors, toutes ensemble, elles commencèrent à rire comme des folles, tombant sur le ventre de leurs voisins, répétant les termes que le baron se mit alors à défigurer à plaisir pour leur faire dire des ordures. Elles en vomissaient à volonté, saoules aux premières bouteilles de vin ; et, redevenant elles, ouvrant la porte aux habitudes, elles embrassaient les moustaches de droite et celles de gauche, pinçaient les bras, poussaient des cris furieux[47], buvaient dans tous les verres, chantaient des couplets français et des bouts de chansons allemandes appris dans leurs rapports quotidiens avec l'ennemi.

Bientôt les hommes eux-mêmes, grisés par cette chair de femme étalée sous leur nez et sous leurs mains, s'affolèrent, hurlant, brisant la vaisselle[48], tandis que, derrière leur dos, des soldats impassibles les servaient.

Le commandant seul gardait de la retenue.

Mlle Fifi avait[49] pris Rachel sur ses genoux, et, s'animant à froid, tantôt il embrassait follement les frisons d'ébène de son cou, humant par le mince intervalle entre la robe et la peau la douce chaleur de son corps et tout le fumet de sa personne ; tantôt, à travers l'étoffe, il la pinçait avec fureur, la faisant crier, saisi[50] d'une férocité rageuse, travaillé par son besoin de ravage. Souvent aussi, la tenant à pleins bras, l'étreignant comme pour la mêler à lui, il appuyait longuement ses lèvres sur la bouche fraîche de la juive, la baisait à perdre haleine ; mais soudain il[51] la mordit si profondément qu'une traînée de sang descendit sur le menton de la jeune femme et[52] coula dans son corsage.

Encore une fois, elle le regarda bien en face, et, lavant la plaie, murmura : « Ça se paye, cela. » Il se mit à rire, d'un rire dur. « Je payerai », dit-il.

On arrivait au dessert ; on versait du champagne. Le commandant se leva, et du même ton qu'il aurait pris pour porter la santé de l'impératrice Augusta[53], il but :

« À nos dames ! » Et une[54] série de toasts commença ; des toasts d'une galanterie de soudards et de pochards, mêlés de plaisanteries obscènes, rendues plus brutales encore par l'ignorance de la langue.

Ils se levaient l'un après l'autre, cherchant de l'esprit, s'efforçant d'être drôles ; et les femmes, ivres à tomber, les yeux vagues, les lèvres pâteuses, applaudissaient chaque fois éperdûment.

Le capitaine, voulant sans doute rendre à l'orgie un air galant, leva encore une fois son verre, et prononça : « À nos victoires sur les cœurs ! »

Alors le lieutenant Otto, espèce d'ours de la Forêt-Noire, se dressa, enflammé, saturé de boissons. Et envahi brusquement de patriotisme alcoolique, il cria : « À nos victoires sur la France ! »

Toutes grises qu'elles étaient, les femmes se turent ; et Rachel, frissonnante, se retourna : « Tu sais, j'en connais, des Français, devant qui tu ne dirais pas ça. »

Mais le petit marquis, la tenant toujours sur ses genoux, se mit à rire, rendu très gai par le vin : « Ah ! ah ! ah ! je n'en ai jamais vu, moi. Sitôt que nous paraissons, ils foutent le camp ! »

La fille, exaspérée, lui cria dans la figure : « Tu mens, salop ! »

Durant une seconde, il fixa sur elle ses yeux clairs, comme il les fixait sur les tableaux dont il crevait la toile à coups de revolver, puis il se remit à rire : « Ah ! oui, parlons-en, la belle ! serions-nous ici, s'ils étaient braves ? » Et il s'animait : « Nous sommes leurs maîtres ! à nous la France ! »

Elle quitta ses genoux d'une secousse et retomba sur sa chaise. Il se leva, tendit son verre jusqu'au milieu de la table et répéta : « À nous la France et les Français, les bois, les champs et les maisons de France ! »

Les autres, tout à fait saouls, secoués soudain par un enthousiasme militaire, un enthousiasme de brutes, saisirent leurs verres en vociférant : « Vive la Prusse ! » et les vidèrent d'un seul trait.

Les filles ne protestaient point, réduites[55] au silence et prises de peur. Rachel elle-même se taisait, impuissante à répondre.

Alors, le petit marquis[56] posa sur la tête de la juive sa coupe de champagne emplie à nouveau[57] : « À nous aussi, cria-t-il, toutes les femmes de France ! »

Elle se leva si vite, que le cristal, culbuté, vida, comme pour un baptême, le vin jaune dans ses cheveux noirs, et il tomba, se brisant à terre. Les lèvres tremblantes, elle bravait du regard l'officier qui riait toujours, et elle balbutia, d'une[58] voix étranglée de colère : « Ça, ça, ça n'est[59] pas vrai, par exemple, vous n'aurez pas les femmes de France. »

Il s'assit pour rire à son aise, et, cherchant l'accent parisien : « Elle est pien ponne, pien ponne, qu'est-ce alors que tu viens faire ici, petite ? »

Interdite, elle se tut d'abord, comprenant mal dans son trouble, puis, dès qu'elle eut bien saisi ce qu'il disait, elle lui jeta, indignée et véhémente : « Moi ! moi ! Je[60] ne suis pas une femme, moi, je suis une putain ; c'est[61] bien tout ce qu'il faut à des Prussiens. »

Elle n'avait point fini qu'il la giflait à toute volée ; mais comme il levait encore une fois la main, affolée de[62] rage, elle saisit sur la table un petit couteau de dessert à lame d'argent, et si brusquement qu'on ne vit rien d'abord, elle le lui piqua droit dans le cou, juste au creux où la poitrine commence.

Un mot qu'il prononçait fut[63] coupé dans sa gorge ; et il resta béant, avec un regard effroyable.

Tous poussèrent un rugissement, et se levèrent en tumulte ; mais ayant jeté sa chaise dans les jambes du lieutenant Otto, qui s'écroula tout au long, elle courut à la fenêtre, l'ouvrit avant qu'on eût pu l'atteindre, et s'élança dans la nuit, sous la pluie qui tombait toujours.

En deux minutes, Mlle Fifi[64] fut morte. Alors Fritz et Otto dégainèrent et voulurent massacrer les femmes, qui se traînaient à leurs genoux. Le major, non sans peine, empêcha cette boucherie, fit enfermer dans une chambre, sous la garde de deux hommes, les quatre filles éperdues ; puis, comme s'il eût disposé ses soldats pour un combat, il organisa la poursuite de la fugitive, bien certain de la reprendre.

Cinquante hommes, fouettés de menaces, furent lancés dans le parc. Deux cents autres fouillèrent les bois et toutes les maisons de la vallée.

La table, desservie en un instant, servait maintenant de lit mortuaire, et les quatre officiers, rigides, dégrisés, avec la face dure des hommes de guerre en fonction, restaient [65] debout près des fenêtres, sondaient la nuit.

L'averse torrentielle continuait. Un clapotis continu emplissait les ténèbres, un flottant murmure d'eau qui tombe et d'eau qui coule, d'eau qui dégoutte et d'eau qui rejaillit.

Soudain, un coup de feu retentit, puis un autre très loin ; et, pendant quatre heures, on entendit ainsi de temps en temps des détonations proches ou lointaines, et des cris de ralliement, des mots étranges lancés comme appel par des voix gutturales.

Au matin, tout le monde rentra. Deux soldats avaient été tués, et trois autres blessés par leurs camarades dans l'ardeur de la chasse et l'effarement de cette poursuite nocturne.

On n'avait pas retrouvé Rachel.

Alors les habitants furent terrorisés, les demeures bouleversées, toute la contrée parcourue, battue, retournée. La juive ne semblait pas avoir laissé une seule trace de son passage.

Le général, prévenu, ordonna d'étouffer l'affaire, pour ne point donner de mauvais exemple dans l'armée, et il frappa d'une peine disciplinaire le commandant, qui punit ses inférieurs. Le général avait dit : « On ne fait pas la guerre pour s'amuser et caresser des filles publiques. »

Et le comte de Farlsberg, exaspéré, résolut de se venger sur le pays.

Comme il lui fallait un prétexte afin de sévir sans contrainte, il fit venir le curé et lui ordonna de sonner la cloche à l'enterrement du marquis d'Eyrik.

Contre toute attente, le prêtre se montra docile, humble, plein d'égards. Et quand le corps de Mlle Fifi, porté par des soldats, précédé, entouré, suivi de soldats qui marchaient le fusil chargé, quitta le château d'Uville, allant au cimetière, pour la première fois la cloche tinta son glas funèbre avec une allure allègre, comme si une main amie l'eût caressée.

Elle sonna le soir encore, et le lendemain aussi, et tous les jours ; elle carillonna tant qu'on voulut. Parfois même, la nuit, elle se mettait toute seule en branle, et jetait doucement deux ou trois sons dans l'ombre, prise de gaietés singulières, réveillée on ne sait pourquoi. Tous les paysans du lieu la dirent alors ensorcelée ; et personne, sauf le curé et le sacristain, n'approchait plus du clocher.

C'est qu'une pauvre fille vivait là-haut, dans l'angoisse et la solitude, nourrie en cachette par ces deux hommes.

Elle y resta jusqu'au départ des troupes allemandes. Puis, un soir, le curé ayant emprunté le char-à-bancs du boulanger, conduisit lui-même sa prisonnière jusqu'à la porte de Rouen. Arrivé là, le prêtre l'embrassa ; elle descendit et regagna vivement à pied le logis public, dont la patronne la croyait morte.

Elle en fut tirée quelque temps après par un patriote sans préjugés qui l'aima pour sa belle action, puis l'ayant ensuite chérie pour elle-même, l'épousa, en fit une Dame qui valut autant que beaucoup d'autres [66].

DEUX AMIS

Paris était bloqué, affamé et râlant[1]. Les moineaux se faisaient bien rares sur les toits, et les égouts se dépeuplaient. On mangeait n'importe quoi.

Comme il se promenait tristement par un clair matin de janvier le long du boulevard extérieur, les mains dans les poches de sa culotte d'uniforme[2] et le ventre vide, M. Morissot, horloger de son état et pantouflard par occasion, s'arrêta net devant un confrère qu'il reconnut pour un ami. C'était M. Sauvage, une connaissance du bord de l'eau.

Chaque dimanche, avant la guerre, Morissot partait dès l'aurore, une canne en bambou d'une main, une boîte en fer-blanc sur le dos. Il prenait le chemin de fer d'Argenteuil, descendait à Colombes, puis gagnait à pied l'île Marante. À peine arrivé en ce[3] lieu de ses rêves, il se mettait à pêcher ; il pêchait jusqu'à la nuit.

Chaque dimanche, il rencontrait là un petit homme replet et jovial, M. Sauvage, mercier, rue Notre-Dame-de-Lorette, autre pêcheur fanatique. Ils passaient souvent une demi-journée côte à côte, la ligne à la main et les pieds ballants au-dessus du courant ; et ils s'étaient pris d'amitié l'un pour l'autre.

En certains jours, ils ne parlaient pas. Quelquefois ils causaient ; mais ils s'entendaient admirablement sans rien dire, ayant des goûts semblables et des sensations identiques.

Au printemps, le matin, vers dix heures, quand le soleil rajeuni faisait flotter sur le fleuve tranquille cette petite buée qui coule avec l'eau, et versait dans le dos des deux enragés pêcheurs une bonne chaleur de saison nouvelle, Morissot parfois disait à son voisin : « Hein ! quelle douceur ? » et M. Sauvage répondait : « Je ne connais rien de meilleur. » Et cela leur suffisait pour se comprendre et s'estimer.

À l'automne, vers la fin du jour, quand le ciel, ensanglanté par le soleil couchant, jetait dans l'eau des figures de nuages écarlates, empourprait le fleuve entier, enflammait l'horizon, faisait rouges comme du feu les deux amis, et dorait les arbres roussis déjà, frémissants d'un frisson d'hiver, M. Sauvage regardait en souriant Morissot et prononçait : « Quel spectacle ! » Et Morissot émerveillé répondait, sans quitter des yeux son flotteur : « Cela vaut mieux que le boulevard, hein ? »

Dès qu'ils se furent reconnus, ils se serrèrent les mains énergiquement, tout émus de se retrouver en des circonstances si différentes. M. Sauvage, poussant un soupir, murmura : « En voilà des événements. » Morissot, très morne, gémit : « Et quel temps ! c'est aujourd'hui le premier beau jour de l'année. »

Le ciel était, en effet, tout bleu et plein de lumière.

Ils se mirent à marcher côte à côte, rêveurs et tristes. Morissot reprit : « Et la pêche ? hein ! quel bon souvenir ? »

M. Sauvage demanda : « Quand y retournerons-nous ? »

Ils entrèrent dans un petit café et burent ensemble une absinthe ; puis ils se remirent à se promener sur les trottoirs.

Morissot s'arrêta soudain : « Une seconde verte [4], hein ? » M. Sauvage y consentit : « À votre disposition. » Et ils pénétrèrent chez un autre marchand de vins.

Ils étaient fort étourdis en sortant, troublés comme des gens à jeun dont le ventre est plein d'alcool. Il faisait doux. Une brise caressante leur chatouillait le visage.

M. Sauvage, que l'air tiède achevait de griser, s'arrêta : « Si on y allait ?

– Où ça ?

– À la pêche, donc.

– Mais où ?

– Mais à notre île. Les avant-postes français sont auprès de Colombes. Je connais le colonel Dumoulin ; on nous laissera passer facilement. »

Morissot frémit de désir : « C'est dit. J'en suis. » Et ils se séparèrent pour prendre leurs instruments.

Une heure après, ils marchaient côte à côte sur la grand-route. Puis ils gagnèrent la villa qu'occupait le colonel. Il sourit de leur demande et consentit à leur fantaisie. Ils se remirent en marche, munis d'un laisser-passer.

Bientôt ils franchirent les avant-postes, traversèrent Colombes abandonné, et se trouvèrent au bord des petits champs de vigne qui descendent vers la Seine. Il était environ onze heures.

En face, le village d'Argenteuil semblait mort. Les hauteurs d'Orgemont et de Sannois dominaient tout le pays. La grande plaine qui va jusqu'à Nanterre était vide, toute vide, avec ses cerisiers nus et ses terres grises.

M. Sauvage, montrant du doigt les sommets, murmura : « Les Prussiens sont là-haut ! » Et une inquiétude paralysait les deux amis devant ce pays désert.

« Les Prussiens ! » Ils n'en avaient jamais aperçu, mais ils les sentaient là depuis des mois, autour de Paris, ruinant la France, pillant, massacrant, affamant, invisibles et tout-puissants. Et une sorte de terreur superstitieuse s'ajoutait à la haine qu'ils avaient pour ce peuple inconnu et victorieux.

Morissot balbutia : « Hein ! si nous allions en rencontrer ? »

M. Sauvage répondit, avec cette gouaillerie parisienne reparaissant malgré tout : « Nous leur offririons une friture. »

Mais ils hésitaient à s'aventurer dans la campagne, intimidés par le silence de tout l'horizon.

À la fin M. Sauvage se décida : « Allons, en route ! mais avec précaution. » Et ils descendirent dans un champ de vigne, courbés en deux, rampant, profitant des buissons pour se couvrir, l'œil inquiet, l'oreille tendue.

Une bande de [5] terre nue restait à traverser pour gagner le bord du fleuve. Ils se mirent à courir ; et dès qu'ils eurent atteint la berge, ils se blottirent dans les roseaux secs.

Morissot colla sa joue par terre pour écouter si on ne marchait pas dans les environs. Il n'entendit rien. Ils étaient bien seuls, tout seuls.

Ils se rassurèrent et se mirent à pêcher.

En face d'eux l'île Marante abandonnée les cachait à l'autre berge. La petite maison du restaurant était close, semblait délaissée depuis des années.

M. Sauvage prit le premier goujon, Morissot attrapa le second ; et d'instant en instant ils levaient leurs lignes avec une petite bête argentée frétillant au bout du fil : une vraie pêche miraculeuse.

Ils introduisaient délicatement les poissons dans une poche de filet à mailles très serrées, qui trempait à leurs pieds. Et une joie délicieuse les pénétrait, cette joie qui vous saisit quand on retrouve un plaisir aimé dont on est [6] privé depuis longtemps.

Le bon soleil leur coulait sa chaleur entre les épaules ;
ils n'écoutaient plus rien ; ils ne pensaient plus à rien ; ils
ignoraient le reste du monde ; ils pêchaient.

Mais soudain un bruit sourd qui semblait venir de
sous terre fit trembler le sol. Le canon se remettait à
tonner.

Morissot tourna la tête, et par-dessus la berge il aperçut, là-bas, sur la gauche, la grande silhouette du mont
Valérien, qui portait au front une aigrette blanche, une
buée de poudre qu'il venait de cracher.

Et aussitôt un second jet de fumée partit du sommet
de la forteresse ; et quelques instants après une nouvelle
détonation gronda.

Puis d'autres suivirent, et de moment en moment la
montagne jetait son haleine de mort, soufflait ses vapeurs
laiteuses qui s'élevaient lentement dans le ciel[7] calme, faisaient un nuage au-dessus d'elle.

M. Sauvage haussa les épaules : « Voilà qu'ils recom-
mencent », dit-il.

Morissot, qui regardait anxieusement plonger coup
sur coup la plume de son flotteur, fut pris soudain d'une
colère d'homme paisible contre ces enragés qui se battaient ainsi, et il grommela : « Faut-il être stupide pour
se tuer comme ça. »

M. Sauvage reprit : « C'est pis que des bêtes. »

Et Morissot, qui venait de saisir une ablette, déclara :
« Et dire que ce sera toujours ainsi tant qu'il y aura des
gouvernements. »

M. Sauvage l'arrêta : « La République n'aurait pas
déclaré la guerre... »

Morissot l'interrompit : « Avec les rois on a la guerre
au-dehors ; avec la République on a la guerre au-
dedans. »

Et tranquillement ils se mirent à discuter, débrouillant
les grands problèmes politiques avec une raison saine
d'hommes doux et bornés, tombant d'accord sur ce

point, qu'on ne serait jamais libres. Et le mont Valérien tonnait sans repos, démolissant à coups de boulet des maisons françaises, broyant des vies, écrasant des êtres, mettant fin à bien des rêves, à bien des joies attendues, à bien des bonheurs espérés, ouvrant en des cœurs de femmes, en des cœurs de filles, en des cœurs de mères [8], là-bas, en d'autres pays, des souffrances qui ne finiraient plus.

« C'est la vie », déclara M. Sauvage.

« Dites plutôt que c'est la mort », reprit en riant Morissot.

Mais ils tressaillirent effarés, sentant bien qu'on venait de marcher derrière eux ; et ayant tourné les yeux, ils aperçurent, debout contre leurs épaules, quatre hommes, quatre grands hommes armés et barbus, vêtus comme des domestiques en livrée et coiffés de casquettes plates, les tenant en joue au bout de leurs fusils.

Les deux lignes s'échappèrent de leurs mains et se mirent à descendre la rivière.

En quelques secondes, ils furent saisis, attachés, emportés, jetés dans une barque et passés dans l'île.

Et derrière la maison qu'ils avaient crue abandonnée, ils aperçurent une vingtaine de soldats allemands.

Une sorte de géant velu, qui fumait, à cheval sur une chaise, une grande pipe de porcelaine, leur demanda, en excellent français : « Eh bien, messieurs, avez-vous fait bonne pêche ? »

Alors un soldat déposa aux pieds de l'officier le filet plein de poissons, qu'il avait eu soin d'emporter. Le Prussien sourit : « Eh ! eh ! je vois que ça n'allait pas mal. Mais il s'agit d'autre chose. Écoutez-moi et ne vous troublez pas.

« Pour moi, vous êtes deux espions envoyés pour me guetter. Je vous prends et je vous fusille. Vous faisiez semblant de pêcher, afin de mieux dissimuler vos projets.

Vous êtes tombés entre mes mains, tant pis pour vous ; c'est la guerre.

« Mais comme vous êtes sortis par les avant-postes, vous avez assurément un mot d'ordre pour rentrer. Donnez-moi ce mot d'ordre et je vous fais grâce. »

Les deux amis, livides, côte à côte, les mains agitées d'un léger tremblement nerveux, se taisaient.

L'officier reprit : « Personne ne le saura jamais, vous rentrerez paisiblement. Le secret disparaîtra avec vous. Si vous refusez, c'est la mort, et tout de suite. Choisissez. »

Ils demeuraient immobiles sans ouvrir la bouche.

Le Prussien, toujours calme, reprit en étendant la main vers la rivière : « Songez que dans cinq minutes vous serez au fond de cette eau. Dans cinq minutes ! Vous devez avoir des parents ? »

Le mont Valérien tonnait toujours.

Les deux pêcheurs restaient debout et silencieux. L'Allemand donna des ordres dans sa langue. Puis il changea sa chaise de place pour ne pas se trouver trop près des prisonniers ; et douze hommes vinrent se placer à vingt pas, le fusil au pied.

L'officier reprit : « Je vous donne une minute, pas deux secondes de plus. »

Puis il se leva brusquement, s'approcha des deux Français, prit Morissot sous le bras, l'entraîna plus loin, lui dit à voix basse : « Vite, ce mot d'ordre ? votre camarade ne saura rien, j'aurai l'air de m'attendrir. »

Morissot ne répondit rien.

Le Prussien entraîna alors M. Sauvage et lui posa la même question.

M. Sauvage ne répondit pas.

Ils se retrouvèrent côte à côte.

Et l'officier se mit à commander. Les soldats élevèrent leurs armes.

Alors le regard de Morissot tomba par hasard sur le filet plein de goujons, resté dans l'herbe, à quelques pas de lui.

Un rayon de soleil faisait briller le tas[9] de poissons qui s'agitaient encore. Et une défaillance l'envahit. Malgré ses efforts, ses yeux s'emplirent de larmes.

Il balbutia : « Adieu, monsieur Sauvage. »

M. Sauvage répondit : « Adieu, monsieur Morissot. »

Ils se serrèrent la main, secoués des pieds à la tête par d'invincibles tremblements.

L'officier cria : Feu !

Les douze coups n'en firent qu'un.

M. Sauvage tomba d'un bloc sur le nez. Morissot, plus grand, oscilla, pivota et s'abattit en travers sur son camarade, le visage au ciel, tandis que des bouillons de sang s'échappaient de sa tunique crevée à la poitrine.

L'Allemand donna de nouveaux ordres.

Ses hommes se dispersèrent, puis revinrent avec des cordes et des pierres qu'ils attachèrent aux pieds des deux morts ; puis ils les portèrent sur la berge.

Le mont Valérien ne cessait pas de gronder, coiffé maintenant d'une montagne de fumée.

Deux soldats prirent Morissot par la tête et par les jambes ; deux autres saisirent M. Sauvage de la même façon. Les corps, un instant balancés avec force, furent lancés au loin, décrivirent une courbe, puis plongèrent, debout, dans le fleuve, les pierres entraînant les pieds d'abord.

L'eau rejaillit, bouillonna, frissonna, puis se calma, tandis que de toutes petites vagues s'en venaient jusqu'aux rives.

Un peu de sang flottait.

L'officier, toujours serein, dit à mi-voix : « C'est le tour des poissons maintenant. »

Puis il revint vers la maison.

Et soudain il aperçut le filet aux goujons dans l'herbe. Il le ramassa, l'examina, sourit, cria : « Wilhem [10] ! »

Un soldat accourut, en tablier blanc. Et le Prussien [11], lui jetant la pêche des deux fusillés, commanda : « Fais-moi frire tout de suite ces petits animaux-là pendant qu'ils sont encore vivants. Ce sera délicieux. »

Puis il se remit à fumer sa pipe.

LE PÈRE MILON

Depuis un mois, le large soleil jette aux champs sa flamme cuisante. La vie radieuse éclôt sous cette averse de feu ; la terre est verte à perte de vue. Jusqu'aux bords de l'horizon, le ciel est bleu. Les fermes normandes semées par la plaine semblent, de loin, de petits bois, enfermées dans leur ceinture de hêtres élancés. De près, quand on ouvre la barrière vermoulue, on croit voir un jardin géant, car tous les antiques pommiers, osseux comme les paysans, sont en fleurs. Les vieux troncs noirs, crochus, tortus, alignés par la cour, étalent sous le ciel leur dômes éclatants, blancs et roses. Le doux parfum de leur épanouissement se mêle aux grasses senteurs des étables ouvertes et aux vapeurs du fumier qui fermente, couvert de poules.

Il est midi. La famille dîne à l'ombre du poirier planté devant la porte : le père, la mère, les quatre enfants, les deux servantes et les trois valets. On ne parle' guère. On mange la soupe, puis on découvre' le plat de fricot plein de pommes de terre au lard.

De temps en temps, une servante se lève et va remplir au cellier la cruche au cidre.

L'homme, un grand gars de quarante ans, contemple, contre sa maison, une vigne restée nue, et courant, tordue comme un serpent, sous les volets, tout le long du mur.

Il dit enfin : « La vigne au père bourgeonne de bonne heure c't'année. P't-être qu'a donnera. »

La femme aussi se retourne et regarde, sans dire un mot.

Cette vigne est plantée juste à la place où le père a été fusillé.

*

C'était pendant la guerre de 1870. Les Prussiens occupaient tout le pays. Le général Faidherbe, avec l'armée du Nord, leur tenait tête[1].

Or l'état-major prussien s'était posté dans cette ferme. Le vieux paysan qui la possédait, le père Milon, Pierre, les avait reçus et installés de son mieux.

Depuis un mois l'avant-garde allemande restait en observation dans le village. Les Français demeuraient immobiles, à dix lieues de là ; et cependant, chaque nuit, des uhlans disparaissaient.

Tous les éclaireurs isolés, ceux qu'on envoyait faire des rondes, alors qu'ils partaient à deux ou trois seulement, ne rentraient jamais.

On les ramassait morts, au matin, dans un champ, au bord d'une cour, dans un fossé. Leurs chevaux eux-mêmes gisaient le long des routes, égorgés d'un coup de sabre.

Ces meurtres semblaient accomplis par les mêmes hommes, qu'on ne pouvait découvrir.

Le pays fut terrorisé. On fusilla des paysans sur une simple dénonciation, on emprisonna des femmes ; on voulut obtenir, par la peur, des révélations des enfants. On ne découvrit rien.

Mais voilà qu'un matin, on aperçut le père Milon étendu dans son écurie, la figure coupée d'une balafre.

Deux uhlans éventrés furent retrouvés à trois kilomètres de la ferme. Un d'eux tenait encore à la main son arme ensanglantée. Il s'était battu, défendu.

Un conseil de guerre ayant été aussitôt constitué, en plein air, devant la ferme, le vieux fut amené.

Il avait soixante-huit ans. Il était petit, maigre, un peu tors, avec de grandes mains pareilles à des pinces de crabe. Ses cheveux ternes, rares et légers comme un duvet de jeune canard, laissaient voir partout la chair du crâne. La peau brune et plissée du cou montrait de grosses veines qui s'enfonçaient sous les mâchoires et reparaissaient aux tempes. Il passait dans la contrée pour avare et difficile en affaires.

On le plaça debout, entre quatre soldats, devant la table de cuisine tirée dehors. Cinq officiers et le colonel s'assirent en face de lui.

Le colonel prit la parole en français.

« Père Milon, depuis que nous sommes ici, nous n'avons eu qu'à nous louer de vous. Vous avez toujours été complaisant et même attentionné pour nous. Mais aujourd'hui une accusation terrible pèse sur vous, et il faut que la lumière se fasse. Comment avez-vous reçu la blessure que vous portez sur la figure ? »

Le paysan ne répondit rien.

Le colonel reprit :

« Votre silence vous condamne, père Milon. Mais je veux que vous me répondiez, entendez-vous ? Savez-vous qui a tué les deux uhlans qu'on a trouvés ce matin près du Calvaire ? »

Le vieux articula nettement :

« C'est mé. »

Le colonel, surpris, se tut une seconde, regardant fixement le prisonnier. Le père Milon demeurait impassible, avec son air abruti de paysan, les yeux baissés comme s'il eût parlé à son curé. Une seule chose pouvait révéler un trouble intérieur, c'est qu'il avalait coup sur coup sa salive, avec un effort visible, comme si sa gorge eût été tout à fait étranglée.

La famille du bonhomme, son fils Jean, sa bru et deux petits enfants se tenaient à dix pas en arrière, effarés et consternés.

Le colonel reprit :

« Savez-vous aussi qui a tué tous les éclaireurs de notre armée qu'on retrouve chaque matin, par la campagne, depuis un mois ? »

Le vieux répondit avec la même impassibilité de brute :

« C'est mé.

– C'est vous qui les avez tués tous ?

– Tretous, oui, c'est mé.

– Vous seul ?

– Mé seul.

– Dites-moi comment vous vous y preniez. »

Cette fois l'homme parut ému ; la nécessité de parler longtemps le gênait visiblement. Il balbutia :

« Je sais-ti, mé ? J'ai fait ça comme ça s'trouvait. »

Le colonel reprit :

« Je vous préviens qu'il faudra que vous me disiez tout. Vous ferez donc bien de vous décider immédiatement. Comment avez-vous commencé ? »

L'homme jeta un regard inquiet sur sa famille attentive derrière lui. Il hésita un instant encore, puis, tout à coup, se décida.

« Je r'venais un soir, qu'il était p't-être dix heures, le lend'main que vous étiez ici. Vous, et pi vos soldats, vous m'aviez pris pour pu de chinquante écus de fourrage avec une vaque et deux moutons. Je me dis : tant qu'i me prendront de fois vingt écus, tant que je leur [2], y revaudrai ça. Et pi, j'avais d'autres choses itou su l'cœur, que j'vous dirai. V'là qu'j'en aperçois un d'vos cavaliers qui fumait sa pipe sur mon fossé, derrière ma grange. J'allai décrocher ma faux et je r'vins à p'tits pas par-derrière, qu'il n'entendit seulement rien. Et j'li coupai la tête d'un coup, d'un seul, comme un épi [3], qu'il n'a pas seulement dit "ouf !". Vous n'auriez qu'à chercher au fond d'la mare :

vous le trouveriez dans un sac à charbon, avec une pierre de la barrière.

J'avais mon idée. J'pris tous ses effets d'puis les bottes jusqu'au bonnet et je les cachai dans le four à plâtre du bois Martin, derrière la cour. »

Le vieux se tut. Les officiers, interdits, se regardaient. L'interrogatoire recommença ; et voici ce qu'ils apprirent.

*

Une fois son meurtre accompli, l'homme avait vécu avec cette pensée : « Tuer des Prussiens ! » Il les haïssait d'une haine sournoise et acharnée de paysan cupide et patriote aussi. Il avait son idée comme il disait. Il attendit quelques jours.

On le laissait libre d'aller et de venir, d'entrer et de sortir à sa guise tant il s'était montré humble envers les vainqueurs, soumis et complaisant. Or il voyait, chaque soir, partir les estafettes ; et il sortit, une nuit, ayant entendu le nom du village où se rendaient les cavaliers, et ayant appris, dans la fréquentation des soldats, les quelques mots d'allemand qu'il lui fallait.

Il sortit de sa cour, se glissa dans le bois, gagna le four à plâtre, pénétra au fond de la longue galerie et, ayant retrouvé par terre les vêtements du mort, il s'en vêtit.

Alors, il se mit à rôder par les champs, rampant, suivant les talus pour se cacher, écoutant les moindres bruits, inquiet comme un braconnier.

Lorsqu'il crut l'heure arrivée, il se rapprocha de la route et se cacha dans une broussaille. Il attendit encore. Enfin, vers minuit, un galop de cheval sonna sur la terre dure du chemin. L'homme mit l'oreille à terre pour s'assurer qu'un seul cavalier s'approchait, puis il s'apprêta.

Le uhlan arrivait au grand trot, rapportant des dépêches. Il allait, l'œil en éveil, l'oreille tendue. Dès qu'il ne fut plus qu'à dix pas, le père Milon se traîna en travers de la route en gémissant : « *Hilfe ! Hilfe !* À l'aide, à l'aide ! » Le cavalier s'arrêta, reconnut un Allemand démonté, le crut blessé, descendit de cheval, s'approcha sans soupçonner rien et, comme il se penchait sur l'inconnu, il reçut au milieu du ventre la longue lame courbée du sabre. Il s'abattit, sans agonie, secoué seulement par quelques frissons suprêmes.

Alors le Normand, radieux d'une joie muette de vieux paysan, se releva, et pour son plaisir, coupa la gorge du cadavre. Puis, il le traîna jusqu'au fossé et l'y jeta.

Le cheval, tranquille, attendait son maître. Le père Milon se mit en selle, et il partit au galop à travers les plaines.

Au bout d'une heure, il aperçut encore deux uhlans côte à côte qui rentraient au quartier. Il alla droit sur eux, criant encore : « *Hilfe ! Hilfe !* » Les Prussiens le laissaient venir, reconnaissant l'uniforme, sans méfiance aucune. Et il passa, le vieux, comme un boulet entre les deux, les abattant l'un et l'autre avec son sabre et un revolver.

Puis il égorgea les chevaux, des chevaux allemands ! Puis il rentra doucement au four à plâtre et cacha un cheval au fond de la sombre galerie. Il y quitta son uniforme, reprit ses hardes de gueux et, regagnant son lit, dormit jusqu'au matin.

Pendant quatre jours, il ne sortit pas, attendant la fin de l'enquête ouverte ; mais, le cinquième jour, il repartit, et tua encore deux soldats par le même stratagème. Dès lors, il ne s'arrêta plus. Chaque nuit, il errait, il rôdait à l'aventure, abattant des Prussiens, tantôt ici, tantôt là, galopant par les champs déserts, sous la lune, uhlan perdu, chasseur d'hommes. Puis, sa tâche finie, laissant derrière lui des cadavres couchés le long des routes, le vieux cavalier rentrait cacher au fond du four à plâtre son cheval et son uniforme.

Il allait vers midi, d'un air tranquille, porter de l'avoine et de l'eau à sa monture restée au fond du souterrain, et il la nourrissait à profusion, exigeant d'elle un grand travail.

Mais, la veille, un de ceux qu'il avait attaqués se tenait sur ses gardes et avait coupé d'un coup de sabre la figure du vieux paysan.

Il les avait tués cependant tous les deux ! Il était revenu encore, avait caché le cheval et repris ses humbles habits ; mais en rentrant, une faiblesse l'avait saisi et il s'était traîné jusqu'à l'écurie, ne pouvant plus gagner la maison.

On l'avait trouvé là tout sanglant, sur la paille...

*

Quand il eut fini son récit, il releva soudain la tête et regarda fièrement les officiers prussiens.

Le colonel, qui tirait sa moustache, lui demanda :

« Vous n'avez plus rien à dire ?

– Non, pu rien ; l'conte est juste : j'en ai tué seize, pas un de pus, pas un de moins.

– Vous savez que vous allez mourir ?

– J'vous ai pas d'mandé de grâce.

– Avez-vous été soldat ?

– Oui. J'ai fait campagne, dans le temps. Et puis, c'est vous qu'avez tué mon père, qu'était soldat de l'Empereur premier. Sans compter que vous avez tué mon fils cadet, François, le mois dernier, auprès d'Évreux. Je vous en devais, j'ai payé. Je sommes quittes. »

Les officiers se regardaient.

Le vieux reprit :

« Huit pour mon père, huit pour mon fieu, je sommes quittes. J'ai pas été vous chercher querelle, mé ! J'vous connais point ! J'sais pas seulement d'où qu'vous v'nez. Vous v'là chez mé, que vous y commandez comme si c'était chez vous. Je m'suis vengé su l's autres. J'm'en r'pens point. »

Et, redressant son torse ankylosé, le vieux croisa ses bras dans une pose d'humble héros.

Les Prussiens se parlèrent bas longtemps. Un capitaine, qui avait aussi perdu son fils, le mois dernier, défendait ce gueux magnanime.

Alors le colonel se leva et, s'approchant du père Milon, baissant la voix :

« Écoutez, le vieux, il y a peut-être un moyen de vous sauver la vie, c'est de... »

Mais le bonhomme n'écoutait point, et, les yeux plantés droits sur l'officier vainqueur, tandis que le vent agitait les poils follets de son crâne, il fit une grimace affreuse qui crispa sa maigre face toute coupée par la balafre, et, gonflant sa poitrine, il cracha, de toute sa force, en pleine figure du Prussien.

Le colonel, affolé, leva la main, et l'homme, pour la seconde fois, lui cracha par la figure.

Tous les officiers s'étaient dressés et hurlaient des ordres en même temps.

En moins d'une minute, le bonhomme, toujours impassible, fut collé contre le mur et fusillé alors qu'il envoyait des sourires à Jean, son fils aîné ; à sa bru et aux deux petits, qui regardaient, éperdus.

LA MOUSTACHE

Château de Solles, lundi 30 juillet 1883 [1].

Ma chère Lucie, rien de nouveau. Nous vivons dans le salon en regardant tomber la pluie. On ne peut guère sortir par ces temps affreux ; alors nous jouons la comédie [2]. Qu'elles sont bêtes, ô ma chérie, les pièces de salon du répertoire actuel. Tout y est forcé, grossier, lourd. Les plaisanteries portent à la façon des boulets de canon, en cassant tout. Pas d'esprit, pas de naturel, pas de bonne humeur, aucune élégance. Ces hommes de lettres, vraiment, ne savent rien du monde. Ils ignorent tout à fait comment on pense et comment on parle chez nous. Je leur permettrais parfaitement de mépriser nos usages, nos conventions et nos manières, mais je ne leur permets point de ne les pas connaître. Pour être fins ils font des jeux de mots qui seraient bons à dérider une caserne ; pour être gais ils nous servent de l'esprit qu'ils ont dû cueillir sur les hauteurs du boulevard extérieur, dans ces brasseries dites d'artistes où on répète, depuis cinquante ans, les mêmes paradoxes d'étudiants.

Enfin nous jouons la comédie. Comme nous ne sommes que deux femmes, mon mari remplit les rôles de soubrette, et pour cela il s'est rasé. Tu ne te figures pas, ma chère Lucie, comme ça le change ! Je ne le reconnais plus... ni le jour ni la nuit. S'il ne laissait pas repousser immédiatement sa moustache je crois que je lui deviendrais infidèle, tant il me déplaît ainsi.

Vraiment, un homme sans moustache n'est [3] plus un homme. Je n'aime pas beaucoup la barbe ; elle donne presque toujours l'air négligé, mais la moustache, ô la [4] moustache ! est indispensable à une physionomie virile. Non, jamais tu ne pourrais imaginer comme cette petite brosse de poils sur la lèvre est utile à l'œil et... aux... relations entre époux. Il m'est venu sur cette matière un tas de réflexions que je n'ose guère t'écrire. Je te les dirai volontiers... tout bas. Mais les mots sont si difficiles à trouver pour exprimer certaines choses, et certains d'entre eux, qu'on ne peut guère remplacer, ont sur le papier une si vilaine figure, que je ne peux les tracer. Et puis, le sujet est si difficile, si délicat, si scabreux qu'il faudrait une science infinie pour l'aborder sans danger.

Enfin ! tant pis si tu ne me comprends pas. Et puis, ma chère, tâche un peu de lire entre les lignes.

Oui, quand mon mari m'est arrivé rasé, j'ai compris d'abord que je n'aurais jamais de faiblesse pour un cabotin, ni pour un prédicateur, fût-il le père Didon [5], le plus séduisant de tous ! Puis quand je me suis trouvée, plus tard, seule avec lui (mon mari), ce fut bien pis. Oh ! ma chère Lucie, ne te laisse jamais embrasser par un homme sans moustaches ; ses baisers n'ont aucun goût, aucun, aucun ! Cela n'a plus ce charme, ce moelleux et ce... poivre, oui, ce poivre du vrai baiser. La moustache en est le piment.

Figure-toi qu'on t'applique sur la lèvre un parchemin sec... ou humide. Voilà la caresse de l'homme rasé. Elle n'en vaut plus la peine assurément.

D'où vient donc la séduction de la moustache, me diras-tu ? Le sais-je ? D'abord elle chatouille d'une façon délicieuse. On la sent avant la bouche et elle vous fait passer dans tout le corps, jusqu'au bout des pieds, un frisson charmant. C'est elle qui caresse, qui fait frémir et tressaillir la peau, qui donne aux nerfs cette vibration

exquise qui fait pousser ce petit « Ah ! » comme si on
avait grand froid.

Et sur le cou ! Oui, as-tu jamais senti une moustache
sur ton cou ? Cela vous grise et vous crispe, vous descend
dans le dos, vous court au bout des doigts. On se tord,
on secoue ses épaules, on renverse la tête ; on voudrait
fuir et rester ; c'est adorable et irritant ! Mais que c'est
bon !

Et puis encore… vraiment, je n'ose plus ? Un mari qui
vous aime, mais là, tout à fait, sait trouver un tas de
petits coins où cacher des baisers, des petits coins dont
on ne s'aviserait guère toute seule. Eh bien, sans moustaches, ces baisers-là perdent aussi beaucoup de leur
goût, sans compter qu'ils deviennent presque inconve-
nants ! Explique cela comme tu pourras. Quant à moi,
voici la raison que j'en ai trouvée. Une lèvre sans moustaches est nue comme un corps sans vêtements ; et, il faut
toujours des vêtements, très peu si tu veux, mais il en
faut !

Le créateur (je n'ose point écrire un autre mot en parlant de ces choses), le créateur a eu soin de voiler ainsi
tous les abris de notre chair où devait se cacher l'amour.
Une bouche rasée me paraît ressembler à un bois abattu
autour de quelque fontaine où l'on allait boire et dormir.

Cela me rappelle une phrase (d'un homme politique)
qui me trotte depuis trois mois dans la cervelle. Mon
mari, qui suit les journaux, m'a lu, un soir, un bien singulier discours de notre ministre de l'agriculture qui s'appelait alors M. Méline[6]. A-t-il été remplacé par quelque
autre ? Je l'ignore.

Je n'écoutais pas, mais ce nom, Méline, m'a frappée. Il
m'a rappelé, je ne sais trop pourquoi, les scènes de la vie
de Bohème[7]. J'ai cru qu'il s'agissait d'une grisette. Voilà
comment quelques bribes de ce morceau me sont entrées
dans la tête. Donc M. Méline faisait aux habitants
d'Amiens, je crois, cette déclaration dont je cherchais

jusqu'ici le sens : « Il n'y a pas de patriotisme sans agri-culture ! » Eh bien, ce sens, je l'ai trouvé tout à l'heure ; et je te déclare à mon tour qu'il n'y a pas d'amour sans moustaches. Quand on le dit comme ça, ça semble drôle, n'est-ce pas ?

Il n'y a point d'amour sans moustaches !

« Il n'y a point de patriotisme sans agriculture », affir-mait M. Méline ; et il avait raison, ce ministre, je le pénètre à présent !

À [8] un tout autre point de vue, la moustache est essen-tielle. Elle détermine la physionomie. Elle vous donne l'air doux, tendre, violent, croquemitaine, bambocheur, entreprenant ! L'homme barbu, vraiment barbu, celui qui porte tout son poil (oh ! le vilain mot) sur les joues n'a jamais de finesse dans le visage, les traits étant cachés. Et la forme de la mâchoire et du menton dit bien des choses, à qui sait voir.

L'homme à moustaches garde son allure propre et sa finesse en même temps.

Et que d'aspects variés elles ont, ces moustaches ! Tan-tôt elles sont retournées, frisées, coquettes. Celles-là semblent aimer les femmes avant tout !

Tantôt elles sont pointues, aiguës comme des aiguilles, menaçantes. Celles-là préfèrent le vin, les chevaux et les batailles.

Tantôt elles sont énormes, tombantes, effroyables. Ces grosses-là dissimulent généralement un caractère excel-lent, une bonté qui touche à la faiblesse et une douceur qui confine à la timidité.

Et puis, ce que j'adore d'abord dans la moustache, c'est qu'elle est française, bien française. Elle nous vient de nos pères les Gaulois, et elle est demeurée le signe de notre caractère national enfin.

Elle est hâbleuse, galante et brave. Elle se mouille gen-timent au vin et sait rire avec élégance, tandis que les larges mâchoires barbues sont lourdes en tout ce qu'elles font.

Tiens, je me rappelle une chose qui m'a fait pleurer toutes mes larmes, et qui m'a fait aussi, je m'en aperçois à présent, aimer les moustaches sur les lèvres des hommes.

C'était pendant la guerre, chez papa. J'étais jeune fille, alors. Un jour on se battit près du château. J'avais entendu depuis le matin le canon et la fusillade, et le soir un colonel allemand entra chez nous et s'y installa. Puis il partit le lendemain. On vint prévenir père qu'il y avait beaucoup de morts dans les champs. Il les fit ramasser et apporter chez nous pour les enterrer ensemble. On les couchait, tout le long de la grande avenue de sapins, des deux côtés, à mesure qu'on les apportait ; et comme ils commençaient à sentir mauvais, on leur jetait de la terre sur le corps en attendant qu'on eût creusé la grande fosse. De la sorte on n'apercevait plus que leurs têtes qui semblaient sortir du sol, jaunes comme lui, avec leurs yeux fermés.

Je voulus les voir ; mais quand j'aperçus ces deux grandes lignes de figures affreuses, je crus que j'allais me trouver mal ; puis je me mis à les examiner, une à une, cherchant à deviner ce qu'avaient été ces hommes.

Les uniformes étaient ensevelis, cachés sous la terre, et pourtant tout à coup, oui ma chérie, tout à coup je reconnus les Français, à leur moustache !

Quelques-uns s'étaient rasés le jour même du combat, comme s'ils eussent voulu être coquets jusqu'au dernier moment ! Leur barbe cependant avait un peu repoussé, car tu sais qu'elle pousse encore après la mort. D'autres semblaient l'avoir de huit jours ; mais tous enfin portaient la moustache française, bien distincte, la fière moustache, qui semblait dire : « Ne me confonds pas avec mon voisin barbu [9], petite, je suis un frère. »

Et j'ai pleuré, oh ! j'ai pleuré bien plus que si je ne les avais pas reconnus [10] ainsi, ces pauvres morts.

J'ai eu tort de te conter cela. Me voici triste maintenant et incapable de bavarder plus longtemps. Allons, adieu, ma chère Lucie, je t'embrasse de tout mon cœur. Vive la moustache !

JEANNE.

Pour copie conforme :

GUY DE MAUPASSANT [11].

homme entre ds train crie qu'il vx la France
un frg ds train. le Prusse demande au frg
de lui acheter du tabac il sort et change
de wagon. Prusse vient rejoindre, le frg le
frappa violemment. Prusse demande duel.
M. Dubois(frg) le tue.

UN DUEL

La guerre était finie[1] ; les Allemands occupaient la
France ; le pays palpitait comme un lutteur vaincu tombé
sous le genou du vainqueur.

De Paris affolé, affamé, désespéré, les premiers trains
sortaient, allant aux frontières nouvelles, traversant avec
lenteur les campagnes et les villages. Les premiers voyageurs regardaient par les portières les plaines ruinées et
les hameaux incendiés. Devant les portes des maisons
restées debout, des soldats prussiens, coiffés du casque
noir à la pointe de cuivre, fumaient leur pipe, à cheval
sur des chaises. D'autres travaillaient ou causaient
comme s'ils eussent fait partie des familles. Quand on
passait les villes, on voyait des régiments entiers manœu-
vrant sur les places, et, malgré le bruit des roues, les commandements rauques arrivaient par instants.

M. Dubuis, qui avait fait partie de la garde nationale[2]
de Paris pendant toute la durée du siège, allait rejoindre
en Suisse sa femme et sa fille, envoyées par prudence à
l'étranger, avant l'invasion.

La famine et les fatigues n'avaient point diminué son
gros ventre de marchand riche et pacifique. Il avait subi
les événements terribles avec une résignation désolée et
des phrases amères sur la sauvagerie des hommes. Maintenant qu'il gagnait la frontière, la guerre finie, il voyait
pour la première fois des Prussiens, bien qu'il eût fait son

devoir sur les remparts et monté bien des gardes par les nuits froides.

Il regardait avec une terreur irritée ces hommes armés et barbus installés comme chez eux sur la terre de France, et il se sentait à l'âme une sorte de fièvre de patriotisme impuissant en même temps que ce grand besoin, que cet instinct nouveau de prudence qui ne nous a plus quittés.

Dans son compartiment, deux Anglais, venus pour voir, regardaient de leurs yeux tranquilles et curieux. Ils étaient gros aussi tous deux et causaient en leur langue, parcourant parfois leur guide, qu'ils lisaient à haute voix en cherchant à bien reconnaître les lieux indiqués.

Tout à coup, le train s'étant arrêté à la gare d'une petite ville, un officier prussien monta avec son grand bruit de sabre sur le double marchepied du wagon. Il était grand, serré dans son uniforme et barbu jusqu'aux yeux. Son poil roux semblait flamber, et ses longues moustaches, plus pâles, s'élançaient des deux côtés du visage qu'elles coupaient en travers.

Les Anglais aussitôt se mirent à le contempler avec des sourires de curiosité satisfaite, tandis que M. Dubuis faisait semblant de lire un journal. Il se tenait blotti dans son coin, comme un voleur en face d'un gendarme.

Le train se remit en marche. Les Anglais continuaient à causer, à chercher les lieux précis des batailles ; et soudain, comme l'un d'eux tendait le bras vers l'horizon en indiquant un village, l'officier prussien prononça en français, en étendant ses longues jambes et se renversant sur le dos :

« Ché tué touze Français tans ce fillage. Ché bris plus te cent brisonniers. »

Les Anglais, tout à fait intéressés, demandèrent aussitôt :

« Aoh ! comment s'appelé, cette village ? »

Le Prussien répondit : « Pharsbourg[3]. »

Il reprit :

« Ché bris ces bolissons de Français bar les oreilles. »

Et il regardait M. Dubuis en riant orgueilleusement dans son poil.

Le train roulait, traversant toujours des hameaux occupés. On voyait les soldats allemands le long des routes, au bord des champs, debout au coin des barrières, ou causant devant les cafés. Ils couvraient la terre comme les sauterelles d'Afrique.

L'officier tendit la main :

« Si ch'afrais le gommandement ch'aurais bris Paris, et brûlé tout, et tué tout le monde. Blus de France ! »

Les Anglais par politesse répondirent simplement :

« Aoh yes. »

Il continua :

« Tans vingt ans, toute l'Europe, toute, abartiendra à nous. La Brusse blus forte que tous. »

Les Anglais inquiets ne répondaient plus. Leurs faces, devenues impassibles, semblaient de cire entre leurs longs favoris. Alors l'officier prussien se mit à rire. Et, toujours renversé sur le dos, il blagua. Il blaguait la France écrasée, insultait les ennemis à terre ; il blaguait l'Autriche vaincue naguère[4] ; il blaguait la défense acharnée et impuissante des départements ; il blaguait les mobiles[5], l'artillerie inutile. Il annonça que Bismarck allait bâtir une ville de fer avec les canons capturés. Et soudain il mit ses bottes contre la cuisse de M. Dubuis, qui détournait les yeux, rouge jusqu'aux oreilles.

Les Anglais semblaient devenus indifférents à tout, comme s'ils s'étaient trouvés brusquement renfermés dans leur île, loin des bruits du monde.

L'officier tira sa pipe et, regardant fixement le Français :

« Vous n'auriez bas de tabac ? »

M. Dubuis répondit :

« Non, monsieur. »

L'Allemand reprit :

« Je fous brie t'aller en acheter gand le gonvoi s'arrêtera. »

Et il se mit à rire de nouveau :

« Je vous tonnerai un bourboire. »

Le train siffla, ralentissant sa marche. On passait devant les bâtiments incendiés d'une gare ; puis on s'arrêta tout à fait.

L'Allemand ouvrit la portière et, prenant par le bras M. Dubuis :

« Allez faire ma gommission, fite, fite ! »

Un détachement prussien occupait la station. D'autres soldats regardaient, debout le long des grilles de bois. La machine déjà sifflait pour repartir. Alors, brusquement, M. Dubuis s'élança sur le quai et, malgré les gestes du chef de gare, il se précipita dans le compartiment voisin.

*

Il était seul ! Il ouvrit son gilet, tant son cœur battait, et il s'essuya le front, haletant.

Le train s'arrêta de nouveau dans une station. Et tout à coup l'officier parut à la portière et monta, suivi bientôt des deux Anglais que la curiosité poussait. L'Allemand s'assit en face du Français et, riant toujours :

« Fous n'afez pas foulu faire ma gommission. »

M. Dubuis répondit :

« Non, monsieur. »

Le train venait de repartir.

L'officier dit :

« Che fais gouper fotre moustache pour bourrer ma pipe. »

Et il avança la main vers la figure de son voisin.

Les Anglais, toujours impassibles, regardaient de leurs yeux fixes.

Déjà, l'Allemand avait pris une pincée de poils et tirait dessus, quand M. Dubuis d'un revers de main, lui releva le bras et, le saisissant au collet, le rejeta sur la banquette. Puis fou de colère, les tempes gonflées, les yeux pleins de sang, l'étranglant toujours d'une main, il se mit avec l'autre, fermée, à lui taper furieusement des coups de poing par la figure. Le Prussien se débattait, tâchait de tirer son sabre, d'étreindre son adversaire couché sur lui. Mais M. Dubuis l'écrasait du poids énorme de son ventre, et tapait, tapait sans repos, sans prendre haleine, sans savoir où tombaient ses coups. Le sang coulait ; l'Allemand, étranglé, râlait, crachait ses dents, essayait, mais en vain, de rejeter ce gros homme exaspéré, qui l'assommait.

Les Anglais s'étaient levés et rapprochés pour mieux voir. Ils se tenaient debout, pleins de joie et de curiosité, prêts à parier pour ou contre chacun des combattants.

Et soudain M. Dubuis, épuisé par un pareil effort, se releva et se rassit sans dire un mot.

Le Prussien ne se jeta pas sur lui, tant il demeurait effaré, stupide d'étonnement et de douleur. Quand il eut repris haleine, il prononça :

« Si fous ne foulez pas me rentre raison avec le bistolet, che vous tuerai. »

M. Dubuis répondit :

« Quand vous voudrez. Je veux bien. »

L'Allemand reprit :

« Foici la fille[6] de Strasbourg, che brendrai deux officiers bour témoins, ché le temps avant que le train rebarte. »

M. Dubuis, qui soufflait autant que la machine, dit aux Anglais :

« Voulez-vous être mes témoins ? »

Tous deux répondirent ensemble :

« Aoh yes ! »

Et le train s'arrêta.

En une minute, le Prussien avait trouvé deux camarades qui apportèrent des pistolets, et on gagna les remparts.

Les Anglais sans cesse tiraient leur montre, pressant le
pas, hâtant les préparatifs, inquiets de l'heure pour ne
point manquer le départ.

M. Dubuis n'avait jamais tenu un pistolet. On le plaça
à vingt pas de son ennemi. On lui demanda :

« Êtes-vous prêt ? »

En répondant « oui, monsieur », il s'aperçut qu'un des
Anglais avait ouvert son parapluie pour se garantir du
soleil.

Une voix commanda :

« Feu ! »

M. Dubuis tira au hasard, sans attendre, et il aperçut
avec stupeur le Prussien debout en face de lui qui chance-
lait, levait les bras, et tombait raide sur le nez. Il l'avait
tué.

Un Anglais cria un « Aoh » vibrant de joie, de curiosité satisfaite et d'impatience heureuse. L'autre, qui tenait
toujours sa montre à la main, saisit M. Dubuis par le
bras, et l'entraîna, au pas gymnastique, vers la gare.

Le premier Anglais marquait le pas, tout en courant,
les poings fermés, les coudes au corps.

« Une, deux ! une, deux ! »

Et tous trois de front trottaient, malgré leurs ventres,
comme trois grotesques d'un journal pour rire.

Le train partait. Ils sautèrent dans leur voiture. Alors,
les Anglais, ôtant leurs toques de voyage, les levèrent en
les agitant, puis, trois fois de suite, ils crièrent :

« Hip, hip, hip, hurrah ! »

Puis, ils tendirent gravement, l'un après l'autre, la main
droite à M. Dubuis, et ils retournèrent s'asseoir côte à
côte dans leur coin [7].

UN COUP D'ÉTAT

Paris venait d'apprendre le désastre de Sedan. La
République était proclamée[1]. La France entière haletait
au début de cette démence qui dura jusqu'après la Commune. On jouait au soldat d'un bout à l'autre du pays.

Des bonnetiers étaient colonels faisant fonction de
généraux[2] ; des revolvers et des poignards s'étalaient
autour de gros ventres pacifiques enveloppés de ceintures
rouges ; de petits[3] bourgeois devenus guerriers d'occasion commandaient des bataillons de volontaires
braillards et juraient comme des charretiers pour se donner de la prestance.

Le seul fait de tenir des armes, de manier des fusils à
système affolait[4] ces gens qui n'avaient jusqu'ici manié
que des balances, et les rendait, sans aucune raison,
redoutables au premier venu. On exécutait des innocents
pour prouver qu'on savait tuer ; on fusillait, en rôdant
par les campagnes vierges encore de Prussiens, les chiens
errants, les vaches ruminant en paix, les chevaux malades
pâturant dans les herbages.

Chacun se croyait appelé à jouer un grand rôle militaire. Les cafés des moindres villages, pleins de commerçants en uniforme, ressemblaient à des casernes ou à des
ambulances.

Le bourg de Canneville[5] ignorait encore les affolantes
nouvelles de l'armée et de la capitale ; mais une extrême

agitation le remuait depuis un mois, les partis adverses se trouvaient face⁶ à face.

Le maire, M. le vicomte de Varnetot, petit homme maigre, vieux déjà, légitimiste rallié à l'Empire depuis peu, par ambition, avait vu surgir un adversaire déterminé dans le docteur Massarel, gros homme sanguin, chef du parti républicain dans l'arrondissement, vénérable de la loge maçonnique du chef-lieu, président de la Société d'agriculture et du banquet des pompiers, et organisateur de la milice rurale qui devait sauver la contrée.

En quinze jours, il avait trouvé le moyen de décider à la défense du pays soixante-trois volontaires mariés et pères de famille, paysans prudents et marchands du bourg, et il les exerçait, chaque matin, sur la place de la mairie.

Quand le maire, par hasard, venait au bâtiment communal, le commandant Massarel, bardé de pistolets, passant fièrement, le sabre en main, devant le front de sa troupe, faisait hurler à son monde : « Vive la patrie ! » Et ce cri, on l'avait remarqué, agitait le petit vicomte, qui voyait là sans doute une menace, un défi, en même temps qu'un souvenir odieux de la grande Révolution.

Le 5 septembre au matin, le docteur en uniforme, son revolver sur sa table, donnait une consultation à un couple de vieux campagnards, dont l'un, le mari, atteint de varices depuis sept ans, avait attendu que sa femme en eût aussi pour venir trouver le médecin, quand le facteur apporta le journal.

M. Massarel l'ouvrit, pâlit, se dressa brusquement, et, levant les bras⁷ au ciel dans un geste d'exaltation, il se mit à vociférer de toute sa voix devant les deux ruraux affolés :

– Vive la République ! vive la République ! vive la République !

Puis il retomba sur son fauteuil, défaillant d'émotion.

Et comme le paysan reprenait : « Ça a commencé par des fourmis qui me couraient censément le long des jambes », le docteur Massarel s'écria :

– Fichez-moi la paix ; j'ai bien le temps de m'occuper de vos bêtises. La République est proclamée, l'Empereur [8] est prisonnier, la France est sauvée. Vive la République ! Et courant à la porte, il beugla : Céleste, vite, Céleste !

La bonne épouvantée accourut ; il bredouillait tant il parlait rapidement.

– Mes bottes, mon sabre, ma cartouchière et le poignard espagnol qui est sur ma table de nuit : dépêche-toi !

Comme le paysan obstiné, profitant d'un instant de silence, continuait :

– Ça a devenu comme des poches qui me faisaient mal en marchant.

Le médecin exaspéré hurla :

– Fichez-moi donc la paix, nom d'un chien, si vous vous étiez lavé les pieds, ça ne serait pas arrivé.

Puis, le saisissant au collet, il lui jeta dans la figure :

– Tu ne sens donc pas que nous sommes en république, triple brute ?

Mais le sentiment professionnel le calma tout aussitôt, et il poussa dehors le ménage abasourdi, en répétant :

– Revenez demain, revenez demain, mes amis. Je n'ai pas le temps aujourd'hui.

Tout en s'équipant des pieds à la tête, il donna de nouveau une série d'ordres urgents à sa bonne :

– Cours chez le lieutenant Picart et chez le sous-lieutenant Pommel, et dis-leur que je les attends ici immédiatement. Envoie-moi aussi Torchebeuf avec son tambour, vite, vite !

Et quand Céleste fut sortie, il se recueillit, se préparant à surmonter les difficultés de la situation.

Les trois hommes arrivèrent ensemble, en vêtement de [9] travail. Le commandant, qui s'attendait à les voir en tenue, eut un sursaut.

– Vous ne savez donc rien, sacrebleu ? L'Empereur [10] est prisonnier, la République est proclamée. Il faut agir. Ma position est délicate, je dirai plus, périlleuse.

Il réfléchit quelques secondes devant les visages ahuris de ses subordonnés, puis reprit :

– Il faut agir et ne pas hésiter ; les minutes valent des heures dans des instants pareils. Tout dépend de la promptitude des décisions. Vous, Picart, allez trouver le curé et sommez-le de sonner le tocsin pour réunir la population que je vais prévenir. Vous, Torchebeuf, battez le rappel dans toute la commune jusqu'aux hameaux de la Gerisaie et de Salmare pour rassembler la milice en armes sur la place. Vous, Pommel, revêtez promptement votre uniforme, rien que la tunique et le képi. Nous allons occuper ensemble la mairie et sommer M. de Varnetot de me remettre ses pouvoirs. C'est compris ?

– Oui.

– Exécutez, et promptement. Je vous accompagne jusque chez vous, Pommel, puisque nous opérons ensemble.

Cinq minutes plus tard, le commandant et son subalterne, armés jusqu'aux dents, apparaissaient sur la place juste au moment où le petit vicomte de Varnetot, les jambes guêtrées comme pour une partie de chasse, son lefaucheux sur [11] l'épaule, débouchait à pas rapides par l'autre rue, suivi de ses trois gardes en tunique verte, le couteau sur la cuisse et le fusil en bandoulière.

Pendant que le docteur s'arrêtait, stupéfait, les quatre hommes pénétrèrent dans la mairie dont la porte se referma derrière eux.

– Nous sommes devancés, murmura le médecin, il faut maintenant attendre du renfort. Rien à faire pour le quart d'heure.

Le lieutenant Picart reparut :

– Le curé a refusé d'obéir, dit-il ; il s'est même enfermé dans l'église avec le bedeau et le suisse.

Et, de l'autre côté de la place, en face de la mairie blanche et close, l'église, muette et noire, montrait sa grande porte de chêne garnie de ferrures de fer.

Alors, comme les habitants intrigués mettaient le nez aux fenêtres ou sortaient sur le seuil des maisons, le tambour soudain roula, et Torchebeuf apparut, battant avec fureur les trois coups précipités du rappel. Il traversa la place au pas gymnastique, puis disparut dans le chemin des champs.

Le commandant tira son sabre, s'avança seul, à moitié distance environ entre les deux bâtiments où s'était barricadé l'ennemi et, agitant son arme au-dessus de sa tête, il mugit de toute la force de ses poumons :

– Vive la République ! Mort aux traîtres !

Puis, il se replia vers ses officiers.

Le boucher, le boulanger et le pharmacien, inquiets, accrochèrent leurs volets et fermèrent leurs boutiques. Seul l'épicier demeura ouvert.

Cependant les hommes de la milice arrivaient peu à peu, vêtus diversement et tous coiffés d'un képi noir à galon rouge, le képi constituant tout l'uniforme du corps. Ils étaient armés de leurs vieux fusils rouillés, ces vieux fusils pendus depuis trente ans sur les cheminées des cuisines, et ils ressemblaient assez à un détachement de gardes champêtres.

Lorsqu'il en eut une trentaine autour de lui, le commandant, en quelques mots, les mit au fait des événements ; puis, se tournant vers son état-major : « Maintenant, agissons », dit-il.

Les habitants se rassemblaient, examinaient et devisaient.

Le docteur eut vite arrêté son plan de campagne :

– Lieutenant Picart, vous allez vous avancer sous les fenêtres de cette mairie et sommer M. de Varnetot, au nom de la République, de me remettre la maison de ville.

Mais le lieutenant, un maître maçon [12], refusa :

– Vous êtes encore un malin, vous. Pour me faire flanquer un coup de fusil, merci. Ils tirent bien, ceux qui sont là-dedans, vous savez. Faites vos commissions vous-même.

Le commandant devint rouge.

– Je vous ordonne d'y aller au nom de la discipline. Le lieutenant se révolta :

– Plus souvent que je me ferai casser la figure sans savoir pourquoi.

Les notables, rassemblés en un groupe voisin, se mirent à rire. Un d'eux cria :

– T'as raison, Picart, c'est pas l'moment !

Le docteur, alors, murmura :

– Lâches !

Et, déposant son sabre et son revolver aux mains d'un soldat, il s'avança d'un pas lent, l'œil fixé sur les fenêtres, s'attendant à en voir sortir un canon de fusil braqué sur lui.

Comme il n'était qu'à quelques pas du bâtiment, les portes des deux extrémités donnant entrée dans les deux écoles s'ouvrirent, et un flot de petits êtres, garçons par-ci, filles par-là, s'en échappèrent et se mirent à jouer sur la grande place vide, piaillant, comme un troupeau d'oies, autour du docteur, qui ne pouvait se faire entendre.

Aussitôt les derniers élèves sortis, les deux portes s'étaient refermées.

Le gros des marmots enfin se dispersa, et le commandant appela d'une voix forte :

– Monsieur de Varnetot ?

Une fenêtre du premier étage s'ouvrit. M. de Varnetot parut.

Le commandant reprit :

– Monsieur, vous savez les grands événements qui viennent de changer la face du gouvernement. Celui que vous représentiez n'est plus. Celui que je représente monte au pouvoir. En ces circonstances douloureuses, mais décisives, je viens vous demander, au nom de la nouvelle République, de remettre en mes mains les fonctions dont vous avez été investi par le précédent pouvoir.

M. de Varnetot répondit :

– Monsieur le docteur, je suis maire de Canneville, nommé par l'autorité compétente [13], et je resterai maire de Canneville tant que je n'aurai pas été révoqué et remplacé par un arrêté de mes supérieurs. Maire, je suis chez moi dans la mairie, et j'y reste. Au surplus, essayez de m'en faire sortir.

Et il referma la fenêtre.

Le commandant retourna vers sa troupe. Mais, avant de s'expliquer, toisant du haut en bas le lieutenant Picart :

– Vous êtes un crâne, vous, un fameux lapin, la honte de l'armée. Je vous casse de votre grade.

Le lieutenant répondit :

– Je m'en fiche un peu.

Et il alla se mêler au groupe murmurant des habitants.

Alors le docteur hésita. Que faire ? Donner l'assaut ? Mais ses hommes marcheraient-ils ? Et puis, en avait-il le droit ?

Une idée l'illumina. Il courut au télégraphe dont le bureau faisait face à la mairie, de l'autre côté de la place. Et il expédia trois dépêches :

À MM. les membres du gouvernement républicain, à Paris ;

À M. le nouveau préfet républicain de la Seine-Inférieure, à Rouen ;

À M. le nouveau sous-préfet républicain de Dieppe.

Il exposait la situation, disait le danger couru par la commune demeurée aux mains de l'ancien maire monarchiste, offrait ses services dévoués, demandait des ordres et signait en faisant suivre son nom de tous ses titres.

Puis il revint vers son corps d'armée et, tirant dix francs de sa poche : « Tenez, mes amis, allez manger et boire un coup ; laissez seulement ici un détachement de dix hommes pour que personne ne sorte de la mairie. »

Mais l'ex-lieutenant Picart, qui causait avec l'horloger, entendit ; il se mit à ricaner et prononça : « Pardi, s'ils sortent, ce sera une occasion d'entrer. Sans ça, je ne vous vois pas encore là-dedans, moi ! »

Le docteur ne répondit pas, et il alla déjeuner.

Dans l'après-midi, il disposa des postes tout autour de la commune, comme si elle était menacée d'une surprise.

Il passa plusieurs fois devant les portes de la maison de ville et de l'église sans rien remarquer de suspect ; on aurait cru vides ces deux bâtiments.

Le boucher, le boulanger et le pharmacien rouvrirent leurs boutiques.

On jasait beaucoup dans les logis. Si l'Empereur [14] était prisonnier, il y avait quelque traîtrise là-dessous. On ne savait pas au juste laquelle des républiques était revenue.

La nuit tomba.

Vers neuf heures, le docteur s'approcha seul, sans bruit, de l'entrée du bâtiment communal, persuadé que son adversaire était parti se coucher ; et, comme il se disposait à enfoncer la porte à coups de pioche, une voix forte, celle d'un garde, demanda tout à coup :

– Qui va là ?

Et M. Massarel battit en retraite à toutes jambes.

Le jour se leva sans que rien fût changé dans la situation.

La milice en armes occupait la place. Tous les habitants s'étaient réunis autour de cette troupe, attendant une solution. Ceux des villages voisins arrivaient pour voir.

Alors, le docteur, comprenant qu'il jouait sa réputation, résolut d'en finir d'une manière ou d'une autre ; et il allait prendre une résolution quelconque, énergique assurément, quand la porte du télégraphe s'ouvrit et la petite servante de la directrice parut, tenant à la main deux papiers.

Elle se dirigea d'abord vers le commandant et lui remit une des dépêches ; puis, traversant le milieu désert de la place, intimidée par tous les yeux fixés sur elle, baissant la tête et trottant menu, elle alla frapper doucement à la · maison barricadée, comme si elle eût ignoré qu'un parti armé s'y cachait.

L'huis s'entrebâilla ; une main d'homme reçut le message, et la fillette revint, toute rouge, prête à pleurer, d'être dévisagée ainsi par le pays entier.

Le docteur demanda d'une[15] voix vibrante :

– Un peu de silence, s'il vous plaît.

Et comme le populaire s'était tu, il reprit fièrement :

– Voici la communication que je reçois du gouvernement. Et, élevant sa dépêche, il lut :

« Ancien maire révoqué. Veuillez aviser au plus pressé. Recevrez instructions ultérieures.

« *Pour le sous-préfet,*

« SAPIN, conseiller. »

Il triomphait ; son cœur battait de joie ; ses mains tremblaient ; mais Picart, son ancien subalterne, lui cria d'un groupe voisin :

– C'est bon, tout ça ; mais si les autres ne sortent pas, ça vous fait une belle jambe, votre papier.

Et M. Massarel pâlit. Si les autres ne sortaient pas, en effet, il fallait aller de l'avant maintenant. C'était non seulement son droit, mais aussi son devoir.

Et il regardait anxieusement la mairie, espérant qu'il allait voir la porte s'ouvrir et son adversaire se replier.

La porte restait fermée. Que faire ? La foule augmentait, se serrait autour de la milice. On riait.

Une réflexion surtout torturait le médecin. S'il donnait l'assaut, il faudrait marcher à la tête de ses hommes ; et comme, lui mort, toute contestation cesserait, c'était sur lui, sur lui seul que tireraient M. de Varnetot et ses trois gardes. Et ils tiraient bien, très bien ; Picart venait encore de le lui répéter. Mais une idée l'illumina et, se tournant vers Pommel :

– Allez vite prier le pharmacien de me prêter une serviette et un bâton.

Le lieutenant se précipita.

Il allait faire un drapeau parlementaire, un drapeau blanc dont la vue réjouirait peut-être le cœur légitimiste de l'ancien maire.

Pommel revint avec le linge demandé et un manche à balai. Au moyen de ficelles, on organisa cet étendard que M. Massarel saisit à deux mains ; et il s'avança de nouveau vers la mairie en le tenant devant lui. Lorsqu'il fut en face de la porte, il appela encore : « Monsieur de Varnetot. » La porte s'ouvrit soudain, et M. de Varnetot apparut sur le seuil avec ses trois gardes.

Le docteur recula par un mouvement instinctif ; puis, il salua courtoisement son ennemi et prononça, étranglé par l'émotion : « Je viens, Monsieur, vous communiquer les instructions que j'ai reçues. »

Le gentilhomme, sans lui rendre son salut, répondit : « Je me retire, Monsieur, mais sachez bien que ce n'est ni par crainte, ni par obéissance à l'odieux gouvernement qui usurpe le pouvoir. » Et, appuyant sur chaque mot, il déclara : « Je ne veux pas avoir l'air de servir un seul jour la République. Voilà tout. »

Massarel, interdit, ne répondit rien ; et M. de Varnetot, se mettant en marche d'un pas rapide, disparut au coin de la place, suivi toujours de son escorte.

Alors le docteur, éperdu d'orgueil, revint vers la foule. Dès qu'il fut assez près pour se faire entendre, il cria :

« Hurrah ! hurrah ! La République triomphe sur toute la ligne. »

Aucune émotion ne se manifesta.

Le médecin reprit : « Le peuple est libre, vous êtes libres, indépendants. Soyez fiers ! »

Les villageois inertes le regardaient sans qu'aucune gloire illuminât leurs yeux.

À son tour, il les contempla, indigné de leur indifférence, cherchant ce qu'il pourrait dire, ce qu'il pourrait faire pour frapper un grand coup, électriser ce pays placide, remplir sa mission d'initiateur.

Mais une inspiration l'envahit et, se tournant vers Pommel : « Lieutenant, allez chercher le buste de l'ex-empereur qui est dans la salle des délibérations du conseil municipal, et apportez-le avec une chaise. »

Et bientôt l'homme reparut portant sur l'épaule droite le Bonaparte de plâtre, et tenant de la main gauche une chaise de paille.

M. Massarel vint au-devant de lui, prit la chaise, la posa par terre, plaça dessus le buste blanc, puis se reculant de quelques pas, l'interpella d'une voix sonore :

« Tyran, tyran, te voici tombé, tombé dans la boue, tombé dans la fange. La patrie expirante râlait sous ta botte. Le Destin vengeur t'a frappé. La défaite et la honte se sont attachées à toi ; tu tombes vaincu, prisonnier du Prussien ; et, sur les ruines de ton empire croulant, la jeune et radieuse République se dresse, ramassant ton épée brisée… »

Il attendait des applaudissements. Aucun cri, aucun battement de mains n'éclata. Les paysans effarés se taisaient ; et le buste aux moustaches pointues qui dépassaient les joues de chaque côté, le buste immobile et bien peigné comme une enseigne de coiffeur, semblait regarder M. Massarel avec son sourire de plâtre, un sourire ineffaçable et moqueur.

Ils demeuraient ainsi face à face, Napoléon sur sa chaise, le médecin debout, à trois pas de lui. Une colère saisit le commandant. Mais que faire ? que faire pour émouvoir ce peuple et gagner définitivement cette victoire de l'opinion ?

Sa main, par hasard, se posa sur son ventre, et il rencontra, sous sa ceinture rouge, la crosse de son revolver.

Aucune inspiration, aucune parole ne lui venaient plus. Alors, il tira son arme, fit deux pas et, à bout portant, foudroya l'ancien monarque.

La balle creusa dans le front un petit trou noir, pareil à une tache, presque rien. L'effet était manqué. M. Massarel tira un second coup, qui fit un second trou, puis un troisième, puis, sans s'arrêter, il lâcha les trois derniers. Le front de Napoléon volait en poussière blanche, mais les yeux, le nez et les fines pointes des moustaches restaient intacts.

Alors, exaspéré, le docteur renversa la chaise d'un coup de poing et, appuyant un pied sur le reste du buste, dans une posture de triomphateur, il se tourna vers le public abasourdi en vociférant : « Périssent ainsi tous les traîtres ! »

Mais comme aucun enthousiasme ne se manifestait encore, comme les spectateurs semblaient stupides d'étonnement, le commandant cria aux hommes de la milice : « Vous pouvez maintenant regagner vos foyers. » Et il se dirigea lui-même à grands pas vers sa maison, comme s'il eût fui.

Sa bonne, dès qu'il parut, lui dit que des malades l'attendaient depuis plus de trois heures dans son cabinet. Il y courut. C'étaient les deux paysans aux varices, revenus dès l'aube, obstinés et patients.

Et le vieux aussitôt reprit son explication : « Ça a commencé par des fourmis qui me couraient censément le long des jambes... »

Mère Sauvage habitait seul par temps de g. 4 prussiens vint avec elle très gentil l'aide bcp dans la maison. Son fils tué los de la g. elle mit sa maison en feu avec les 4 prussiens à l'intérieur. avait garder leur adresses pr écrire à leur famille

LA MÈRE SAUVAGE

À Georges Pouchet[1].

I[2]

Je n'étais point revenu à Virelogne[3] depuis quinze ans. J'y retournai chasser, à l'automne, chez mon ami Serval, qui avait enfin fait reconstruire son château, détruit par les Prussiens.

J'aimais ce pays infiniment. Il est des coins du monde délicieux qui ont pour les yeux un charme sensuel. On les aime d'un amour physique. Nous gardons, nous autres que séduit la terre, des souvenirs tendres pour certaines sources, certains bois, certains étangs, certaines collines, vus souvent et qui nous ont attendris à la façon des événements heureux. Quelquefois même la pensée retourne vers un coin de forêt, ou un bout de berge, ou un verger poudré de fleurs, aperçus une seule fois, par un jour gai, et restés en notre cœur comme ces images de femmes rencontrées dans la rue, un matin de printemps, avec une toilette claire et transparente, et qui nous laissent dans l'âme et dans la chair un désir inapaisé, inoubliable, la sensation du bonheur coudoyé.

À Virelogne, j'aimais toute la campagne, semée de petits bois et traversée par des ruisseaux qui couraient dans le sol comme des veines, portant le sang à la terre. On pêchait là-dedans des écrevisses, des truites et des anguilles ! Bonheur divin ! On pouvait se baigner par places, et on trouvait souvent des bécassines dans les hautes herbes qui poussaient sur[4] les bords de ces minces cours d'eau.

J'allais, léger comme une chèvre, regardant mes deux chiens fourrager devant moi. Serval, à cent mètres sur ma droite, battait un champ de luzerne. Je tournai les buissons qui forment la limite du bois des Saudres, et j'aperçus une chaumière en ruines.

Tout à coup, je me la rappelai telle que je l'avais vue pour la dernière fois, en 1869, propre, vêtue de vignes, avec des poules devant la porte. Quoi de plus triste qu'une maison morte, avec son squelette debout, délabré, sinistre ?

Je me rappelai aussi qu'une bonne femme m'avait fait boire un verre de vin là-dedans, un jour de grande fatigue, et que Serval m'avait dit alors l'histoire des habitants. Le père, vieux braconnier, avait été tué par les gendarmes. Le fils, que j'avais vu autrefois, était un grand garçon sec qui passait également pour un féroce destructeur de gibier. On les appelait les Sauvage.

Était-ce un nom ou un sobriquet ?

Je hélai Serval[5]. Il s'en vint de son long pas d'échassier.

Je lui demandai :

– Que sont devenus les gens de là ?

Et il me conta cette aventure.

II

Lorsque[6] la guerre fut déclarée, le fils Sauvage, qui avait alors trente-trois ans, s'engagea, laissant la mère seule au logis. On ne la plaignait pas trop, la vieille, parce qu'elle avait de l'argent, on le savait.

Elle resta donc toute seule dans cette maison isolée si loin du village, sur la lisière du bois. Elle n'avait pas peur, du reste, étant de la même race que ses hommes, une rude vieille, haute et maigre, qui ne riait pas souvent et avec qui on ne plaisantait point. Les femmes des champs ne rient guère d'ailleurs. C'est affaire aux hommes, cela ! Elles ont l'âme triste et bornée, ayant une vie morne et sans éclaircie. Le paysan apprend un peu de gaieté bruyante au cabaret, mais sa compagne reste sérieuse avec une physionomie constamment sévère. Les muscles de leur face n'ont point appris les mouvements du rire.

La mère Sauvage continua son existence ordinaire dans sa chaumière, qui fut bientôt couverte par les neiges. Elle s'en venait au village, une fois par semaine, chercher du pain et un peu de viande ; puis elle retournait dans sa masure. Comme on parlait des loups, elle sortait le fusil au dos, le fusil du fils, rouillé, avec la crosse usée par le frottement de la main ; et elle était curieuse à voir, la grande Sauvage, un peu courbée, allant à lentes enjambées par la neige, le canon de l'arme dépassant la coiffe noire qui lui serrait la tête et emprisonnait ses cheveux blancs, que personne n'avait jamais vus.

Un [7] jour les Prussiens arrivèrent. On les distribua aux habitants, selon la fortune et les ressources de chacun. La vieille, qu'on savait riche, en eut quatre.

C'étaient quatre gros garçons à la chair blonde, à la barbe blonde, aux yeux bleus, demeurés gras malgré les fatigues qu'ils avaient endurées déjà, et bons enfants, bien qu'en pays conquis. Seuls chez cette femme âgée, ils se montrèrent pleins de prévenances pour elle, lui épargnant, autant qu'ils le pouvaient, des fatigues et des dépenses. On les voyait tous les quatre faire leur toilette autour du puits, le matin, en manches de chemise, mouillant à grande eau, dans le jour cru des neiges, leur chair blanche et rose d'hommes du Nord, tandis que la mère Sauvage allait et venait, préparant la soupe. Puis on les voyait nettoyer la cuisine, frotter les carreaux, casser du bois, éplucher les pommes de terre, laver le linge, accomplir toutes les besognes de la maison, comme quatre bons fils autour de leur mère.

Mais elle pensait sans cesse au sien, la vieille, à son grand maigre au nez crochu, aux yeux bruns, à la forte moustache qui faisait sur sa lèvre un bourrelet de poils noirs. Elle demandait chaque jour, à chacun des soldats installés à son foyer :

– Savez-vous où est parti le régiment français, vingt-troisième de marche ? Mon garçon est dedans.

Ils répondaient : « Non, bas su, bas savoir tu tout. » Et, comprenant sa peine et ses inquiétudes, eux qui avaient des mères là-bas, ils lui rendaient mille petits soins. Elle les aimait bien, d'ailleurs, ses quatre ennemis ; car les paysans n'ont guère les haines patriotiques ; cela n'appartient qu'aux classes supérieures. Les humbles, ceux qui paient le plus parce qu'ils sont pauvres et que toute charge nouvelle les accable, ceux qu'on tue par masses, qui forment la vraie chair à canon, parce qu'ils sont le nombre, ceux qui souffrent enfin le plus cruellement des atroces misères de la guerre, parce qu'ils sont les plus faibles et les moins résistants, ne comprennent guère ces ardeurs belliqueuses, ce point d'honneur excitable et ces prétendues combinaisons politiques qui épuisent en six mois deux nations, la victorieuse comme la vaincue.

On disait dans le pays, en parlant des Allemands de la mère Sauvage :

– En v'là quatre qu'ont trouvé leur gîte.

Or [8], un matin, comme la vieille femme était seule au logis, elle aperçut au loin dans la plaine un homme qui venait vers sa demeure. Bientôt elle le reconnut, c'était le piéton [9] chargé de distribuer les lettres. Il lui remit un papier plié et elle tira de son étui les lunettes dont elle se servait pour coudre ; puis elle lut :

« Madame Sauvage, la présente est pour vous porter une triste nouvelle. Votre garçon Victor a été tué hier par un boulet, qui l'a censément coupé en deux parts. J'étais tout près, vu que nous nous trouvions côte à côte dans la compagnie et qu'il me parlait de vous pour vous prévenir au jour même s'il lui arrivait malheur.

« J'ai pris dans sa poche sa montre pour vous la reporter quand la guerre sera finie.

« Je vous salue amicalement.

« CÉSAIRE RIVOT,
« Soldat de 2ᵉ classe au 23ᵉ de marche. »

La lettre était datée de trois semaines.

Elle ne pleurait point. Elle demeurait immobile, tellement saisie, hébétée, qu'elle ne souffrait même pas encore. Elle pensait : « V'là Victor qu'est tué, maintenant. » Puis peu à peu les larmes montèrent à ses yeux, et la douleur envahit son cœur. Les idées lui venaient une à une, affreuses, torturantes. Elle ne l'embrasserait plus, son enfant, son grand, plus jamais ! Les gendarmes avaient tué le père, les Prussiens avaient tué le fils... Il avait été coupé en deux par un boulet. Et il lui semblait qu'elle voyait la chose, la chose horrible : la tête tombant, les yeux ouverts, tandis qu'il mâchait le coin de sa grosse moustache, comme il faisait aux heures de colère.

Qu'est-ce qu'on avait fait de son corps, après ? Si seulement on lui avait rendu son enfant, comme [10] on lui avait rendu son mari, avec [11] sa balle au milieu du front ?

Mais elle entendit un bruit de voix. C'étaient les Prussiens qui revenaient du village. Elle cacha bien vite la lettre dans sa poche et elle les reçut tranquillement avec sa figure ordinaire, ayant eu le temps de bien essuyer ses yeux.

Ils riaient tous les quatre, enchantés, car ils rapportaient un beau lapin, volé sans doute, et ils faisaient signe à la vieille qu'on allait manger quelque chose de bon.

Elle se mit tout de suite à la besogne pour préparer le déjeuner ; mais, quand il fallut tuer le lapin, le cœur lui manqua. Ce n'était pas le premier pourtant ! Un des soldats l'assomma d'un coup de poing derrière les oreilles.

Une fois la bête morte, elle fit sortir le corps rouge de la peau ; mais la vue du sang qu'elle maniait, qui lui couvrait les mains, du sang tiède qu'elle sentait se refroidir et se coaguler, la faisait trembler de la tête aux pieds ; et elle voyait toujours son grand coupé en deux, et tout rouge aussi, comme cet animal encore palpitant.

Elle se mit à table avec ses Prussiens, mais elle ne put manger, pas même une bouchée. Ils dévorèrent le lapin sans s'occuper d'elle. Elle les regardait de côté, sans parler, mûrissant une idée, et le visage tellement impassible qu'ils ne s'aperçurent de rien.

Tout à coup, elle demanda : « Je ne sais seulement point vos noms, et v'là un mois que nous sommes ensemble. » Ils comprirent, non sans peine, ce qu'elle voulait, et dirent leurs noms. Cela ne lui suffisait pas ; elle se les fit écrire sur un papier, avec l'adresse de leurs familles, et, reposant ses lunettes sur son grand nez, elle considéra cette écriture inconnue, puis elle plia la feuille et la mit dans sa poche, par-dessus la lettre qui lui disait la mort de son fils.

Quand le repas fut fini, elle dit aux hommes :

– J'vas travailler pour vous.

Et elle se mit à monter du foin dans le grenier où ils couchaient.

Ils s'étonnèrent de cette besogne ; elle leur expliqua qu'ils auraient moins froid ; et ils l'aidèrent. Ils entassaient des bottes jusqu'au toit de paille ; et ils se firent ainsi une sorte de grande chambre avec quatre murs de fourrage, chaude et parfumée, où ils dormiraient à merveille.

Au dîner, un d'eux s'inquiéta de voir que la mère Sauvage ne mangeait point encore. Elle affirma qu'elle avait des crampes. Puis elle alluma un bon feu pour se chauffer, et les quatre Allemands montèrent dans leur logis par l'échelle qui leur servait tous les soirs.

Dès que la trappe fut refermée, la vieille enleva l'échelle, puis rouvrit sans bruit la porte du dehors, et elle retourna chercher des bottes de paille dont elle emplit sa cuisine. Elle allait nu-pieds, dans la neige, si doucement qu'on n'entendait rien. De temps en temps elle écoutait les ronflements sonores et inégaux des [12] quatre soldats endormis.

Quand elle jugea suffisants ses préparatifs, elle jeta dans le foyer une des bottes, et, lorsqu'elle fut enflammée, elle l'éparpilla sur les autres, puis elle ressortit et regarda.

Une clarté violente illumina en quelques secondes tout l'intérieur de la chaumière, puis ce fut un brasier effroyable, un [13] gigantesque four ardent, dont la lueur jaillissait par l'étroite fenêtre et jetait sur la neige un éclatant rayon.

Puis un grand cri partit du sommet de la maison, puis ce fut une clameur de hurlements humains, d'appels déchirants d'angoisse et d'épouvante. Puis, la trappe s'étant écroulée à l'intérieur, un tourbillon de feu s'élança dans le grenier, perça le toit de paille, monta dans le ciel comme une immense flamme de torche ; et toute la chaumière flamba.

On n'entendait plus rien dedans que le crépitement de l'incendie, le craquement des murs, l'écroulement des poutres. Le toit tout à coup s'effondra, et la carcasse ardente de la demeure lança dans l'air, au milieu d'un nuage de fumée, un grand panache d'étincelles.

La campagne, blanche, éclairée par le feu, luisait comme une nappe d'argent teintée de rouge.

Une cloche, au loin, se mit à sonner.

La vieille Sauvage restait debout, devant son logis détruit, armée de son fusil, celui du fils, de crainte qu'un des hommes n'échappât.

Quand elle vit que c'était fini, elle jeta son arme dans le brasier. Une détonation retentit.

Des gens arrivaient, des paysans, des Prussiens.

On trouva la femme assise sur un tronc d'arbre, tranquille et satisfaite.

Un officier allemand, qui parlait le français comme un fils de France, lui demanda :

– Où sont vos soldats ?

Elle tendit son bras maigre vers l'amas rouge de l'incendie qui s'éteignait, et elle répondit d'une voix forte :

– Là-dedans !

On se pressait autour d'elle. Le Prussien demanda :

– Comment le feu a-t-il pris ?

Elle prononça :

– C'est moi qui l'ai mis.

On ne la croyait pas, on pensait que le désastre l'avait soudain rendue folle. Alors, comme tout le monde l'entourait et l'écoutait, elle dit la chose d'un bout à l'autre, depuis l'arrivée de la lettre jusqu'au dernier cri des hommes flambés avec sa maison. Elle n'oublia pas un détail de ce qu'elle avait ressenti ni de ce qu'elle avait fait.

Quand elle eut fini, elle tira de sa poche deux papiers, et, pour les distinguer aux dernières lueurs du feu, elle ajusta encore ses lunettes, puis elle prononça, montrant l'un : « Ça, c'est la mort de Victor. » Montrant l'autre, elle ajouta, en désignant les ruines rouges d'un coup de tête : « Ça, c'est leurs noms pour qu'on écrive chez eux. »

Elle tendit tranquillement la feuille blanche à l'officier, qui la tenait par les épaules, et elle reprit :

– Vous écrirez comment c'est arrivé, et vous direz à leurs parents que c'est moi qui a fait ça, Victoire Simon, la Sauvage ! N'oubliez pas.

L'officier criait des ordres en allemand. On la saisit, on la jeta contre les murs encore chauds de son logis. Puis douze hommes se rangèrent vivement en face d'elle, à vingt mètres. Elle ne bougeait point. Elle avait compris ; elle attendait.

Un ordre retentit, qu'une longue détonation suivit aussitôt. Un coup attardé partit tout seul, après les autres.

La vieille ne tomba point. Elle s'affaissa comme si on lui eût fauché les jambes.

L'officier prussien s'approcha. Elle était presque coupée en deux, et dans sa main crispée elle tenait sa lettre baignée de sang.

Mon [14] ami Serval ajouta :

– C'est par représailles que les Allemands ont détruit le château du pays, qui m'appartenait.

Moi, je pensais aux mères des quatre doux garçons brûlés là-dedans ; et à l'héroïsme atroce de cette autre mère, fusillée contre ce mur.

Et je ramassai une petite pierre, encore noircie par le feu.

L'HORRIBLE

La nuit tiède descendait lentement.

Les femmes étaient restées dans le salon de la villa. Les hommes, assis ou à cheval sur les chaises du jardin, fumaient, devant la porte, en cercle autour d'une table ronde chargée de tasses et de petits verres.

Leurs cigares brillaient, comme des yeux, dans l'ombre épaissie de minute en minute. On venait de raconter un affreux accident arrivé la veille : deux hommes et trois femmes noyés sous les yeux des invités, en face, dans la rivière.

Le général de G... prononça :

– Oui, ces choses-là sont émouvantes, mais elles ne sont pas horribles. L'horrible, ce vieux mot, veut dire beaucoup plus que le terrible. Un affreux accident comme celui-là émeut, bouleverse, effare ; il n'affole pas. Pour qu'on éprouve l'horreur, il faut plus que l'émotion douloureuse de l'âme et plus que le spectacle d'une mort affreuse, il faut soit un frisson de mystère, soit une sensation d'épouvante anormale, hors nature. Un homme qui meurt, même dans les conditions les plus dramatiques, ne fait pas horreur ; un champ de bataille n'est pas horrible ; le sang n'est pas horrible ; les crimes les plus vils sont rarement horribles.

Tenez, voici deux exemples personnels qui m'ont fait comprendre ce qu'on peut entendre par l'horreur.

*

C'était pendant la guerre de 1870. Nous nous retirions vers Pont-Audemer, après avoir traversé Rouen. L'armée, vingt mille hommes environ, vingt mille hommes de déroute, débandés, démoralisés, épuisés, allait se reformer au Havre [1].

La terre était couverte de neige. La nuit tombait. On n'avait rien mangé depuis la veille. On fuyait vite, les Prussiens n'étant pas loin.

Toute la campagne normande, livide, tachée par les ombres des arbres entourant les fermes, s'étendait sous un ciel noir, lourd et sinistre.

On n'entendait rien autre chose dans la lueur terne du crépuscule, qu'un bruit confus, mou et cependant démesuré de troupeau marchant, un piétinement infini, mêlé d'un vague cliquetis de gamelles ou de sabres. Les hommes, courbés, voûtés, sales, souvent même haillonneux, se traînaient, se hâtaient dans la neige, d'un long pas éreinté.

La peau des mains collait à l'acier des crosses, car il gelait affreusement cette nuit-là. Souvent je voyais un petit moblot [2] ôter ses souliers pour aller pieds nus, tant il souffrait dans sa chaussure ; et il laissait, dans chaque empreinte, une trace de sang. Puis, au bout de quelque temps, il s'asseyait dans un champ pour se reposer quelques minutes, et ils ne se relevait point. Chaque homme assis était un homme mort.

En avons-nous laissé derrière nous, de ces pauvres soldats épuisés, qui comptaient bien repartir tout à l'heure, dès qu'ils auraient un peu délassé leurs jambes roidies ! Or, à peine avaient-ils cessé de se mouvoir, de faire circuler, dans leur chair gelée, leur sang presque inerte, qu'un engourdissement invincible les figeait, les clouait à terre, fermait leurs yeux, paralysait en une seconde cette mécanique humaine surmenée. Et ils s'affaissaient un peu, le front penché sur leurs genoux, sans tomber tout à fait pourtant, car leurs reins et leurs membres devenaient immobiles, durs comme du bois, impossibles à plier ou à redresser.

Et nous autres, plus robustes, nous allions toujours, glacés jusqu'aux moelles, avançant par une force de mouvement donné, dans cette nuit, dans cette neige, dans cette campagne, froide et mortelle, écrasés par le chagrin, par la défaite, par le désespoir, et surtout étreints par l'abominable sensation de l'abandon, de la fin, de la mort, du néant.

J'aperçus deux gendarmes qui tenaient par les bras un petit homme singulier, vieux, sans barbe, d'aspect vraiment surprenant.

Ils cherchaient un officier, croyant avoir pris un espion.

Le mot « espion » courut aussitôt parmi les traînards, et on fit cercle autour du prisonnier. Une voix cria : « Faut le fusiller ! » Et tous ces soldats, qui tombaient d'accablement, ne tenant debout que parce qu'ils s'appuyaient sur leurs fusils, eurent soudain ce frisson de colère furieuse et bestiale qui pousse les foules aux massacres.

Je voulus parler ; j'étais alors chef de bataillon ; mais on ne reconnaissait plus les chefs, on m'aurait fusillé moi-même.

Un des gendarmes me dit :

– Voilà trois jours qu'il nous suit. Il demande à tout le monde des renseignements sur l'artillerie.

J'essayai d'interroger cet être :

– Que faites-vous ? Que voulez-vous ? Pourquoi accompagnez-vous l'armée ?

Il bredouilla quelques mots en un patois inintelligible.

C'était vraiment un étrange personnage aux épaules étroites, à l'œil sournois, et si troublé devant moi que je ne doutais plus vraiment que ce ne fût un espion. Il semblait fort âgé et faible. Il me considérait en dessous, avec un air humble, stupide et rusé.

Les hommes autour de nous criaient :

– Au mur ! au mur !

Je dis aux gendarmes :

– Vous répondez du prisonnier ?…

Je n'avais point fini de parler, qu'une poussée terrible me renversa, et je vis, en une seconde, l'homme saisi par les troupiers furieux, terrassé, frappé, traîné au bord de la route et jeté contre un arbre. Il tomba presque mort déjà, dans la neige.

Et aussitôt on le fusilla. Les soldats tiraient sur lui, rechargeaient leurs armes, tiraient de nouveau avec un acharnement de brutes. Ils se battaient pour avoir leur tour, défilaient devant le cadavre et tiraient toujours dessus, comme on défile devant un cercueil pour jeter de l'eau bénite.

Mais tout d'un coup un cri passa :

– Les Prussiens ! les Prussiens !

Et j'entendis, par tout l'horizon, la rumeur immense de l'armée éperdue qui courait.

La panique, née de ces coups de feu sur ce vagabond, avait affolé les exécuteurs eux-mêmes, qui, sans comprendre que l'épouvante venait d'eux, se sauvèrent et disparurent dans l'ombre.

Je restai seul devant le corps, avec les deux gendarmes, que leur devoir avait retenus près de moi.

Ils relevèrent cette viande broyée, moulue et sanglante.

– Il faut le fouiller, leur dis-je.

Et je tendis une boîte d'allumettes bougies que j'avais dans ma poche.

Un des soldats éclairait l'autre. J'étais debout entre les deux.

Le gendarme qui maniait le corps déclara :

– Vêtu d'une blouse bleue, d'une chemise blanche, d'un pantalon et d'une paire de souliers.

La première allumette s'éteignit ; on alluma la seconde. L'homme reprit, en retournant les poches :

– Un couteau de corne, un mouchoir à carreaux, une tabatière, un bout de ficelle, un morceau de pain.

La seconde allumette s'éteignit. On alluma la troisième.

Le gendarme, après avoir longtemps palpé le cadavre, déclara :

– C'est tout.

Je dis :

– Déshabillez-le. Nous trouverons peut-être quelque chose contre la peau.

Et, pour que les deux soldats pussent agir en même temps, je me mis moi-même à les éclairer. Je les voyais, à la lueur rapide et vite éteinte de l'allumette, ôter les vêtements un à un, mettre à nu ce paquet sanglant de chair encore chaude et morte.

Et soudain, un d'eux balbutia :

– Nom d'un nom, mon commandant, c'est une femme !

Je ne saurais vous dire quelle étrange et poignante sensation d'angoisse me remua le cœur. Je ne le pouvais croire, et je m'agenouillai dans la neige devant cette bouillie informe pour voir : c'était une femme !

Les deux gendarmes, interdits et démoralisés, attendaient que j'émisse un avis.

Mais je ne savais que penser, que supposer.

Alors le brigadier prononça lentement :

– Peut-être qu'elle venait chercher son éfant qu'était soldat d'artillerie et dont elle n'avait pas de nouvelles.

Et l'autre répondit :

– P't'être ben que oui tout de même.

Et moi qui avais vu pourtant des choses bien terribles, je me mis à pleurer. Et je sentis, en face de cette morte, dans cette nuit glacée, au milieu de cette plaine noire, devant ce mystère, devant cette inconnue assassinée, ce que veut dire ce mot : l'« Horreur ».

*

Or, j'ai eu cette même sensation, l'an dernier, en interrogeant un des survivants de la mission Flatters[3], un tirailleur algérien.

Vous savez les détails de ce drame atroce. Il en est un cependant que vous ignorez peut-être.

Le colonel allait au Soudan par le désert et traversait l'immense territoire des Touareg, qui sont, dans tout cet océan de sable qui va de l'Atlantique à l'Égypte et du Soudan à l'Algérie, des espèces de pirates comparables à ceux qui ravageaient les mers autrefois.

Les guides qui conduisaient la colonne appartenaient à la tribu des Chambaa, de Ouargla[4].

Or, un jour, on établit le camp en plein désert, et les Arabes déclarèrent que, la source étant encore un peu loin, ils iraient chercher de l'eau avec tous les chameaux.

Un seul homme prévint le colonel qu'il était trahi. Flatters n'en crut rien et accompagna le convoi avec les ingénieurs, les médecins et presque tous ses officiers.

Ils furent massacrés autour de la source, et tous les chameaux capturés.

Le capitaine du bureau arabe[5] de Ouargla, demeuré au camp, prit le commandement des survivants, sphahis et tirailleurs et on commença la retraite, en abandonnant les bagages et les vivres, faute de chameaux pour les porter.

Ils se mirent donc en route dans cette solitude sans ombre et sans fin, sous le soleil dévorant qui les brûlait du matin au soir.

Une tribu vint faire sa soumission et apporta des dattes. Elles étaient empoisonnées. Presque tous les Français moururent, et parmi eux, le dernier officier.

Il ne restait plus que quelques spahis, dont le maréchal des logis Pobéguin, plus des tirailleurs indigènes, de la tribu de Chambaa. On avait encore deux chameaux. Ils disparurent une nuit, avec deux Arabes.

Alors, les survivants comprirent qu'il allait falloir s'entre-dévorer, et, sitôt découverte la fuite des deux hommes avec les deux bêtes, ceux qui restaient se séparèrent et se mirent à marcher, un à un, dans le sable mou, sous la flamme aiguë du ciel, à plus d'une portée de fusil l'un de l'autre.

Ils allaient ainsi tout le jour, et, quand on atteignait une source, chacun y venait boire à son tour, dès que le plus proche isolé avait regagné sa distance. Ils allaient ainsi tout le jour, soulevant de place en place, dans l'étendue brûlée et plate, ces petites colonnes de poussière qui indiquent de loin les marcheurs dans le désert.

Mais un matin, un des voyageurs brusquement obliqua, se rapprochant de son voisin. Et tous s'arrêtèrent pour regarder.

L'homme vers qui marchait le soldat affamé ne s'enfuit pas, mais il s'aplatit par terre. Il mit en joue celui qui s'en venait. Quand il le crut à distance, il tira. L'autre ne fut point touché et il continua d'avancer puis, épaulant à son tour, il tua net son camarade.

Alors, de tout l'horizon, les autres accoururent pour chercher leur part. Et celui qui avait tué, dépeçant le mort, le distribua.

Et ils s'espacèrent de nouveau, ces alliés irréconciliables, pour jusqu'au prochain meurtre qui les rapprocherait [6].

Pendant deux jours ils vécurent de cette chair humaine partagée. Puis, la famine étant revenue, celui qui avait tué le premier tua de nouveau. Et de nouveau, comme un boucher, il coupa le cadavre et l'offrit à ses compagnons, en ne conservant que sa portion.

Et ainsi continua cette retraite d'anthropophages.

Le dernier, François Pobéguin, fut massacré au bord d'un puits, la veille du jour où les secours arrivèrent.

Comprenez-vous maintenant ce que j'entends par l'Horrible ?

*

Voilà ce que nous raconta, l'autre soir, le général de G...

LES IDÉES DU COLONEL

– Ma foi, dit le colonel Laporte, je suis vieux, j'ai la goutte, les jambes raides comme[1] des poteaux de barrière, et cependant, si une femme, une jolie femme, m'ordonnait de passer par le trou d'une aiguille, je crois que j'y sauterais comme un clown dans un cerceau. Je mourrai ainsi, c'est dans le sang. Je suis un vieux galantin, moi, un vieux de la vieille école. La vue d'une femme, d'une jolie femme, me remue jusque dans mes bottes. Voilà.

D'ailleurs nous sommes tous un peu pareils, en France, messieurs. Nous restons des chevaliers quand même, les chevaliers de l'amour et du hasard, puisqu'on a supprimé Dieu, dont nous étions vraiment les gardes du corps.

Mais la femme, voyez-vous, on ne l'enlèvera pas de nos cœurs. Elle y est, elle y reste. Nous l'aimons, nous l'aimerons, nous ferons pour elle toutes les folies, tant qu'il y aura une France sur la carte d'Europe. Et même si on escamote la France, il restera toujours des Français.

Moi, devant les yeux d'une femme, d'une jolie femme, je me sens capable de tout. Sacristi ! quand je sens entrer en moi son regard, son sacré nom de regard, qui vous met du feu dans les veines, j'ai envie de je ne sais quoi, de me battre, de lutter, de casser des meubles, de montrer que je suis le plus fort, le plus brave, le plus hardi et le plus dévoué des hommes.

Mais je ne suis pas le seul, non vraiment ; toute l'armée française est comme moi, je vous le jure. Depuis le pioupiou jusqu'aux [2] généraux nous allons de l'avant, et jusqu'au bout, quand il s'agit d'une femme, d'une jolie femme. Rappelez-vous ce que Jeanne d'Arc nous a fait faire autrefois. Tenez, je vous parie que, si une femme, une jolie femme, avait pris le commandement de l'armée, la veille de Sedan, quand le maréchal de Mac-Mahon fut blessé [3], nous aurions traversé les lignes prussiennes, sacrebleu ! et bu la goutte dans leurs canons.

Ce n'est pas un Trochu [4] qu'il fallait à Paris, mais une sainte Geneviève.

Je me rappelle justement une petite anecdote de la guerre qui prouve bien que nous sommes capables de tout, devant une femme.

J'étais alors capitaine, simple capitaine, et je commandais un détachement d'éclaireurs qui battait en retraite au milieu d'un pays envahi par les Prussiens. Nous étions cernés, pourchassés, éreintés, abrutis, mourant d'épuisement et de faim.

Or, il nous fallait, avant le lendemain, gagner Bar-sur-Tain [5], sans quoi nous étions flambés, coupés et massacrés. Comment avions-nous échappé jusque-là ? je n'en sais rien. Nous avions donc douze lieues à faire pendant la nuit, douze lieues par la neige et sous la neige, le ventre vide. Moi je pensais : « C'est fini, jamais mes pauvres diables d'hommes n'arriveront. »

Depuis la veille, on n'avait rien mangé. Tout le jour, nous restâmes cachés dans une grange, serrés les uns contre les autres pour avoir moins froid, incapables de parler ou de remuer, dormant par secousses et par saccades, comme on dort quand on est rendu de fatigue.

À cinq heures, il faisait nuit, cette nuit blafarde des neiges. Je secouai mes gens. Beaucoup ne voulaient plus se lever, incapables de remuer ou de se tenir debout, ankylosés par le froid et le reste.

Devant nous, la plaine, une grande vache de plaine toute nue, où il pleuvait de la neige. Ça tombait, ça tombait, comme un rideau, ces flocons blancs qui cachaient tout sous un lourd manteau gelé, épais et mort, un matelas en laine de glace. On aurait dit la fin du monde.

– Allons, en route, les enfants.

Ils regardaient ça, cette poussière blanche qui descendait de là-haut et ils semblaient penser :

– En voilà assez ; autant mourir ici !

Alors je tirai mon revolver :

– Le premier qui flanche, je le brûle.

Et les voilà qui se mettent en marche, tout lentement, comme des gens dont les jambes sont usées.

J'en envoyai quatre, pour nous éclairer, à trois cents mètres en avant ; puis le reste suivit pêle-mêle, en bloc, au hasard des fatigues et de la longueur des pas. Je plaçai les plus solides par-derrière, avec[6] ordre d'accélérer les traînards à coups de baïonnette… dans[7] le dos.

La neige semblait nous ensevelir tout vivants ; elle poudrait les képis et les capotes sans fondre dessus, faisait de nous des fantômes, des espèces de spectres de soldats morts, bien fatigués.

Je me disais : « Jamais nous ne sortirons de là, à moins d'un miracle. »

Parfois on s'arrêtait quelques minutes, à cause de ceux qui ne pouvaient pas suivre. Alors on n'entendait plus que ce glissement vague de la neige, cette rumeur presque insaisissable que font le[8] froissement et l'emmêlement de tous ces flocons qui tombent.

Quelques hommes se secouaient. D'autres ne bougeaient point.

Puis je donnais l'ordre de repartir. Les fusils remontaient sur les épaules, et, d'une allure exténuée, on se remettait en marche.

Soudain les éclaireurs se replièrent. Quelque chose les inquiétait. Ils avaient entendu parler devant nous. J'envoyai six hommes et un sergent. Et j'attendis.

Tout à coup, un cri aigu, un cri de femme, traversa le silence pesant des neiges et au bout de quelques minutes, on m'amena deux prisonniers, un vieillard et une jeune fille.

Je les interrogeai à voix basse. Ils fuyaient devant les Prussiens qui avaient occupé leur maison dans la soirée, et qui étaient saouls. Le [9] père avait eu peur pour sa fille, et sans même prévenir leurs serviteurs, ils s'étaient sauvés tous deux dans la nuit.

Je reconnus tout de suite que c'étaient des bourgeois, même mieux que des bourgeois.

– Vous allez nous accompagner, leur dis-je.

On repartit. Comme le vieux connaissait le pays, il nous guida.

La neige cessa de tomber ; les étoiles parurent, et le froid devint terrible.

La jeune fille, qui tenait le bras de son père, marchait d'un pas saccadé, d'un pas de détresse. Elle murmura plusieurs fois : « Je ne sens plus mes pieds », et, moi, je souffrais plus qu'elle de voir cette pauvre petite femme se traîner ainsi dans la neige.

Tout d'un coup, elle s'arrêta :

– Père, dit-elle, je suis si fatiguée que je n'irai pas plus loin.

Le vieux voulut la porter ; mais il ne pouvait seulement pas la soulever ; et elle s'affaissa par terre en poussant un grand soupir.

On faisait cercle autour d'eux. Quant à moi, je piétinais sur place, ne sachant que faire, et ne pouvant me résoudre vraiment à abandonner ainsi cet homme et cet enfant.

Tout à coup, un de mes soldats, un [10] Parisien, qu'on avait surnommé « Pratique », prononça :

– Allons, les camaraux, faut porter cette demoiselle-là, ou bien nous n'sommes pu Français, nom d'un chien !

Je crois, ma foi, que je jurai de plaisir.

– Nom d'un nom, c'est gentil, ça, les enfants. Et je veux en prendre ma part.

On voyait vaguement, dans l'ombre, sur la gauche, les arbres d'un petit bois. Quelques[11] hommes se détachèrent et revinrent bientôt avec un faisceau de branches liées en litière.

– Qui est-ce qui prête sa capote ? cria Pratique ; c'est pour une belle fille, les frérots.

Et dix capotes vinrent tomber autour du soldat. En une seconde, la jeune fille fut couchée dans ces chauds vêtements, et enlevée sur six épaules. Je m'étais placé en tête, à droite, et content, ma foi, d'avoir ma charge.

On repartit comme si on eût bu un coup de vin, plus gaillardement et plus vivement. J'entendis même des plaisanteries. Il suffit d'une femme, voyez-vous, pour électriser les Français.

Les soldats avaient presque reformé les rangs, ranimés, réchauffés. Un vieux franc-tireur qui suivait la litière, attendant son tour pour remplacer le premier camarade qui flancherait, murmura vers son voisin, assez haut pour que je l'entendisse :

– Je n'suis pu jeune, moi ; eh bien, cré coquin, le sexe, il y a tout de même que ça pour vous flanquer du cœur au ventre !

Jusqu'à trois heures du matin, on avança presque sans repos. Puis, tout à coup, les éclaireurs se replièrent encore, et bientôt tout le détachement, couché dans la neige, ne faisait plus qu'une ombre vague sur le sol.

Je donnai des ordres[12] à voix basse, et j'entendis derrière[13] moi le crépitement sec et métallique des batteries qu'on armait.

Car là-bas, au milieu de la plaine, quelque chose d'étrange remuait. On eût dit une bête énorme qui courait, s'allongeait comme un serpent ou se ramassait en boule, prenait de brusques élans, tantôt à droite, tantôt à gauche, s'arrêtait, puis repartait.

Tout à coup, cette forme errante se rapprocha ; et je vis venir, au grand trot, l'un derrière l'autre, douze uhlans perdus qui cherchaient leur route.

Ils étaient si près, maintenant, que j'entendais parfaitement le souffle rauque des chevaux, le son de ferraille des armes, et le craquement des selles.

Je criai :

– Feu !

Et cinquante coups de fusil crevèrent le silence de la nuit. Quatre ou cinq détonations partirent encore, puis une dernière toute seule ; et, quand l'aveuglement de la poudre enflammée se fut dissipé, on vit que les douze hommes, avec neuf chevaux, étaient tombés. Trois bêtes s'enfuyaient d'un galop furieux, et l'une traînait derrière elle, pendu par le pied à l'étrier et bondissant éperdument, le cadavre de son cavalier.

Un soldat, derrière moi, riait, d'un rire terrible. Un autre dit :

– V'là des veuves !

Il était marié, peut-être. Un troisième ajouta :

– Faut pas grand temps !

Une tête était sortie de la litière :

– Qu'est-ce qu'on fait, dit-elle, on se bat ?

Je répondis :

– Ce n'est rien, mademoiselle ; nous venons d'expédier une douzaine de Prussiens !

Elle murmura :

– Pauvres gens !

Mais comme elle avait froid, elle redisparut sous les capotes.

On repartit. On marcha longtemps. Enfin, le ciel pâlit. La neige devenait claire, lumineuse, luisante ; et une teinte rose s'étendait à l'orient.

Une [14] voix lointaine cria :

– Qui vive ?

Tout le détachement fit halte ; et je m'avançai pour nous faire reconnaître.

Nous arrivions aux lignes françaises.

Comme mes hommes défilaient devant le poste, un commandant à cheval, que je venais de mettre au courant, demanda d'une voix sonore, en voyant passer la litière :

– Qu'est-ce que vous avez là-dedans ?

Aussitôt une petite figure blonde apparut, dépeignée et souriante, qui répondit :

– C'est moi, monsieur.

Un rire s'éleva parmi les hommes, et une joie courut dans leurs cœurs.

Alors Pratique, qui marchait à côté du brancard, agita son képi en vociférant : « Vive la France ! » Et tous, saisis par un enthousiasme, hurlèrent : « Vive la France ! »

Et, je [15] ne sais pas pourquoi, je me sentis tout remué, tant je trouvais ça gentil et galant.

Il me semblait que nous venions de sauver le pays, de faire quelque chose que d'autres hommes n'auraient pas fait, quelque chose de simple et de vraiment patriotique.

Cette petite figure-là, voyez-vous, je ne l'oublierai jamais ; et, si j'avais à donner mon avis sur la suppression des tambours et des [16] clairons, je proposerais de les remplacer dans chaque régiment par une jolie fille. Ça vaudrait encore mieux que de jouer *La Marseillaise* [17]. Nom d'un nom, comme ça donnerait du vif au troupier, d'avoir une madone comme ça, une madone vivante, à côté du colonel.

Il [18] se tut quelques secondes, puis reprit d'un air convaincu, en hochant la tête :

– C'est égal, nous aimons bien les femmes, nous autres Français !

LE LIT 29

Quand le capitaine Épivent passait dans la rue, toutes les femmes se retournaient. Il présentait vraiment le type du bel officier de hussards. Aussi paradait-il toujours et se pavanait-il sans cesse, fier et préoccupé de sa cuisse, de sa taille et de sa moustache. Il les avait superbes, d'ailleurs, la moustache, la taille et la cuisse. La première était blonde, très forte, tombant martialement sur la lèvre en un beau bourrelet couleur de blé mûr, mais fin, soigneusement roulé, et qui descendait ensuite des deux côtés de la bouche en deux puissants jets de poils tout à fait crânes. La taille était mince comme s'il eût porté corset, tandis qu'une vigoureuse poitrine de mâle, bombée et cambrée, s'élargissait au-dessus. Sa cuisse était admirable, une cuisse de gymnaste, de danseur, dont la chair musclée dessinait tous ses mouvements sous le drap collant du pantalon rouge.

Il marchait en tendant le jarret et en écartant les pieds et les bras, de ce pas un peu balancé des cavaliers, qui sied bien pour faire valoir les jambes et le torse, qui semble vainqueur sous l'uniforme, mais commun sous la redingote.

Comme beaucoup d'officiers, le capitaine Épivent portait mal le costume civil. Il n'avait plus l'air, une fois vêtu de drap gris ou noir, que d'un commis de magasin. Mais en tenue il triomphait. Il avait d'ailleurs une jolie tête, le nez mince et courbé, l'œil bleu, le front étroit. Il était chauve, par exemple, sans qu'il eût jamais compris pourquoi ses cheveux étaient tombés. Il se consolait, en constatant qu'avec de grandes moustaches un crâne un peu nu ne va pas mal.

Il méprisait tout le monde en général avec beaucoup de degrés dans son mépris.

D'abord, pour lui, les bourgeois n'existaient point. Il les regardait, ainsi qu'on regarde les animaux, sans leur accorder plus d'attention qu'on n'en accorde aux moineaux ou aux poules. Seuls les officiers comptaient dans le monde, mais il n'avait pas la même estime pour tous les officiers. Il ne respectait, en somme, que les beaux hommes, la vraie, l'unique qualité du militaire devant être la prestance. Un soldat c'était un gaillard, que diable, un grand gaillard créé pour faire la guerre et l'amour, un homme à poigne, à crins et à reins, rien de plus. Il classait les généraux de l'armée française en raison de leur taille, de leur tenue et de l'aspect rébarbatif de leur visage. Bourbaki[1] lui apparaissait comme le plus grand homme de guerre des temps modernes.

Il riait beaucoup des officiers de la ligne qui sont courts et gros et soufflent en marchant, mais il avait surtout une invincible mésestime qui frisait la répugnance pour les pauvres gringalets sortis de l'École polytechnique[2], ces maigres petits hommes à lunettes, ~~gauches et maladroits~~, ~~qui semblent autant faits pour l'uniforme qu'un lapin pour dire la messe, affirmait-il.~~ Il s'indignait qu'on tolérât dans l'armée ces avortons aux jambes grêles qui marchent comme des crabes, qui ne boivent pas, qui mangent peu, et qui semblent mieux aimer les équations que les belles filles.

Le capitaine Épivent avait des succès constants, des triomphes auprès du beau sexe.

Toutes les fois qu'il soupait en compagnie d'une femme, il se considérait comme certain de finir la nuit en tête à tête, sur le même sommier, et si des obstacles insurmontables empêchaient sa victoire le soir même, il était sûr au moins de la « suite à demain ». Les camarades n'aimaient pas lui faire rencontrer leurs maîtresses, et les commerçants en boutiques qui avaient de jolies femmes au comptoir de leur magasin, le connaissaient, le craignaient et le haïssaient éperdument.

Quand il passait, la marchande échangeait, malgré elle, avec lui, un regard, à travers les vitres de la devanture ; un de ces regards qui valent plus que les paroles tendres, qui contiennent un appel et une réponse, un désir et un aveu. Et le mari qu'une sorte d'instinct avertissait, se retournant brusquement, jetait un coup d'œil furieux sur la silhouette fière et cambrée de l'officier. Et quand le capitaine était passé, souriant et content de son effet, le commerçant, bousculant d'une main nerveuse les objets étalés devant lui, déclarait :

– En voilà un grand dindon. Quand est-ce qu'on finira de nourrir tous ces propres à rien qui traînent leur ferblanterie dans les rues. Quant à moi, j'aime mieux un boucher qu'un soldat. S'il a du sang sur son tablier, c'est du sang de bête au moins ; et il est utile à quelque chose, celui-là ; et le couteau qu'il porte n'est pas destiné à tuer des hommes. Je ne comprends pas qu'on tolère sur les promenades que ces meurtriers publics promènent leurs instruments de mort. Il en faut, je le sais bien, mais qu'on les cache au moins, et qu'on ne les habille pas en mascarade avec des culottes rouges et des vestes bleues. On n'habille pas le bourreau en général, n'est-ce pas ?

La femme, sans répondre, haussait imperceptiblement les épaules, tandis que le mari, devinant le geste sans le voir, s'écriait :

– Faut-il être bête pour aller voir parader ces cocos-là.

La réputation de conquérant du capitaine Épivent était d'ailleurs établie dans toute l'armée française.

*

Or, en 1868, son régiment, le 102ᵉ hussards, vint tenir garnison à Rouen.

Il fut bientôt connu dans la ville. Il apparaissait tous les soirs, vers cinq heures, sur le cours Boieldieu, pour prendre l'absinthe au café de la Comédie, mais avant d'entrer dans l'établissement, il avait soin de faire un tour sur la promenade pour montrer sa jambe, sa taille et sa moustache.

Les commerçants rouennais qui se promenaient aussi, les mains derrière le dos, préoccupés des affaires, et parlant de la hausse et de la baisse, lui jetaient cependant un regard et murmuraient :

– Bigre, voilà un bel homme.

Puis, quand ils le connurent :

– Tiens, le capitaine Épivent ! Quel gaillard tout de même !

Les femmes, à sa rencontre, avaient un petit mouvement de tête tout à fait drôle, une sorte de frisson de pudeur comme si elles s'étaient senties faibles ou dévêtues devant lui. Elles baissaient un peu la tête avec une ombre de sourire sur les lèvres, un désir d'être trouvées charmantes et d'avoir un regard de lui. Quand il se promenait avec un camarade, le camarade ne manquait jamais de murmurer avec une jalousie envieuse, chaque fois qu'il revoyait le même manège :

– Ce [3] bougre d'Épivent, a-t-il de la chance.

Parmi les filles entretenues de la ville, c'était une lutte, une course, à qui l'enlèverait. Elles venaient toutes, à cinq heures, l'heure des officiers, sur le cours Boieldieu, et elles traînaient leurs jupes, deux par deux, d'un bout à l'autre du cours, tandis que, deux par deux, lieutenants, capitaines et commandants, traînaient leurs sabres sur le trottoir, avant d'entrer au café.

Or, un soir, la belle Irma, ~~la maîtresse,~~ disait-on, de
M. Templier-Papon [4], ~~le riche manufacturier,~~ fit arrêter
sa voiture en face de la Comédie, et descendant, eut l'air
d'aller acheter du papier ou commander des cartes de
visite chez M. Paulard, le graveur, cela pour passer
devant les tables d'officiers et jeter au capitaine Épivent
un regard qui voulait dire : « Quand vous voudrez » si
clairement que le colonel Prune, qui buvait la verte
liqueur avec son lieutenant-colonel, ne put s'empêcher de
grogner :

– Cré cochon. A-t-il de la chance ce bougre-là ?

Le mot du colonel fut répété ; et le capitaine Épivent
ému de cette approbation supérieure, passa le lendemain,
en grande tenue, et plusieurs fois de suite, sous les
fenêtres de la belle.

Elle le vit, se montra, sourit.

Le soir même il était son amant.

Ils s'affichèrent, se donnèrent en spectacle, se compro-
mirent mutuellement, fiers tous deux d'une pareille
aventure.

Il n'était bruit dans la ville que des amours de la belle
Irma avec l'officier. Seul, M. Templier-Papon les
ignorait.

Le capitaine Épivent rayonnait de gloire ; et, à tout
instant il répétait :

– Irma vient de me dire – Irma me disait cette nuit
– hier, en dînant avec Irma…

Pendant plus d'un an il promena, étala, déploya dans
Rouen cet amour, comme un drapeau pris à l'ennemi. Il
se sentait grandi par cette conquête, envié, plus sûr de
l'avenir, plus sûr de la croix tant désirée, car tout le
monde avait les yeux sur lui, et il suffit de se trouver bien
en vue pour n'être pas oublié.

*

Mais voilà que la guerre éclata et que le régiment du capitaine fut envoyé à la frontière un des premiers. Les adieux furent lamentables. Ils durèrent toute une nuit.

Sabre, culotte rouge, képi, dolman chavirés du dos d'une chaise, par terre ; les robes, les jupes, les bas de soie répandus, tombés aussi, mêlés à l'uniforme, en détresse sur le tapis, la chambre bouleversée comme après une bataille, Irma, folle, les cheveux dénoués, jetait ses bras désespérés autour du cou de l'officier, l'étreignant, puis, le lâchant, se roulait sur le sol, renversait les meubles, arrachait les franges des fauteuils, mordait leurs pieds, tandis que le capitaine, fort ému, mais inhabile aux consolations, répétait :

– Irma, ma petite Irma, pas à dire, il le faut.

Et il essuyait parfois, du bout du doigt, une larme éclose au coin de l'œil.

Ils se séparèrent au jour levant. Elle suivit en voiture son amant jusqu'à la première étape. Et elle l'embrassa presque en face du régiment à l'instant de la séparation. On trouva même ça très gentil, très digne, très bien, et les camarades serrèrent la main du capitaine en lui disant :

– Cré veinard, elle avait du cœur tout de même, cette petite.

On voyait vraiment là-dedans quelque chose de patriotique.

*

Le régiment fut fort éprouvé pendant la campagne. Le capitaine se conduisit héroïquement et reçut enfin la croix, puis, la guerre terminée, il revint à Rouen en garnison.

Aussitôt de retour, il demanda des nouvelles d'Irma, mais personne ne put lui en donner de précises.

D'après les uns, elle avait fait la noce avec l'état-major prussien.

D'après les autres, elle s'était retirée chez ses parents, cultivateurs aux environs d'Yvetot.

Il envoya même son ordonnance à la mairie pour consulter le registre des décès. Le nom de sa maîtresse ne s'y trouva pas.

Et il eut un grand chagrin dont il faisait parade. Il mettait même au compte de l'ennemi son malheur, attribuait aux Prussiens qui avaient occupé Rouen la disparition de la jeune femme, et déclarait :

– À la prochaine guerre, ils me le payeront, les gredins.

Or, un matin, comme il entrait au mess à l'heure du déjeuner, un commissionnaire, vieil homme [5] en blouse, coiffé d'une casquette cirée, lui remit une enveloppe. Il l'ouvrit et lut :

« Mon chéri,
« Je suis à l'hôpital, bien malade, bien malade. Ne reviendras-tu pas me voir ? Ça me ferait tant plaisir !

« IRMA. »

Le capitaine devint pâle, et, remué de pitié, il déclara :
– Nom de nom, la pauvre fille. J'y vais aussitôt le déjeuner.

Et pendant tout le temps il [6] raconta à la table des officiers qu'Irma était à l'hôpital ; mais qu'il l'en ferait sortir, cré mâtin. C'était encore la faute de ces sacré nom de Prussiens. Elle avait dû se trouver seule, sans le sou, crevant de misère, car on avait certainement pillé son mobilier.

– Ah ! les salopiauds !

Tout le monde était ému en l'écoutant.

À peine eut-il glissé sa serviette roulée dans son rond de bois, qu'il se leva ; et, ayant cueilli son sabre au portemanteau, bombant sa poitrine pour se faire mince, il agrafa son ceinturon, puis partit d'un pas accéléré pour se rendre à l'hôpital civil.

Mais l'entrée du bâtiment hospitalier où il s'attendait à pénétrer immédiatement, lui fut sévèrement refusée et il dut même aller trouver son colonel à qui il expliqua son cas et dont il obtint un mot pour le directeur.

Celui-ci, après avoir fait poser quelque temps le beau capitaine dans son antichambre, lui délivra enfin une autorisation, avec un salut froid et désapprobateur.

Dès la porte il se sentit gêné dans cet asile de la misère, de la souffrance et de la mort. Un garçon de service le guida.

Il allait sur la pointe des pieds, pour ne pas faire de bruit, dans les longs corridors où flottait une odeur fade de moisi, de maladie et de médicaments. Un murmure de voix, par moments, troublait seul le grand silence de l'hôpital.

Parfois, par une porte ouverte, le capitaine apercevait un dortoir, une file de lits dont les draps étaient soulevés par la forme des corps. Des convalescentes assises sur des chaises au pied de leurs couches, cousaient, vêtues d'une robe d'uniforme en toile grise, et coiffées d'un bonnet blanc.

Son guide soudain s'arrêta devant une de ces galeries pleines de malades. Sur la porte on lisait, en grosses lettres : « Syphilitiques ». Le capitaine tressaillit ; puis il se sentit rougir. Une infirmière préparait un médicament sur une petite table de bois à l'entrée.

– Je vais vous conduire, dit-elle, c'est au lit 29.

Et elle se mit à marcher devant l'officier.

Puis elle indiqua une couchette :

– C'est là.

On ne voyait rien qu'un renflement des couvertures. La tête elle-même était cachée sous le drap.

Partout des figures se dressaient au-dessus des couches, des figures pâles, étonnées, qui regardaient l'uniforme, des figures de femmes, de jeunes femmes et de vieilles femmes, mais qui semblaient toutes laides, vulgaires, sous l'humble caraco réglementaire.

Le capitaine tout à fait troublé, qui soutenait son sabre d'une main et portait son képi de l'autre, murmura :

– Irma.

Un grand mouvement se fit dans le lit et le visage de sa maîtresse apparut, mais si changé, si fatigué, si maigre, qu'il ne le reconnaissait pas.

Elle haletait, suffoquée par l'émotion, et elle prononça :

– Albert !... Albert !... C'est toi !... Oh !... c'est bien... c'est bien...

Et des larmes coulèrent de ses yeux.

L'infirmière apportait une chaise :

– Asseyez-vous, monsieur.

Il s'assit, et il regardait la face pâle, si misérable de cette fille qu'il avait quittée si belle et si fraîche.

Il dit :

– Qu'est-ce que tu as eu.

Elle répondit, tout en pleurant :

– Tu as bien vu, c'est écrit sur la porte.

Et elle cacha ses yeux sous le bord de ses draps.

Il reprit, éperdu, honteux :

– Comment as-tu attrapé ça, ma pauvre fille ?

Elle murmura :

– C'est ces salops [7] de Prussiens. Ils m'ont prise presque de force et ils m'ont empoisonnée.

Il ne trouvait plus rien à ajouter. Il la regardait et tournait son képi sur ses genoux.

Les autres malades le dévisageaient et il croyait sentir une odeur de pourriture, une odeur de chair gâtée et d'infamie dans ce dortoir plein de filles atteintes du mal ignoble et terrible.

Elle murmurait :

– Je[8] ne crois pas que j'en réchappe. Le médecin dit que c'est bien grave.

Puis apercevant la croix sur la poitrine de l'officier, elle s'écria :

– Oh ! tu es décoré, que je suis contente ! Que je suis contente ! Oh ! si je pouvais t'embrasser ?

Un frisson de peur et de dégoût courut sur la peau du capitaine, à la pensée de ce baiser.

Il avait envie de s'en aller maintenant, d'être à l'air, de ne plus voir cette femme. Il restait cependant, ne sachant comment faire pour se lever, pour lui dire adieu. Il balbutia :

– Tu ne t'es donc pas soignée.

Une flamme passa dans les yeux d'Irma : « Non, j'ai voulu me venger, quand j'aurais dû en crever ! Et je les ai empoisonnés aussi, tous, tous, le plus que j'ai pu. Tant qu'ils ont été à Rouen je ne me suis pas soignée. »

Il déclara, d'un ton gêné, où perçait un peu de gaieté :

– Quant à ça, tu as bien fait.

Elle dit, s'animant, les pommettes rouges :

– Oh oui, il en mourra plus d'un par ma faute, va. Je te réponds que je me suis vengée.

Il prononça encore :

– Tant mieux.

Puis, se levant :

– Allons, je vais te quitter parce qu'il faut que je sois chez le colonel à quatre heures.

Elle eut une grosse émotion :

– Déjà ! tu me quittes déjà ! Oh ! tu viens à peine d'arriver !...

Mais il voulait partir à tout prix. Il prononça :

– Tu vois bien que je suis venu tout de suite ; mais il faut absolument que je sois chez le colonel à quatre heures.

Elle demanda :

– C'est toujours le colonel Prune ?

– C'est toujours lui. Il a été blessé deux fois.

Elle reprit :

– Et tes camarades, y en a-t-il eu de tués ?

– Oui. Saint-Timon, Savagnat, Poli, Sapreval, Robert, de Courson, Pasafil, Santal, Caravan et Poivrin sont morts. Sahel a eu le bras emporté et Courvoisin une jambe écrasée, Paquet a perdu l'œil droit.

Elle écoutait, pleine d'intérêt. Puis tout à coup elle balbutia :

– Veux-tu m'embrasser, dis, avant de me quitter, madame Langlois n'est pas là.

Et malgré le dégoût qui lui montait aux lèvres, il les posa sur ce front blême, tandis qu'elle, l'entourant de ses bras, jetait des baisers affolés sur le drap bleu de son dolman.

Elle reprit :

– Tu reviendras, dis, tu reviendras. Promets-moi que tu reviendras.

– Oui, je te le promets.

– Quand ça. Peux-tu jeudi ?

– Oui, jeudi.

– Jeudi, deux heures.

– Oui, jeudi deux heures.

– Tu me le promets ?

– Je te le promets.

– Adieu, mon chéri.

– Adieu.

Et il s'en alla, confus, sous les regards du dortoir, pliant sa haute taille pour se faire petit ; et quand il fut dans la rue, il respira.

*

Le soir, ses camarades lui demandèrent :

– Eh bien ! Irma ?

Il répondit d'un ton gêné :

– Elle a eu une fluxion de poitrine, elle est bien mal.

Mais un petit lieutenant, flairant quelque chose à son air, alla aux informations et, le lendemain, quand le capitaine entra au mess, il fut accueilli par une décharge de rires et de plaisanteries. On se vengeait, enfin.

On apprit, en outre, qu'Irma avait fait une noce enragée avec l'état-major prussien, qu'elle avait parcouru le pays à cheval avec un colonel de hussards bleus et avec bien d'autres encore, et que, dans Rouen, on ne l'appelait plus que la « femme aux Prussiens ».

Pendant huit jours le capitaine fut la victime du régiment. Il recevait, par la poste, des notes révélatrices, des ordonnances, des indications de médecins spécialistes, même des médicaments dont la nature était inscrite sur le paquet.

Et le colonel, mis au courant, déclara d'un ton sévère :

– Eh bien, le capitaine avait là une jolie connaissance. Je lui en ferai mes compliments.

Au bout d'une douzaine de jours, il fut appelé par une nouvelle lettre d'Irma. Il la déchira avec rage, et ne répondit pas.

Huit jours plus tard, elle lui écrivit de nouveau qu'elle était tout à fait mal, et qu'elle voulait lui dire adieu.

Il ne répondit pas.

Après quelques jours encore, il reçut la visite de l'aumônier de l'hôpital.

La fille Irma Pavolin, à son lit de mort, le suppliait de venir.

Il n'osa pas refuser de suivre l'aumônier, mais il entra dans l'hôpital le cœur gonflé de rancune méchante, de vanité blessée, d'orgueil humilié.

Il ne la trouva guère changée et pensa qu'elle s'était moquée de lui.

– Qu'est-ce que tu me veux ? dit-il.

– J'ai voulu te dire adieu. Il paraît que je suis tout à fait bas.

Il ne la crut pas.

– Écoute, tu me rends la risée du régiment, et je ne veux pas que ça continue.

Elle demanda :

– Qu'est-ce que je t'ai fait, moi ?

Il s'irrita de n'avoir rien à répondre.

– Ne compte pas que je reviendrai ici pour faire me moquer[9] de moi par tout le monde !

Elle le regarda de ses yeux éteints où s'allumait une colère, et elle répéta :

– Qu'est-ce que je t'ai fait, moi ? Je n'ai pas été gentille avec toi, peut-être ? Est-ce que je t'ai quelquefois demandé quelque chose ? Sans toi, je serais restée avec M. Templier-Papon et je ne me trouverais pas ici aujourd'hui. Non, vois-tu, si quelqu'un a des reproches à me faire, ça n'est pas toi.

Il reprit, d'un ton vibrant :

– Je ne te fais pas de reproches, mais je ne peux pas continuer à venir te voir, parce que ta conduite avec les Prussiens a été la honte de toute la ville[10].

Elle s'assit, d'une secousse, dans son lit :

– Ma conduite avec les Prussiens ? Mais quand je te dis qu'ils m'ont prise, et quand je te dis que, si je ne me suis pas soignée, c'est parce que j'ai voulu les empoisonner. Si j'avais voulu me guérir, ça n'était pas difficile, parbleu ! mais je voulais les tuer, moi, et j'en ai tué, va !

Il restait debout :

– Dans tous les cas, c'est honteux, dit-il.

Elle eut une sorte d'étouffement, puis reprit :

– Qu'est-ce qui est honteux, de m'être fait mourir pour les exterminer, dis ? Tu ne parlais pas comme ça quand tu venais chez moi, rue Jeanne-d'Arc ? Ah ! c'est honteux ! Tu n'en aurais pas fait autant, toi, avec ta croix d'honneur ! Je l'ai plus méritée que toi, vois-tu, plus que toi, et j'en ai tué plus que toi, des Prussiens !...

Il demeurait stupéfait devant elle, frémissant d'indignation.

– Ah ! tais-toi... tu sais... tais-toi... parce que... ces choses-là... je ne permets pas... qu'on y touche...

Mais elle ne l'écoutait guère :

– Avec ça que vous leur avez fait bien du mal aux Prussiens ! Ça serait-il arrivé si vous les aviez empêchés de venir à Rouen ? Dis ? C'est vous qui deviez les arrêter, entends-tu [11]. Et je leur ai fait plus de mal que toi, moi, oui, plus de mal, puisque je vais mourir, tandis que tu te ballades, toi, et que tu fais le beau pour enjôler les femmes...

Sur chaque lit une tête s'était dressée et tous les yeux regardaient cet homme en uniforme qui bégayait :

– Tais-toi... tu sais... tais-toi...

Mais elle ne se taisait pas. Elle criait :

– Ah ! oui, tu es un joli poseur. Je te connais, va. Je te connais. Je te dis que je leur ai fait plus de mal que toi, moi, et que j'en ai tué plus que tout ton régiment réuni... va donc... capon !

Il s'en allait, en effet, il fuyait, allongeant ses grandes jambes, passant entre les deux rangs de lits où s'agitaient les syphilitiques. Et il entendait la voix haletante, sifflante, d'Irma, qui le poursuivait :

– Plus que toi, oui, j'en ai tué plus que toi, plus que toi...

Il dégringola l'escalier quatre à quatre, et courut s'enfermer chez lui.

Le lendemain, il apprit qu'elle était morte.

LES PRISONNIERS

Aucun bruit dans la forêt que le frémissement léger de la neige tombant sur les arbres. Elle tombait depuis midi, une petite neige fine qui poudrait les branches d'une mousse glacée, qui jetait sur les feuilles mortes des fourrés un léger toit d'argent, étendait par les chemins un immense tapis moelleux et blanc, et qui épaississait le silence illimité de cet océan d'arbres.

Devant la porte de la maison forestière, une jeune femme, les bras nus, cassait du bois à coups de hache sur une pierre. Elle était grande, mince et forte, une fille des forêts, fille et femme de forestiers.

Une voix cria de l'intérieur de la maison :

– Nous sommes seules, ce soir, Berthine, faut rentrer, v'là la nuit, y a p't-être bien des Prussiens et des loups qui rôdent.

La bûcheronne répondit en fendant une souche à grands coups qui redressaient sa poitrine à chaque mouvement pour lever les bras.

– J'ai fini, m'man. Me v'là, me v'là, y a pas de crainte ; il fait [1] encore jour.

Puis elle rapporta ses fagots et ses bûches et les entassa le long de la cheminée, ressortit pour fermer les auvents, d'énormes auvents en cœur de chêne, et, rentrée enfin, elle poussa les lourds verrous de la porte.

Sa mère filait auprès du feu, une vieille ridée que l'âge avait rendue craintive :

– J'aime pas, dit-elle, quand le père est dehors. Deux femmes ça n'est pas fort.

La jeune répondit :

– Oh ! je tuerais ben un loup ou un Prussien tout de même.

Et elle montrait de l'œil un gros revolver suspendu au-dessus de l'âtre.

Son homme avait été incorporé dans l'armée au commencement de l'invasion prussienne, et les deux femmes étaient demeurées seules avec le père, le vieux garde Nicolas Pichon, dit l'Échasse, qui avait refusé obstinément de quitter sa demeure pour rentrer à la ville.

La ville prochaine, c'était Rethel, ancienne place forte perchée sur un rocher. On y était patriote, et les bourgeois avaient décidé de résister aux envahisseurs, de s'enfermer chez eux et de soutenir un siège selon la tradition de la cité. Deux fois déjà, sous Henri IV et sous Louis XIV [2], les habitants de Rethel s'étaient illustrés par des défenses héroïques. Ils en feraient autant cette fois, ventrebleu ! ou bien on les brûlerait dans leurs murs.

Donc, ils avaient acheté des canons et des fusils, équipé une milice, formé des bataillons et des compagnies, et ils s'exerçaient tout le jour sur la place d'Armes. Tous, boulangers, épiciers, bouchers, notaires, avoués, menuisiers, libraires, pharmaciens eux-mêmes, manœuvraient à tour de rôle, à des heures régulières, sous les ordres de M. Lavigne, ancien sous-officier de dragons, aujourd'hui mercier, ayant épousé la fille et hérité de la boutique de M. Ravaudan, l'aîné.

Il avait pris le grade de commandant-major de la place, et tous les jeunes hommes étant partis à l'armée, il avait enrégimenté tous les autres qui s'entraînaient pour la résistance. Les gros n'allaient plus par les rues qu'au pas gymnastique pour fondre leur graisse et prolonger leur haleine, les faibles portaient des fardeaux pour fortifier leurs muscles.

Et on attendait les Prussiens. Mais les Prussiens ne paraissaient pas. Ils n'étaient pas loin, cependant ; car deux fois déjà leurs éclaireurs avaient poussé à travers bois jusqu'à la maison forestière de Nicolas Pichon, dit l'Échasse.

Le vieux garde, qui courait comme un renard, était venu prévenir la ville. On avait pointé les canons, mais l'ennemi ne s'était point montré.

Le logis de l'Échasse servait de poste avancé dans la forêt d'Aveline[3]. L'homme, deux fois par semaine, allait aux provisions et apportait aux bourgeois citadins des nouvelles de la campagne.

*

Il était parti ce jour-là pour annoncer qu'un petit détachement d'infanterie allemande s'était arrêté chez lui l'avant-veille, vers deux heures de l'après-midi, puis était reparti presque aussitôt. Le sous-officier qui commandait parlait français.

Quand il s'en allait ainsi, le vieux, il emmenait ses deux chiens, deux molosses à gueule de lion, par crainte des loups qui commençaient à devenir féroces, et il laissait ses deux femmes en leur recommandant de se barricader dans la maison dès que la nuit approcherait.

La jeune n'avait peur de rien, mais la vieille tremblait toujours et répétait :

– Ça finira mal, tout ça, vous verrez que ça finira mal.

Ce soir-là, elle était encore plus inquiète que de coutume :

– Sais-tu à quelle heure rentrera le père ? dit-elle.

– Oh ! pas avant onze heures, pour sûr. Quand il dîne chez le commandant, il rentre toujours tard.

Et elle accrochait sa marmite sur le feu pour faire la soupe, quand elle cessa de remuer, écoutant un bruit vague qui lui était parvenu par le tuyau de la cheminée.

Elle murmura :

– V'là qu'on marche [4] dans le bois, y a ben sept-huit hommes, au moins.

La mère, effarée, arrêta son rouet en balbutiant :

– Oh ! mon Dieu ! et le père qu'est pas là !

Elle n'avait point fini de parler que des coups violents firent trembler la porte.

Comme les femmes ne répondaient point, une voix forte et gutturale cria :

– Oufrez !

Puis, après un silence, la même voix reprit :

– Oufrez ou che gasse la borte !

Alors Berthine glissa dans la poche de sa jupe le gros revolver de la cheminée, puis, étant venue coller son oreille contre l'huis, elle demanda :

– Qui êtes-vous ?

La voix répondit :

– Che suis le tétachement de l'autre chour.

La jeune femme reprit :

– Qu'est-ce que vous voulez ?

– Che suis berdu tepuis ce matin, tans le pois, avec mon tétachement. Oufrez ou che gasse la borte.

La forestière n'avait pas le choix ; elle fit glisser vivement les gros verrous [5], puis tirant le lourd battant, elle aperçut dans l'ombre pâle des neiges, six hommes, six soldats prussiens, les mêmes qui étaient venus la veille. Elle prononça d'un ton résolu :

– Qu'est-ce que vous venez faire à cette heure-ci ?

Le sous-officier répéta :

– Che suis berdu, tout à fait berdu, ché regonnu la maison. Che n'ai rien manché tepuis ce matin, mon tétachement non blus.

Berthine déclara :

– C'est que je suis toute seule avec maman, ce soir.

Le soldat, qui paraissait un brave homme, répondit :

– Ça ne fait rien. Che ne ferai bas de mal, mais fous nous ferez à mancher. Nous dombons te faim et te fatigue.

La forestière se recula :

– Entrez, dit-elle.

Ils entrèrent, poudrés de neige, portant sur leurs casques une sorte de crème mousseuse qui les faisait ressembler à des meringues, et ils paraissaient las, exténués.

La jeune femme montra les bancs de bois des deux côtés de la grande table.

– Asseyez-vous, dit-elle, je vais vous faire de la soupe. C'est vrai que vous avez l'air rendus.

Puis elle referma les verrous de la porte.

Elle remit de l'eau dans sa marmite, y jeta de nouveau du beurre et des pommes de terre, puis décrochant un morceau de lard pendu dans la cheminée, elle en coupa la moitié qu'elle plongea dans le bouillon[6].

Les six hommes suivaient de l'œil tous ses mouvements avec une faim éveillée dans leurs yeux. Ils avaient posé leurs fusils et leurs casques dans un coin, et ils attendaient, sages comme des enfants sur les bancs d'une école.

La mère s'était remise à filer en jetant à tout moment des regards éperdus sur les soldats envahisseurs. On n'entendait rien autre chose que le ronflement léger du rouet et le crépitement du feu, et le murmure[7] de l'eau qui s'échauffait.

Mais soudain un bruit étrange les fit tous tressaillir, quelque chose comme un souffle rauque poussé sous la porte, un souffle de bête, fort et ronflant.

Le sous-officier allemand avait fait un bond vers les fusils. La forestière l'arrêta d'un geste, et, souriante :

– C'est les loups, dit-elle. Ils sont comme vous, ils rôdent et ils ont faim.

L'homme incrédule voulut voir, et sitôt que le battant fut ouvert, il aperçut deux grandes bêtes grises qui s'enfuyaient d'un trot rapide et allongé.

Il revint s'asseoir en murmurant :

– Ché n'aurais pas gru.

Et il attendit que sa pâtée fût prête.

Ils la mangèrent voracement, avec des bouches fendues jusqu'aux oreilles pour en avaler davantage, des yeux ronds s'ouvrant en même temps que les mâchoires, et des bruits de gorge pareils à des glouglous de gouttières.

Les deux femmes, muettes, regardaient les rapides mouvements des grandes barbes rouges ; et les pommes de terre avaient l'air de s'enfoncer dans ces toisons mouvantes.

Mais comme ils avaient soif, la forestière descendit à la cave leur tirer du cidre. Elle y resta longtemps ; c'était un petit caveau voûté qui, pendant la révolution, avait servi de prison et de cachette, disait-on. On y parvenait au moyen d'un étroit escalier tournant fermé par une trappe au fond de la cuisine.

Quand Berthine reparut, elle riait, elle riait toute seule, d'un air sournois. Et elle donna aux Allemands sa cruche de boisson.

Puis elle soupa aussi, avec sa mère, à l'autre bout de la cuisine.

Les soldats avaient fini de manger, et ils s'endormaient tous les six, autour de la table. De temps en temps un front tombait sur la planche avec un bruit sourd, puis[8] l'homme, réveillé brusquement, se redressait.

Berthine dit au sous-officier :

– Couchez-vous devant le feu, pardi, y a bien d'la place pour six. Moi je grimpe à ma chambre avec maman.

Et les deux femmes montèrent au premier étage. On les entendit fermer leur porte à clef, marcher quelque temps ; puis elles ne firent plus aucun bruit.

Les Prussiens s'étendirent sur le pavé, les pieds au feu, la tête supportée par leurs manteaux roulés, et ils ronflèrent bientôt tous les six sur six tons divers, aigus ou sonores, mais continus et formidables.

*

Ils dormaient certes depuis longtemps déjà quand un coup de feu retentit, si fort, qu'on l'aurait cru tiré contre les murs de la maison. Les soldats se dressèrent aussitôt. Mais deux nouvelles détonations éclatèrent, suivies de trois autres encore.

La porte du premier s'ouvrit brusquement, et la forestière parut, nu-pieds, en chemise, en jupon court, une chandelle à la main, l'air affolé. Elle balbutia :

– V'là les Français, ils sont au moins deux cents. S'ils vous trouvent ici, ils vont brûler la maison. Descendez dans la cave bien vite, et faites pas de bruit. Si vous faites du bruit, nous sommes perdus.

Le sous-officier, effaré, murmura :

– Che feux pien, che feux pien. Par où faut-il tescendre ?

La jeune femme souleva avec précipitation la trappe étroite et carrée, et les six hommes disparurent par le petit escalier tournant, s'enfonçant dans le sol l'un après l'autre, à reculons, pour bien tâter les marches du pied.

Mais quand la pointe du dernier casque eut disparu, Berthine rabattant la lourde planche de chêne, épaisse comme un mur, dure comme de l'acier, maintenue par des charnières et une serrure de cachot, donna deux longs tours de clef, puis elle se mit à [9] rire, d'un rire muet et ravi, avec une envie folle de danser sur la tête de ses prisonniers.

Ils ne faisaient aucun bruit, enfermés là-dedans comme dans une boîte solide, une boîte de pierre, ne recevant que l'air d'un soupirail garni de barres de fer.

Berthine aussitôt ralluma son feu, remit dessus sa marmite, et refit de la soupe en murmurant :

– Le père s'ra fatigué cette nuit.

Puis elle s'assit et attendit. Seul, le balancier sonore de l'horloge promenait dans le silence son tic-tac régulier.

De temps en temps la jeune femme jetait un regard sur le cadran, un regard impatient qui semblait dire :

– Ça ne va pas vite.

Mais bientôt il lui sembla qu'on murmurait sous ses pieds. Des paroles basses, confuses lui parvenaient à travers la voûte maçonnée de la cave. Les Prussiens commençaient à deviner sa ruse, et bientôt le sous-officier remonta le petit escalier et vint heurter du poing la trappe. Il cria de nouveau :

– Oufrez.

Elle se leva, s'approcha et, imitant son accent :

– Qu'est-ce que fous foulez ?

– Oufrez.

– Che n'oufre bas.

L'homme se fâchait.

– Oufrez ou che gasse la borte.

Elle se mit à rire :

– Casse, mon bonhomme, casse, mon bonhomme.

Et il commença à frapper avec la crosse de son fusil contre la trappe de chêne, fermée sur sa tête. Mais elle aurait résisté à des coups de catapulte.

La forestière l'entendit redescendre. Puis les soldats vinrent, l'un après l'autre, essayer leur force, et inspecter la fermeture. Mais, jugeant sans doute leurs tentatives inutiles, ils redescendirent tous dans la cave et recommencèrent à parler entre eux.

La jeune femme les écoutait, puis elle alla ouvrir la porte du dehors et elle tendit l'oreille dans la nuit.

Un aboiement lointain lui parvint. Elle se mit à siffler comme aurait fait un chasseur, et, presque aussitôt, deux énormes chiens surgirent dans l'ombre et [10] bondirent sur

elle en gambadant. Elle les saisit par le cou et les main-
tint pour les empêcher de courir. Puis elle cria de toute
sa force :

– Ohé père ?

Une voix répondit, très éloignée encore :

– Ohé Berthine.

Elle attendit quelques secondes, puis reprit :

– Ohé père.

La voix plus proche répéta :

– Ohé Berthine.

La forestière reprit :

– Passe pas devant le soupirail. Y a des Prussiens dans
la cave.

Et brusquement la grande silhouette de l'homme se
dessina sur la gauche, arrêtée entre deux troncs d'arbres.
Il demanda, inquiet :

– Des Prussiens dans la cave. Qué qui font ?

La jeune femme se mit à rire :

– C'est ceux d'hier. Ils s'étaient perdus dans la forêt,
je les ai mis au frais dans la cave.

Et elle conta l'aventure, comment elle les avait effrayés
avec des coups de revolver et enfermés dans le caveau.

Le vieux toujours grave demanda :

– Qué que tu veux que j'en fassions à c't'heure ?

Elle répondit :

– Va quérir M. Lavigne avec sa troupe. Il les fera prisonniers. C'est lui qui sera content.

Et le père Pichon sourit :

– C'est vrai qu'i sera content.

Sa fille reprit :

– T'as d'la soupe, mange-la vite et pi repars.

Le vieux garde s'attabla, et se mit à manger la soupe
après avoir posé par terre deux assiettes pleines pour ses
chiens.

Les Prussiens, entendant parler, s'étaient tus.

L'Échasse repartit un quart d'heure plus tard. Et Berthine, la tête dans ses mains, attendit.

*

Les [11] prisonniers recommençaient à s'agiter. Ils criaient maintenant, appelaient, battaient sans cesse de coups de crosse furieux la trappe inébranlable du caveau.

Puis ils se mirent à tirer des coups de fusil par le soupirail, espérant sans doute être entendus si quelque détachement allemand passait dans les environs.

La forestière ne remuait plus ; mais tout ce bruit l'énervait, l'irritait. Une colère méchante s'éveillait en elle ; elle eût voulu les assassiner, les gueux, pour les faire taire.

Puis, son impatience grandissant, elle se mit à regarder l'horloge, à compter les minutes.

Le père était parti depuis une heure et demie. Il avait atteint la ville maintenant. Elle croyait le voir. Il racontait la chose à M. Lavigne, qui pâlissait d'émotion et sonnait sa bonne pour avoir son uniforme et ses armes. Elle entendait, lui semblait-il, le tambour courant par les rues. Les têtes effarées apparaissaient aux fenêtres. Les soldats-citoyens sortaient de leurs maisons, à peine vêtus, essoufflés, bouclant leurs ceinturons, et partaient, au pas gymnastique, vers la maison du commandant.

Puis la troupe, l'Échasse en tête, se mettait en marche, dans la nuit, dans la neige, vers la forêt.

Elle regardait l'horloge. « Ils peuvent être ici dans une heure. »

Une impatience nerveuse l'envahissait. Les minutes lui paraissaient interminables. Comme c'était long !

Enfin, le temps qu'elle avait fixé pour leur arrivée fut marqué par l'aiguille.

Et elle ouvrit de nouveau la porte, pour les écouter venir. Elle aperçut une ombre marchant avec précaution. Elle eut peur, poussa un cri. C'était son père.

Il dit :

– Ils m'envoient pour voir s'il n'y a rien de changé.

– Non, rien.

Alors, il lança à son tour, dans la nuit, un coup de sifflet strident et prolongé. Et, bientôt, on vit une chose brune qui s'en venait, sous les arbres, lentement : l'avant-garde composée de dix hommes.

L'Échasse répétait à tout instant :

– Passez pas devant le soupirail.

Et les premiers arrivés montraient aux nouveaux venus le soupirail redouté.

Enfin le gros de la troupe se montra, en tout deux cents hommes, portant chacun deux cents cartouches.

M. Lavigne, agité, frémissant, les disposa de façon à cerner de partout la maison en laissant un large espace libre devant le petit trou noir, au ras du sol, par où la cave prenait de l'air.

Puis il entra dans l'habitation et s'informa de la force et de l'attitude de l'ennemi, devenu tellement muet qu'on aurait pu le croire disparu, évanoui, envolé par le soupirail.

M. Lavigne frappa du pied la trappe et appela :

– Monsieur l'officier prussien ?

L'Allemand ne répondit pas.

Le commandant reprit :

– Monsieur l'officier prussien ?

Ce fut en vain. Pendant vingt minutes il somma cet [12] officier silencieux de se rendre avec armes et bagages, en lui promettant la vie sauve et les honneurs militaires pour lui et ses soldats. Mais il n'obtint aucun signe de consentement ou d'hostilité. La situation devenait difficile.

Les soldats-citoyens battaient la semelle dans la neige, se frappaient les épaules à grands coups de bras, comme font les cochers pour s'échauffer, et ils regardaient le soupirail avec une envie grandissante et puérile de passer devant.

Un d'eux, enfin, se hasarda, un nommé Potdevin qui était très souple. Il prit son élan et passa en courant comme un cerf. La tentative réussit. Les prisonniers semblaient morts.

Une voix cria :

– Y a personne.

Et un autre soldat traversa l'espace libre devant le trou dangereux. Alors ce fut un jeu. De minute en minute, un homme se lançant, passait d'une troupe dans l'autre comme font les enfants en jouant aux barres, et il lançait derrière lui des éclaboussures de neige tant il agitait vivement les pieds. On avait allumé, pour se chauffer, de grands feux de bois mort, et ce profil courant du garde national apparaissait illuminé dans un rapide voyage du camp de gauche.

Quelqu'un cria :

– À toi, Maloison.

Maloison était un gros boulanger dont le ventre donnait à rire aux camarades.

Il hésitait. On le blagua. Alors, prenant son parti il se mit en route, d'un petit pas gymnastique régulier et essoufflé, qui secouait sa forte bedaine.

Tout le détachement riait aux larmes. On criait pour l'encourager :

– Bravo, bravo Maloison !

Il arrivait environ aux deux tiers de son trajet quand une flamme longue, rapide et rouge jaillit du soupirail. Une détonation retentit, et le vaste boulanger s'abattit sur le nez avec un cri épouvantable.

*

Personne [13] ne s'élança pour le secourir. Alors on le vit se traîner à quatre pattes dans la neige en gémissant, et, quand il fut sorti du terrible passage, il s'évanouit.

Il avait une balle dans le gras de la cuisse, tout en haut.

Après la première surprise et la première épouvante, un nouveau rire s'éleva [14].

Mais le commandant Lavigne apparut sur le seuil de la maison forestière. Il venait d'arrêter son plan d'attaque. Il commanda d'une voix vibrante :

– Le zingueur Planchut et ses ouvriers.

Trois hommes s'approchèrent.

– Descellez les gouttières de la maison.

Et en un [15] quart d'heure on eut apporté au commandant vingt mètres de gouttières.

Alors il fit pratiquer, avec mille précautions de prudence, un petit trou rond dans le bord de la trappe, et, organisant un conduit d'eau de la pompe à cette ouverture, il déclara d'un air enchanté :

– Nous allons offrir à boire à messieurs les Allemands.

Un hurrah frénétique d'admiration éclata suivi de hurlements de joie et de rires éperdus. Et le commandant organisa des pelotons de travail qui se relayeraient de cinq minutes en cinq minutes. Puis il commanda :

– Pompez.

Et le volant de fer ayant été mis en branle, un petit bruit glissa le [16] long des tuyaux et tomba bientôt dans la cave, de marche en marche, avec un murmure de cascade, un murmure de rocher à poissons rouges.

On attendit.

Une heure s'écoula, puis deux, puis trois.

Le commandant fiévreux se promenait dans la cuisine, collant son oreille à terre de temps en temps, cherchant à deviner ce que faisait l'ennemi, se demandant s'il allait bientôt capituler.

Il s'agitait maintenant, l'ennemi. On l'entendait remuer les barriques, parler, clapoter.

Puis, vers huit heures du matin, une voix sortit du soupirail :

– Ché foulé parlé à m'onsieur l'officier français [17].

Lavigne répondit, de la fenêtre, sans avancer trop la tête :

– Vous rendez-vous ?

– Che me rents [18].

– Alors, passez les fusils dehors.

Et on vit aussitôt une arme sortir du trou et tomber dans la neige, puis deux, trois, toutes les armes. Et la même voix déclara :

– Che n'ai blus. Tépêchez-fous. Ché suis noyé.

Le commandant commanda :

– Cessez.

Le volant de la pompe retomba immobile.

Et, ayant empli la cuisine de soldats qui attendaient, l'arme au pied, il souleva lentement la trappe de chêne.

Quatre têtes apparurent, trempées, quatre têtes blondes aux longs cheveux pâles, et on vit sortir, l'un après l'autre, les six Allemands grelottants, ruisselants, effarés.

Ils furent saisis et garrottés. Puis, comme on craignait une surprise, on repartit tout de suite, en deux convois, l'un conduisant les prisonniers et l'autre conduisant Maloison [19] sur un matelas posé sur des perches.

Ils rentrèrent triomphalement dans Rethel.

M. Lavigne fut décoré pour avoir capturé une avant-garde prussienne, et le gros boulanger eut la médaille militaire pour blessure reçue devant l'ennemi.

LES ROIS

– Ah ! dit le capitaine comte de Garens, je crois bien que je me le rappelle, ce souper des Rois, pendant la guerre !

J'étais alors maréchal des logis de hussards, et depuis quinze jours rôdant en éclaireur en face d'une avant-garde allemande. La veille, nous avions sabré quelques uhlans et perdu trois hommes, dont ce pauvre petit Raudeville. Vous vous rappelez bien, Joseph de Raudeville.

Or, ce jour-là, mon capitaine m'ordonna de prendre dix cavaliers et d'aller occuper et de garder toute la nuit le village de Porterin[1], où l'on s'était battu cinq fois en trois semaines. Il ne[2] restait pas vingt maisons debout ni douze habitants dans ce guêpier.

Je pris donc dix cavaliers et je partis vers quatre heures. À cinq heures, en pleine nuit, nous atteignîmes les premiers murs de Porterin. Je fis halte et j'ordonnai à Marchas, vous savez bien, Pierre de Marchas, qui a épousé depuis la petite Martel-Auvelin, la fille du marquis de Martel-Auvelin, d'entrer tout seul dans le village et de m'apporter des nouvelles.

Je n'avais choisi que des volontaires, tous de bonne famille. Ça fait plaisir, dans le service, de ne pas tutoyer des mufles. Ce Marchas était dégourdi comme pas un, fin comme un renard et souple comme un serpent. Il savait éventer des Prussiens ainsi qu'un chien évente un lièvre, trouver des vivres là où nous serions morts de faim sans lui, et il obtenait des renseignements de tout le monde, des renseignements toujours sûrs, avec une adresse inimaginable.

Il revint au bout de dix minutes :

– Ça va bien, dit-il ; aucun Prussien n'a passé par ici depuis trois jours. Il est sinistre, ce village. J'ai causé avec une bonne sœur qui garde quatre ou cinq malades dans un couvent abandonné.

J'ordonnai d'aller de l'avant, et nous pénétrâmes dans la rue principale. On apercevait vaguement à droite, à gauche, des murs sans toit, à peine visibles dans la nuit profonde. De place en place, une lumière brillait derrière une vitre : une famille était restée pour garder sa demeure à peu près debout, une famille de braves ou de pauvres. La pluie commençait à tomber, une pluie menue, glacée, qui nous gelait avant de nous avoir mouillés, rien qu'en touchant les manteaux. Les chevaux trébuchaient sur des pierres, sur des poutres, sur des meubles. Marchas nous guidait, à pied, devant nous, et traînant sa bête par la bride.

– Où nous mènes-tu ? lui demandai-je.

Il répondit :

– J'ai un gîte, un bon.

Et il s'arrêta bientôt devant une petite maison bourgeoise demeurée entière, bien close, bâtie sur la rue, avec un jardin derrière.

Au moyen d'un gros caillou ramassé près de la grille, Marchas fit sauter la serrure, puis il gravit le perron, défonça la porte d'entrée à coups de pied et à coups d'épaule, alluma un bout de bougie qu'il avait toujours en poche, et nous précéda dans un bon et confortable logis de particulier riche, en nous guidant avec assurance, avec une assurance admirable, comme s'il avait vécu dans cette maison qu'il voyait pour la première fois.

Deux hommes restés dehors gardaient nos chevaux.

Marchas dit au gros Ponderel, qui le suivait :

– Les écuries doivent être à gauche ; j'ai vu ça en entrant ; va donc y loger les bêtes, dont nous n'avons pas besoin.

Puis, se tournant vers moi :

– Donne des ordres, sacrebleu !

Il m'étonnait toujours, ce gaillard-là. Je répondis en riant :

– Je vais placer mes sentinelles aux abords du pays. Je te retrouverai ici.

Il demanda :

– Combien prends-tu d'hommes ?

– Cinq. Les autres les relèveront à dix heures du soir.

– Bon. Tu m'en laisses quatre pour faire les provisions, la cuisine, et mettre la table. Moi, je trouverai la cachette au vin.

Et je m'en allai reconnaître les rues désertes jusqu'à la sortie sur la plaine, pour y placer mes factionnaires.

Une demi-heure plus tard, j'étais de retour. Je trouvai Marchas étendu dans un grand fauteuil Voltaire, dont il avait ôté la housse, par amour du luxe, disait-il. Il se chauffait les pieds au feu, en fumant un cigare excellent dont le parfum emplissait la pièce. Il était seul, les coudes sur les bras du siège, la tête entre les épaules, les joues roses, l'œil brillant, l'air enchanté.

Dans la pièce voisine, j'entendais un bruit de vaisselle. Marchas me dit en souriant d'une façon béate :

– Ça va, j'ai trouvé le bordeaux dans le poulailler, le champagne sous les marches du perron, l'eau-de-vie – cinquante bouteilles de vraie fine – dans le potager, sous un poirier qui, vu à la lanterne, ne m'a pas semblé droit. Comme solide, nous avons deux poules, une oie, un canard, trois pigeons et un merle cueilli dans une cage, rien que de la plume, comme tu vois. Tout ça cuit en ce moment. Ce pays est excellent.

Je m'étais assis en face de lui. La flamme de la cheminée me grillait le nez et les joues :

– Où as-tu trouvé ce bois-là ? demandai-je.

Il murmura :

– Bois magnifique, voiture de maître, coupé. C'est la peinture qui donne cette flambée, un punch d'essence et de vernis. Bonne maison !

Je riais, tant je le trouvais drôle, l'animal. Il reprit :

– Dire que c'est jour des Rois [3] ! J'ai fait mettre une fève dans l'oie ; mais pas de reine, c'est embêtant, ça !

Je répétai, comme un écho :

– C'est embêtant ; mais que veux-tu que j'y fasse, moi ?

– Que tu en trouves, parbleu !

– De quoi ?

– Des femmes.

– Des femmes ?… Tu es fou !

– J'ai bien trouvé l'eau-de-vie sous un poirier, moi, et le champagne sous les marches du perron ; et rien ne pouvait me guider encore. – Tandis que, pour toi, une jupe c'est un indice certain. Cherche, mon vieux.

Il avait l'air si grave, si sérieux, si convaincu que je ne savais plus s'il plaisantait.

Je répondis :

– Voyons, Marchas, tu blagues ?

– Je ne blague jamais dans le service.

– Mais où diable veux-tu que j'en trouve, des femmes ?

– Où tu voudras. Il doit en rester deux ou trois dans le pays. Déniche et apporte.

Je me levai. Il faisait trop chaud devant ce feu. Marchas reprit :

– Veux-tu une idée ?

– Oui.

– Va trouver le curé.

– Le curé ? Pourquoi faire ?

– Invite-le à souper et prie-le d'amener une femme.

– Le curé ! Une femme ! Ah ! ah ! ah !

Marchas reprit avec une extraordinaire gravité :

– Je ne ris pas. Va trouver le curé, raconte-lui notre situation. Il doit s'embêter affreusement, il viendra. Mais dis-lui qu'il nous faut une femme au minimum, une femme comme il faut, bien entendu, puisque nous sommes tous des hommes du monde[4]. Il doit connaître ses paroissiennes sur le bout du doigt. S'il y en a une possible pour nous, et si tu t'y prends bien, il te l'indiquera.

– Voyons, Marchas ? À quoi penses-tu ?

– Mon cher Garens, tu peux faire ça très bien. Ce serait même très drôle. Nous savons vivre, parbleu ! et nous serons d'une distinction parfaite, d'un chic extrême. Nomme-nous à l'abbé, fais-le rire, attendris-le, séduis-le et décide-le !

– Non, c'est impossible.

Il rapprocha son fauteuil et, comme il connaissait mes côtés faibles, le gredin reprit :

– Songe donc comme ce serait crâne à faire et amusant à raconter. On en parlerait dans toute l'armée. Ça te ferait une rude réputation.

J'hésitais, tenté par l'aventure. Il insista :

– Allons, mon petit Garens. Tu es chef de détachement, toi seul peux aller trouver le chef de l'Église en ce pays. Je t'en prie, vas-y. Je raconterai la chose en vers, dans la *Revue des Deux Mondes*[5], après la guerre, je te le promets. Tu dois bien ça à tes hommes. Tu les fais assez marcher depuis un mois.

Je me levai en demandant :

– Où est le presbytère ?

– Tu prends la seconde rue à gauche. Au bout, tu trouveras une avenue ; et, au bout de l'avenue, l'église. Le presbytère est à côté.

Je sortais ; il me cria :

– Dis-lui le menu pour lui donner faim !

Je découvris sans peine la petite maison de l'ecclésiastique, à côté d'une grande vilaine église de briques. Je frappai à coups de poing dans la porte, qui n'avait ni sonnette ni marteau, et une voix forte demanda de l'intérieur :

– Qui va là ?

Je répondis :

– Maréchal des logis de hussards.

J'entendis un bruit de verrous et de clef tournée, et je me trouvai en face d'un grand prêtre à gros ventre, avec une poitrine de lutteur, des mains formidables sortant de manches retroussées, un teint rouge et un air brave homme.

Je fis le salut militaire.

– Bonjour, monsieur le curé.

Il avait craint une surprise, une embûche de rôdeurs, et il sourit en répondant :

– Bonjour, mon ami ; entrez.

Je le suivis dans une petite chambre à pavés rouges, où brûlait un maigre feu, bien différent du brasier de Marchas.

Il me montra une chaise, et puis me dit :

– Qu'y a-t-il pour votre service ?

– Monsieur l'abbé, permettez-moi d'abord de me présenter.

Et je lui tendis ma carte.

Il la reçut et lut à mi-voix :

« Le comte de Garens. »

Je repris :

– Nous sommes ici onze, monsieur l'abbé, cinq en grand-garde et six installés chez un habitant inconnu. Ces six-là se nomment Garens, ici présent, Pierre de Marchas, Ludovic de Ponderel, le baron d'Etreillis, Karl Massouligny, le fils du peintre, et Joseph Herbon, un jeune musicien. Je viens, en leur nom et au mien, vous prier de nous faire l'honneur de souper avec nous. C'est un souper des Rois, monsieur le curé, et nous voudrions le rendre un peu gai.

Le prêtre souriait. Il murmura :

– Il me semble que ce n'est guère l'occasion de s'amuser.

Je répondis :

– Nous nous battons tous les jours, monsieur. Quatorze de nos camarades sont morts depuis un mois, et trois sont restés par terre, hier encore. C'est la guerre. Nous jouons notre vie à tout instant, n'avons-nous pas le droit de la jouer gaiement ? Nous sommes Français, nous aimons rire, nous savons rire partout. Nos pères riaient bien sur l'échafaud ! Ce soir, nous voudrions nous dégourdir un peu, en gens comme il faut, et non pas en soudards, vous me comprenez. Avons-nous tort ?

Il répondit vivement :

– Vous avez raison, mon ami, et j'accepte avec grand plaisir votre invitation.

Il cria :

– Hermance !

Une vieille paysanne, tordue, ridée[6], horrible, apparut et demanda :

– Qué qui a ?

– Je ne dîne pas ici, ma fille.

– Où que vous dînez donc ?

– Avec MM. les hussards.

J'eus envie de dire : « Amenez votre bonne », pour voir la tête de Marchas, mais je n'osai point.

Je repris :

– Parmi vos paroissiens restés dans le village, en voyez-vous quelqu'un ou quelqu'une que je puisse inviter aussi ?

Il hésita, chercha et déclara :

– Non, personne !

J'insistai :

– Personne !... Voyons, monsieur le curé, cherchez. Ce serait très galant d'avoir des dames. Je m'entends, des ménages ! Est-ce que je sais, moi ? Le boulanger avec sa femme, l'épicier, le... le... le... l'horloger... le... le cordonnier... le... le pharmacien avec la pharmacienne... Nous avons un bon repas, du vin, et serions enchantés de laisser un bon souvenir aux gens d'ici.

Le curé médita longtemps encore, puis prononça avec résolution :

– Non, personne.

Je me mis à rire :

– Sacristi ! monsieur le curé, c'est ennuyeux de n'avoir pas une reine, car nous avons une fève. Voyons, cherchez. Il n'y a pas un maire marié, un adjoint marié, un conseiller municipal marié, un instituteur marié ?...

– Non, toutes les dames sont parties.

– Quoi, il n'y a pas dans tout le pays une brave bourgeoise avec son bourgeois de mari, à qui nous pourrions faire ce plaisir, car ce serait un plaisir pour eux, un grand, dans les circonstances présentes ?

Mais tout à coup le curé se mit à rire, d'un rire violent qui le secouait tout entier, et il criait :

– Ah ! ah ! ah ! j'ai votre affaire, Jésus, Marie, j'ai votre affaire ! Ah ! ah ! ah ! nous allons rire, mes enfants, nous allons rire. Et elles seront bien contentes, allez, bien contentes, ah ! ah !... Où gîtez-vous ?

J'expliquai la maison en la décrivant. Il comprit :

– Très bien. C'est la propriété de M. Bertin-Lavaille. J'y serai dans une demi-heure avec quatre dames ! ! !... Ah ! ah ! ah ! quatre dames ! ! !...

Il sortit avec moi, riant toujours, et me quitta, en répétant :

– Ça va ; dans une demi-heure, maison Bertin-Lavaille.

Je rentrai vite, très étonné, très intrigué.

– Combien de couverts ? demanda Marchas en m'apercevant.

– Onze. Nous sommes six hussards, plus M. le curé et quatre dames.

Il fut stupéfait. Je triomphais.

Il répétait :

– Quatre dames ! Tu dis : quatre dames ?

– Je dis : quatre dames.

– De vraies femmes ?

– De vraies femmes.

– Bigre ! Mes compliments !

– Je les accepte. Je les mérite.

Il quitta son fauteuil, ouvrit la porte et j'aperçus une belle nappe blanche jetée sur une longue table autour de laquelle trois hussards en tablier bleu disposaient des assiettes et des verres.

– Il y aura des femmes ! cria Marchas.

Et les trois hommes se mirent à danser en applaudissant de toute leur force.

Tout était prêt. Nous attendions. Nous attendîmes près d'une heure. Une odeur délicieuse de volailles rôties flottait dans toute la maison.

Un coup frappé contre le volet nous souleva tous en même temps. Le gros Ponderel courut ouvrir, et, au bout d'une minute à peine, une petite bonne sœur apparut dans l'encadrement de la porte. Elle était maigre, ridée, timide et saluait coup sur coup les quatre hussards effarés qui la regardaient entrer. Derrière elle, un bruit de bâtons martelait le pavé du vestibule, et dès qu'elle eut pénétré dans le salon, j'aperçus, l'une suivant l'autre, trois vieilles têtes en bonnet blanc, qui s'en venaient en se balançant avec des mouvements différents, l'une chavirant à droite, tandis que l'autre chavirait à gauche. Et, trois bonnes femmes se présentèrent, boitant, traînant la jambe, estropiées par les maladies et déformées par la vieillesse, trois infirmes hors de service, les trois seules

pensionnaires capables de marcher encore de l'établissement hospitalier que dirigeait la sœur Saint-Benoît.

Elle s'était retournée vers ses invalides, pleine de sollicitude pour elles ; puis, voyant mes galons de maréchal
des logis, elle me dit :

— Je vous remercie bien, monsieur l'officier, d'avoir
pensé à ces pauvres femmes. Elles ont bien peu de plaisir
dans la vie, et c'est pour elles en même temps un grand
bonheur et un grand honneur que vous leur faites.

J'aperçus le curé, resté dans l'ombre du couloir et qui
riait de tout son cœur. À mon tour, je me mis à rire, en
regardant surtout la tête de Marchas. Puis, montrant[7]
des sièges à la religieuse :

— Asseyez-vous, ma sœur ; nous sommes très fiers et
très heureux que vous ayez accepté notre modeste invitation.

Elle prit trois chaises contre le mur, les aligna devant
le feu, y conduisit ses trois bonnes femmes, les plaça dessus, leur ôta leurs cannes et leurs châles qu'elle alla déposer dans un coin ; puis, désignant la première, une maigre
à ventre énorme, une hydropique assurément :

— Celle-là est la mère Paumelle, dont le mari s'est tué
en tombant d'un toit, et dont le fils est mort en Afrique.
Elle a soixante-deux ans.

Puis elle désigna la seconde, une grande dont la tête
tremblait sans cesse :

— Celle-là est la mère Jean-Jean, âgée de soixante-sept
ans. Elle n'y voit plus guère, ayant eu la figure flambée
dans un incendie et la jambe droite brûlée à moitié.

Elle nous montra, enfin, la troisième, une espèce de
naine, avec des yeux saillants, qui roulaient de tous les
côtés, ronds et stupides.

— C'est la Putois, une innocente. Elle est âgée de qua-
rante-quatre ans seulement.

J'avais salué les trois femmes comme si on m'eût présenté à des Altesses Royales, et, me tournant vers le curé :

– Vous êtes, monsieur l'abbé, un homme précieux, à qui nous devrons tous ici de la reconnaissance.

Tout le monde riait, en effet, hormis Marchas, qui semblait furieux.

– Notre sœur Saint-Benoît est servie ! cria tout à coup Karl Massouligny.

Je la fis passer devant avec le curé, puis je soulevai la mère Paumelle, dont je pris le bras et que je traînai dans la pièce voisine, non sans peine, car son ventre ballonné semblait plus pesant que du fer.

Le gros Ponderel enleva la mère Jean-Jean, qui gémissait pour avoir sa béquille ; et le petit Joseph Herbon dirigea l'idiote, la Putois, vers la salle à manger, pleine d'odeur de viandes.

Dès que nous fûmes en face de nos assiettes, la sœur tapa trois coups dans ses mains, et les femmes firent, avec la précision de soldats qui présentent les armes, un grand signe de croix rapide. Puis le prêtre prononça, lentement, les paroles latines du *Benedicite*.

On s'assit, et les deux poules parurent, apportées par Marchas, qui voulait servir pour ne point assister en convive à ce repas ridicule.

Mais je criai : « Vite le champagne ! » Un bouchon sauta avec un bruit de pistolet qu'on décharge, et, malgré la résistance du curé et de la bonne sœur, les trois hussards assis à côté des trois infirmes leur versèrent de force dans la bouche leurs trois verres pleins.

Massouligny, qui avait la faculté d'être chez lui partout et à l'aise avec tout le monde, faisait la cour à la mère Paumelle de la façon la plus drôle. L'hydropique, dont l'humeur était restée gaie, malgré ses malheurs, lui répondait en badinant avec une voix de fausset qui semblait factice, et elle riait si fort des plaisanteries de son voisin que son gros ventre semblait prêt à monter et à rouler sur la table. Le petit Herbon avait entrepris sérieusement de griser l'idiote et le baron d'Etreillis, qui n'avait pas l'esprit alerte, interrogeait la Jean-Jean sur la vie, les habitudes et le règlement de l'hospice.

La religieuse, effarée, criait à Massouligny :

– Oh ! oh ! vous allez la rendre malade ; ne la faites pas rire comme ça, je vous en prie, monsieur. Oh ! monsieur...

Puis elle se levait et se jetait sur Herbon pour lui arracher des mains un verre plein qu'il vidait prestement, entre les lèvres de la Putois.

Et le curé riait à se tordre, répétait à la sœur :

– Laissez donc, pour une fois, ça ne leur fait pas de mal. Laissez donc.

Après les deux poules, on avait mangé le canard, flanqué des trois pigeons et du merle ; et l'oie parut, fumante, dorée, répandant une odeur chaude de viande rissolée et grasse.

La Paumelle, qui s'animait, battit des mains ; la Jean-Jean cessa de répondre aux questions nombreuses du baron, et la Putois poussa des grognements de joie, moitié cris et moitié soupirs, comme font les petits enfants à qui on montre des bonbons.

– Permettez-vous, dit le curé, que je me charge de cet animal. Je m'entends comme personne à ces opérations-là.

– Mais certainement, monsieur l'abbé.

Et la sœur dit :

– Si on ouvrait un peu la fenêtre ? Elles ont trop chaud. Je suis sûre qu'elles seront malades.

Je me tournai vers Marchas :

– Ouvre la fenêtre une minute.

Il l'ouvrit, et l'air froid du dehors entra, fit vaciller les flammes des bougies et tournoyer la fumée de l'oie, dont le prêtre, une serviette au cou [8], soulevait les ailes avec science.

Nous le regardions faire, sans parler maintenant, intéressés par le travail alléchant de ses mains, saisis d'un renouveau d'appétit à la vue de cette grosse bête dorée, dont les membres tombaient l'un après l'autre dans la sauce brune, au fond du plat.

Et tout à coup, au milieu de ce silence gourmand qui nous tenait attentifs, entra, par la fenêtre ouverte, le bruit lointain d'un coup de feu.

Je fus debout si vite, que ma chaise roula derrière moi ; et je criai :

– Tout le monde à cheval ! Toi, Marchas, tu vas prendre deux hommes et aller aux nouvelles. Je t'attends ici dans cinq minutes.

Et pendant que les trois cavaliers s'éloignaient au galop dans la nuit, je me mis en selle avec mes deux autres hussards, devant le perron de la villa, tandis que le curé, la sœur et les trois bonnes femmes montraient aux fenêtres leurs têtes effarées.

On n'entendait plus rien qu'un aboiement de chien dans la campagne. La pluie avait cessé ; il faisait froid, très froid. Et bientôt, je distinguai de nouveau le galop d'un cheval, d'un seul cheval qui revenait.

C'était Marchas. Je lui criai :

– Eh bien ?

Il répondit :

– Rien du tout, François a blessé[9] un vieux paysan, qui refusait de répondre au : « Qui vive ? » et qui continuait d'avancer, malgré l'ordre de passer au large. On l'apporte, d'ailleurs. Nous verrons ce que c'est.

J'ordonnai de remettre les chevaux à l'écurie et j'envoyai mes deux soldats au-devant des autres, puis je rentrai dans la maison.

Alors le curé, Marchas et moi, nous descendîmes un matelas dans le salon pour y déposer le blessé ; la sœur, déchirant une serviette, se mit à faire de la charpie, tandis que les trois femmes éperdues restaient assises dans un coin.

Bientôt, je distinguai un bruit de sabres traînés sur la route ; je pris une bougie pour éclairer les hommes qui revenaient ; et ils parurent, portant cette chose inerte, molle, longue et sinistre, que devient un corps humain quand la vie ne le soutient plus.

On déposa le blessé sur le matelas préparé pour lui ; et je vis du premier coup d'œil que c'était un moribond.

Il râlait et crachait du sang qui coulait des coins de ses lèvres, chassé de sa bouche à chacun de ses hoquets. L'homme en était couvert ! Ses joues, sa barbe, ses cheveux, son cou, ses vêtements, semblaient en avoir été frottés, avoir été baignés dans une cuve rouge. Et ce sang s'était figé sur lui, était devenu terne, mêlé de boue, horrible à voir.

Le vieillard, enveloppé dans une grande limousine de berger, entrouvrait par moments ses yeux mornes, éteints, sans pensée, qui paraissaient stupides d'étonnement, comme ceux des bêtes que le chasseur tue et qui le regardent, tombées à ses pieds, aux trois quarts mortes déjà, abruties par la surprise et par l'épouvante.

Le curé s'écria :

– Ah ! c'est le père Placide, le vieux pasteur des Moulins. Il est sourd, le pauvre, et n'a rien entendu. Ah ! mon Dieu ! vous avez tué ce malheureux !

La sœur avait écarté la blouse et la chemise, et regardait au milieu de la poitrine un petit trou violet qui ne saignait plus.

– Il n'y a rien à faire, dit-elle.

Le berger, haletant affreusement, crachait toujours du sang avec chacun de ses derniers souffles, et on entendait dans sa gorge, jusqu'au fond de ses poumons, un gargouillement sinistre et continu.

Le curé, debout au-dessus de lui, leva sa main droite, décrivit le signe de la croix et prononça, d'une voix lente et solennelle, les paroles latines qui lavent les âmes.

Avant qu'il les eût achevées, le vieillard fut agité d'une courte secousse, comme si quelque chose venait de se briser en lui. Il ne respirait plus. Il était mort.

M'étant retourné, je vis un spectacle plus effrayant que l'agonie de ce misérable : les trois vieilles, debout, serrées l'une contre l'autre, hideuses, grimaçaient d'angoisse et d'horreur.

Je m'approchai d'elles, et elles se mirent à pousser des cris aigus, en essayant de se sauver, comme si j'allais les tuer aussi.

La Jean-Jean, que sa jambe brûlée ne portait plus, tomba tout de son long par terre.

La sœur Saint-Benoît, abandonnant le mort, courut vers ses infirmes, et sans un mot pour moi, sans un regard, les couvrit de leurs châles, leur donna leurs béquilles, les poussa vers la porte, les fit sortir et disparut avec elles dans la nuit profonde, si noire.

Je compris que je ne pouvais même les faire accompagner par un hussard, car le seul bruit du sabre les eût affolées.

Le curé regardait toujours le mort.

S'étant enfin retourné vers moi :

– Ah ! quelle vilaine chose, dit-il.

L'ANGÉLUS

I[1]

La pendule sonna six heures et la comtesse de Brémontal, quittant des yeux le livre qu'elle lisait, les leva
vers le cadran d'un beau cartel Louis XVI accroché sur
le mur ; puis, d'un lent regard, elle parcourut son grand
salon sombre malgré les quatre lampes, deux sur la table,
où beaucoup de livres traînaient, et deux sur la cheminée.
Un feu de bûches, flambant dans l'âtre, un feu de campagne, un feu de château, jetait aussi une lueur à éclats
sur les murs, éclairant des tapisseries à personnages, des
cadres dorés, des portraits de famille et les hauts rideaux,
d'un rouge foncé, qui voilaient et drapaient les fenêtres.
Malgré toutes ces lumières, la vaste pièce était triste, un
peu froide, pénétrée par l'hiver. On sentait du dehors
l'âpre rigueur de l'air et le souffle du vent, glacé par le
tapis de neige étendu sur la terre, qui faisait craquer les
arbres du parc.

La comtesse se leva. De sa démarche un peu lente, un
peu traînante de jeune femme enceinte, elle vint s'asseoir
devant le foyer et tendit ses pieds à la flamme. Les bûches
embrasées lui jetèrent à la face l'émanation de leur vive
chaleur, une sorte de caresse brûlante et même un peu
brutale, tandis qu'elle sentait en même temps son dos,
ses épaules et sa nuque tressaillir encore sous le frisson

de l'atmosphère de mort, dont cet hiver terrible envelop-
pait la France. Cette sensation du froid glissait partout
en elle, entrée dans son âme autant que dans son corps,
et à cette angoisse physique se joignait celle de l'immense
catastrophe abattue sur la Patrie.

Torturée par ses nerfs, ses soucis, ses atroces pressenti-
ments, Mme de Brémontal se leva de nouveau. Où est-il
à cette heure, lui, son mari, dont elle n'avait reçu depuis
cinq mois aucune nouvelle ? Prisonnier des Prussiens ou
tué ? Martyrisé dans une forteresse ennemie ou enterré
dans un trou, sur un champ de bataille, avec tant d'autres
cadavres avec la chair décomposée et mêlée à la chair des
voisins et tous les ossements confondus.

Oh ! quelle horreur ! quelle horreur !

Elle marchait maintenant de long en large dans le
grand salon silencieux, sur les épais tapis qui mangeaient
le bruit léger de ses pas. Jamais elle n'avait senti peser sur
elle encore une détresse aussi épouvantable. Qu'allait-il
arriver de nouveau ? Oh ! l'affreux hiver, hiver de fin du
monde qui détruisait un pays entier, tuant les grands fils
des pauvres mères, espoir de leurs cœurs et leur dernier
soutien, et les pères des enfants sans ressources, et les
maris des jeunes femmes. Elle les voyait agonisants et
mutilés par le fusil, le sabre, le canon, le pied ferré des
chevaux qui avaient passé dessus, et ensevelis en des nuits
pareilles, sous ce suaire de neige taché avec du sang.

Elle sentit qu'elle allait pleurer, qu'elle allait crier, écrasée par la peur de l'inconnaissable lendemain, et elle
regarda l'heure de nouveau. Non, elle n'attendrait pas
seule le moment où son père, le curé du village et le
médecin allaient venir, car ils devaient dîner chez elle.
Mais pourraient-ils seulement sortir de leurs maisons et
parvenir au château ? Son père surtout l'inquiétait. Il
devait suivre dans son coupé le bord de la Seine, sur le
chemin de halage, pendant plusieurs kilomètres. Le
cocher était vieux et sûr, connaissant la route comme la

connaissait son cheval ; mais cette nuit-là semblait pré-
destinée aux malheurs. Les deux autres invités, habitués
de presque tous les soirs d'ailleurs, avaient à passer le
fleuve en bateau, c'était pis encore. Jamais la glace
n'arrêtait le courant en cet endroit où le flot de la mer, à
qui rien ne résiste, montait à chaque marée ; mais
d'énormes glaçons charriés dans le remous descendaient
de la haute France et pouvaient chavirer la barque du
passeur.

La comtesse revint vers la cheminée, prit le cordon de
sonnette et tira.

Un ancien domestique parut. Elle lui dit :

– Le petit ne dort pas encore ?

– Je ne crois pas, madame la comtesse.

– Dites à Annette de me l'amener, j'ai envie de
l'embrasser.

– Oui, madame la comtesse.

Le serviteur sortait, elle le rappela :

– Pierre !

– Madame la comtesse.

– Est-ce qu'il n'y a pas de danger pour M. Boutemart
à venir au bord de l'eau, en voiture, par un temps comme
celui-ci ?

Le vieux Normand répondit :

– Aucun, madame la comtesse. Le cocher Philippe et
son cheval Barbe sont bien apaisés tous les deux, et ils
savent le chemin, pour sûr.

Rassurée sur le sort de son père, elle demanda encore :

– Et les gens de La Bouille [2], MM. le curé et le docteur
Paturel, est-ce qu'ils peuvent traverser l'eau sans péril au
milieu des glaçons qui flottent ?

– Oui, oui, madame la comtesse : le père Pichard est
un malin qui ne craint pas les banquises. Et puis il a un
gros bateau d'hiver où il fait passer une vache ou un
cheval à l'occasion.

– Bon, dit-elle. Faites descendre mon petit Henri. Elle se rassit devant sa table, et ouvrit un livre.

C'étaient *Les Contemplations* et elle tomba, par hasard, sur ces vers, fin de *La Fête chez Thérèse* :

> La nuit vint ; tout se tut ; les flambeaux s'éteignirent ;
> Dans les bois assombris les sources se plaignirent ;
> Le rossignol, caché dans son nid ténébreux,
> Chanta comme un poète et comme un amoureux.
> Chacun se dispersa sous les profonds feuillages,
> Les folles en riant entraînèrent les sages ;
> L'amante s'en alla dans l'ombre avec l'amant ;
> Et, troublés comme on l'est en songe, vaguement,
> Ils sentaient par degrés se mêler à leur âme,
> À leurs discours secrets, à leurs regards de flamme,
> À leur cœur, à leurs sens, à leur molle raison,
> Le clair de lune bleu qui baignait l'horizon.

Le cœur de la comtesse se serra à la pensée qu'il y avait de ces nuits-là, et d'autres comme celle-ci. Pourquoi ces contrastes, cette douceur charmeuse et cette férocité de la nature ?

La porte s'ouvrit, elle se leva, et une jeune bonne, une belle Normande à la chair fraîche, fit entrer, en le tenant par la main, un petit garçon de quatre ans que ses cheveux bouclés et blonds couronnaient comme une lumière frisée sous le reflet des lampes.

– Vous me le laisserez jusqu'à l'arrivée de ces messieurs, dit la comtesse.

Et quand la femme de chambre fut partie, elle assit sur ses genoux l'enfant et le regarda dans les yeux. Ils se sourirent de ce sourire unique, inexprimable, qui échange de l'amour entre la maman et le petit, de cet amour qui est le seul indestructible, qui n'a point d'égal et de rival.

Puis, ouvrant ses bras, elle lui prit la tête et l'embrassa. Elle l'embrassa sur les cheveux, sur les paupières, sur la bouche, en frissonnant, de la nuque au bout des doigts, de cette joie délicieuse dont tressaillent les fibres des vraies mères.

Puis elle le berça tandis qu'il la tenait par le cou. Il demanda de sa voix fine :

– Dis, maman, est-ce que papa reviendra bientôt ?

Elle le saisit, le serra contre elle comme pour le défendre, le garantir de ce danger monstrueux et lointain d'une guerre qui pourrait le réclamer à son tour.

Et elle murmura, en le baisant encore :

– Oui, mon chéri, dans quelque temps. Oh ! mon amour, quelle chance que tu sois tout petit ! Ils ne peuvent pas te prendre encore, les misérables.

De quels misérables voulait-elle parler ? Elle n'aurait pas su le dire.

Mais voilà que l'enfant, dont l'oreille était très fine, distingua au loin dans la nuit un léger bruit de clochette.

– V'là g'and-papa[3] ! dit-il.

– Où ça vois-tu grand-papa, maman [sic].

– C'est le guerlot de son dada.

Elle entendit aussi et, une inquiétude de moins au cœur, elle allongea ses jambes, comme soulagée, reposée soudain.

Ils écoutaient tous les deux maintenant le tintement plus distinct et les coups de fouet du cocher retentissant sur la neige, qui annonçaient leur arrivée.

Une minute plus tard, la porte s'ouvrait devant un vieux monsieur qui avait gardé un air frais dans sa belle personne soignée, ses joues claires et ses favoris blancs qui brillaient comme de l'argent.

Il était grand, un peu gros, avec un air fortuné. On l'appelait encore le beau Boutemart. C'était le type du commerçant, de l'industriel normand ayant fait une grosse fortune. Rien n'atteignait sa bonne humeur, son inaltérable sang-froid, son absolue confiance en lui. Depuis la guerre une seule chose l'attristait profondément, c'était de ne plus voir fumer sur le ciel les quatre cheminées de ses deux grandes usines où il s'était enrichi par les produits chimiques. Il avait cru d'abord à la victoire avec cette solide et vantarde confiance de chauvin dont tout bourgeois français était gonflé avant cette fatale année de 1870. Maintenant, pendant ces défaites sanglantes, ces débâcles, ces retraites, il murmurait avec la conviction inébranlable d'un homme qui a réussi sans cesse en ses projets : « Bah ! c'est une dure épreuve, mais la France se relève toujours. »

Sa fille courut à lui, les bras ouverts, tandis que le petit Henry lui saisissait une main. Beaucoup de baisers furent échangés.

Elle demanda :

– Rien de nouveau ?

– Si. On dit que les Prussiens sont entrés à Rouen aujourd'hui. L'armée du général Briant s'est repliée sur Le Havre par la rive gauche. Elle doit être maintenant à Pont-Audemer. Une flotte de chalands et de bateaux à vapeur l'attend à Honfleur pour la transporter au Havre[4].

La comtesse frémit. Comment ! les Prussiens étaient si près, dans le pays, à Rouen, à quelques lieues !

Elle murmura :

– Mais nous courons un grand danger, mon père.

Il répondit :

– Il est certain que nous ne sommes pas absolument en sécurité. Mais ils ont l'ordre de respecter toujours l'habitant inoffensif et les maisons qui n'ont pas été abandonnées. Sans cette règle, toujours observée par eux, je serais venu m'installer ici. Mais un vieux homme comme moi ne te servirait pas à grand-chose et je puis sauver mes usines. Qu'ils me trouvent ou qu'ils ne me trouvent pas près de toi, comme il ne faut ni résister ni faire le méchant, il y a plus de risques à quitter Dieppedalle[5] qu'à venir ici.

Elle murmura, effrayée, effarée :

– Mais moi, toute seule dans ce château, je perdrais la tête au milieu de ces sauvages.

Comprenant en vérité qu'il était impossible de laisser sa fille seule sous cette terrible menace imminente, car il n'y avait pas encore songé, et cette idée, pour la première fois, le frappait fortement, il répondit :

– Tu as raison, tout de même. Ce soir il n'y a pas de danger, car ils ne vont pas s'aventurer la nuit de leur arrivée dans ce pays inconnu. Je retournerai à Dieppedalle prendre toutes mes dispositions, et, demain, je viens coucher ici, et j'y reste jusqu'à la fin de l'occupation.

Elle l'embrassa, sachant par sa fine observation de femme, qui le connaissait bien, quel immense sacrifice il lui faisait en abandonnant ses usines, et elle dit :

– Merci, papa.

La petite bonne Annette entra, venant chercher l'enfant ; et le regard de M. Boutemart sur elle, celui plus discret, presque imperceptible, que la rusée Normande lui rendit, firent monter un peu de rouge sur les joues pâles de la comtesse, car elle commençait à soupçonner l'attention de son père pour la servante, et le consentement de celle-ci.

Depuis la mort de sa femme, arrivée voici juste neuf ans, M. Boutemart, qui ne quittait jamais Dieppedalle et ses établissements chimiques, avait eu dans le pays quelques relations, découvertes par hasard, révélant chez lui des goûts faciles, presque vulgaires, et dont Mme de Brémontal souffrait beaucoup, dans son orgueil de fille et dans cette petite vanité nobiliaire, très légère, entrée en elle quand elle devint comtesse et châtelaine du pays.

Le petit Henri embrassa sa mère et son grand-père, puis s'en alla en envoyant encore des baisers de la main. Comme il sortait, la cloche de la porte d'entrée tinta, annonçant l'arrivée des deux derniers convives. Ils parurent. L'abbé Marvaux entra le premier, grand,

maigre, très droit, avec une figure marquée de rides profondes sur le front et sur les joues. On voyait, on devinait
que cet homme avait souffert beaucoup, et qu'il devait
être aussi rongé par une âme de penseur triste, une de ces
âmes qui font de bonne heure aux visages des masques de
fatigue.

D'origine noble, car il se nommait M. de Marvaux, il
était un peu cousin, de très loin, des Brémontal. Il avait
commencé sa vie dans la carrière militaire, autant pour
occuper son désœuvrement que pour répondre à un
besoin d'action violente, de lutte et de vague héroïsme,
qu'il sentait en lui. Instruit, nourri de philosophie, il
éprouva bientôt un grand ennui de l'existence oisive des
garnisons, et ce fut avec plaisir qu'il partit, en 1859, pour
la campagne d'Italie[6]. Il prit part, bravement, à plusieurs
batailles, mais par un bizarre revirement d'esprit, par une
de ces étranges anomalies qui mettent parfois dans les
êtres les instincts les plus opposés et les plus contradic-
toires, la vue de ces massacres, de ces troupeaux
d'hommes broyés par les mitrailles, lui donna bientôt la
haine et l'horreur de la guerre. Il y fut pourtant remarqué, décoré, et y obtint le grade de capitaine. Mais, une
fois la campagne finie, il donna sa démission.

Après quelques années de vie libre occupée par des
études et des lectures, et des brochures publiées, car il
aimait les choses de la pensée, il rencontra une jeune
veuve qui lui plut, et l'épousa. Il en eut une fille ; puis la
mère et l'enfant moururent, dans la même semaine, de la
fièvre typhoïde.

Que se passa-t-il en lui ? Quel mysticisme étrange
s'éveilla dans son esprit après cet événement lugubre ? Il
entra dans les ordres et se fit prêtre ; mais, à partir du
jour où il fut vêtu de la soutane noire, il ne porta plus
jamais son ruban rouge gagné sur le champ de bataille,
et il l'appelait sa tache de sang.

Il aurait pu avoir, dans cette carrière nouvelle, un bel
avenir sacerdotal ; il préféra rester curé de campagne en
son pays d'origine. Peut-être aussi l'indépendance de son
caractère, la hardiesse de sa parole, le rendirent-elles suspect à l'évêché. Car il tint tête à l'évêque, plusieurs fois,
en des discussions théologiques et dogmatiques, et,
comme il était fort érudit et fort éloquent, il triompha
dans ces luttes.

Sans ambition, d'ailleurs, revenu de tout, il se décida
ou se résigna à vivre dans ce beau pays qu'il adorait, et,
comme il possédait une certaine fortune, il y fit beaucoup
de bien. On l'aima, on le respecta. Il devint un prêtre
généreux, secourable à tous, unique dans la contrée, que
la vénération populaire protégea et défendit contre la
malveillance croissante et les suspicions de ses supérieurs.

Le docteur Paturel qui le suivait était un petit homme
bedonnant, qui aurait été tout à fait chauve s'il n'avait
gardé sur les tempes, au bord du crâne, deux plaques de
cheveux blancs frisés pareilles à deux houppes à poudre
de riz.

Dès qu'ils furent entrés, on annonça le dîner servi, et
la comtesse de Brémontal, prenant le bras du médecin,
passa dans la salle à manger.

À peine assis devant son assiette de potage, le prêtre
demanda :

– Vous savez qu'ils sont à Rouen.

Des « oui » murmurés lui répondirent. Puis monsieur
Boutemart interrogea :

– Avez-vous des détails récents ?

– Quelques-uns. Les trois corps de l'armée envahissante se sont présentés, juste au même moment, à trois
portes de la cité, et les avant-gardes se sont rencontrées
place de l'Hôtel-de-Ville, presque à la même minute[7].

Le médecin ajouta :

– J'étais hier à Bourg-Achard[8] quand j'ai vu passer
l'armée française en retraite.

Et ils discutèrent sur une masse de détails, à mi-voix, comme s'ils eussent senti quelque part autour d'eux la présence redoutable des vainqueurs.

– Aujourd'hui, dit le prêtre, voici la première fois, depuis que j'ai quitté l'armée, que je regrette de n'être plus soldat.

La jeune femme demanda, secouée d'angoisse :

– Croyez-vous qu'ils viennent par ici ?

L'abbé Marvaux l'affirma, puis reprit :

– Vous êtes encore sans nouvelles de votre mari, madame la comtesse ?

Elle murmura désespérée :

– Oui, monsieur le curé.

Mais Boutemart, toujours convaincu que les événements qui le touchaient finiraient par bien tourner, ajouta :

– Bah ! il est prisonnier. Il reviendra après la guerre.

La comtesse balbutia :

– Prisonnier... ou mort.

Son père, que les idées tristes agaçaient, eut un frémissement d'impatience.

– Pourquoi te fais-tu des inventions pareilles ? Tu vis dans l'attente du malheur comme s'il n'y avait que cela sur la terre.

L'abbé Marvaux murmura :

– Il n'y a guère autre chose, pourtant, monsieur, quand on y regarde de bien près. Songez à la France en ce moment.

Boutemart n'y consentit pas.

– Mais non, mais non : tenez, moi, je n'ai jamais été malheureux.

Sa fille lui dit tristement :

– C'est que tu n'as désiré et cherché que la fortune. Tu l'as eue.

Il se mit à rire.

– Parbleu ! On a tout avec la fortune. Le reste est de la blague. Mais, dans le cas qui nous occupe, il est indubitable que les listes des morts ont été presque partout établies et communiquées déjà aux familles. Quant aux prisonniers, on ne peut pas les connaître.

Elle gémit :

– Il y a aussi les disparus.

Et Boutemart, avec à-propos, répliqua :

– Ce sont les revenants de demain.

Le médecin prit part à la conversation.

– Moi, j'ai assez de chance, dit-il, je sais où se trouve mon fils. Il est à l'armée de Faidherbe[9], et nous échangeons des lettres. Puis j'ai encore eu la veine qu'il fût reçu docteur avant la guerre, et les médecins n'ont pas grand-chose à craindre à l'armée. Mais tout ce que je dis n'empêche pas ma femme d'être dans un état affreux, car elle l'aime tant, son cher Jules.

Il fit l'éloge de son fils, dont les études médicales à Paris avaient été si brillantes que ses professeurs, après le doctorat passé, l'avaient engagé tous ensemble à continuer jusqu'à l'agrégation. Ah ! en voilà un qui ne moisirait pas en province, ce petit-là. Il serait un grand médecin, un grand médecin de la capitale.

Et la conversation traîna sur des sujets quelconques, paralysée par cette idée de l'invasion qui planait.

Après que les hommes eurent pris leur café et fumé leurs cigares, ils revinrent au salon près de la comtesse qui brûlait ses pieds au feu. Elle avait froid pourtant, froid partout, dans le cœur et dans le corps.

M. Boutemart parla le premier de s'en aller. Ses usines le préoccupaient, et il demanda sa voiture à neuf heures et demie sous prétexte que par ce temps il ne fallait pas rentrer trop tard. Les deux autres l'imitèrent, chaussant des espèces de bottes pour gagner, à travers la neige, le bac du bord de la Seine, et la comtesse resta seule.

Elle feuilleta quelques livres sans y prendre intérêt, comprenant à peine ce qu'elle lisait. Elle choisit dans ses poètes les pièces de vers auxquelles elle revenait le plus souvent. Elles lui parurent banales, inutiles, décolorées ; et elle se rassit devant le feu. Allait-elle se coucher – non – pas tout de suite, car elle ne dormirait pas ; et elle les connaissait, les interminables insomnies que mesurent, en les rendant douloureuses comme une agonie nocturne de l'esprit et du corps, les tintements réguliers du timbre de la pendule.

Alors elle songea. Des souvenirs lui revenaient, d'elle et d'autrefois, ces souvenirs intimes, évoqués dans les heures lugubres, confidences sur soi-même, qu'on ne fait qu'à soi.

Elle se rappelait son enfance dans ce même pays, dans la maison des parents à Dieppedalle, bâtie devant les établissements. Sa mère, sa bonne mère, sa mère chérie qu'elle avait vue mourir. Et elle pleurait, les yeux sous ses mains.

Son père, petit commerçant d'abord, héritier d'un grand terrain au bord de la Seine, et d'une fabrique d'acides et de vinaigres artificiels, avait fini par gagner une très grosse fortune dans les produits chimiques. Il avait épousé la fille d'un officier du premier Empire, jeune personne jolie, indépendante et poétique, comme on l'était à cette époque. Un peu mélancolique, aussi, après cette union qui ne contentait pas absolument son rêve de jeunesse, elle se consola dans un amour de ce qu'on appelait alors « la Nature » en donnant à ce mot un sens aujourd'hui presque oublié. Elle aima ce pays superbe, planté d'arbres et arrosé d'eau, cette côte, au pied de laquelle fumaient les cheminées de son mari, mais qui portait aussi sur son faîte l'admirable forêt de Roumare allant de Rouen jusqu'à Jumièges. Elle se fit en outre une bibliothèque de romans, de philosophes, de poètes, et elle passa sa vie à lire et à songer. Le soir, au crépuscule, se promenant le long de la Seine pleine d'îles vertes empanachées de grands peupliers, elle récitait à mi-voix, pour elle, pour elle toute seule, des vers de Chénier et de Lamartine. Puis elle s'enthousiasma de Victor Hugo, elle adora Musset. Étant devenue mère d'une fille, elle l'éleva avec une tendresse ardente, une tendresse augmentée sentimentalement par toute la littérature dont elle était nourrie. L'enfant grandit, très semblable à sa mère, charmante et intelligente. On les enviait dans Rouen et on disait de madame Boutemart : « C'est une personne de grande valeur. »

La fillette, dont elle faisait l'éducation avec un soin passionné, aidée d'une institutrice, était déjà à seize ans une jeune personne qui avait l'air d'une petite femme, une brunette, aux yeux violets, de la couleur exacte des fleurs de pervenche, nuance si rare.

Et l'enfant presque adulte, à qui sa mère avait permis beaucoup de lectures déjà, développait de la même façon sa jeune âme et sa sensibilité naissante. Elle ouvrait parfois, en cachette, les autres livres, ceux qu'on ne lui permettait point, et elle savait déjà par cœur certains vers qui lui semblaient doux comme des parfums, des sons de musiques ou des souffles de vent.

Ces gens étaient heureux tout à fait ou presque tout à fait, quand, par un hiver très froid, madame Boutemart, après une promenade trop longue dans la forêt pleine de neige, dut prendre le lit, atteinte d'une fluxion de poitrine qui l'emporta en une semaine.

Resté seul avec sa fille, le père se demanda s'il ne fallait pas la garder près de lui, car il serait bien seul, bien abandonné, dans cette campagne, au milieu de ses ouvriers et de ses machines.

Mais sa sœur, veuve sans enfant d'un ingénieur des ponts et chaussées, et riche d'une aisance suffisante, consentit à quitter Paris pendant quelques mois pour venir les passer près de lui et atténuer ainsi les premières atteintes du chagrin et de l'isolement.

C'était une femme d'esprit pondéré autant que son frère et de sens rassis, qui avait toujours tiré des événements et des choses le plus de parti possible. Tranquille sur son sort, ayant passé la quarantaine et douée d'une nature calme, elle ne demandait rien de plus au destin.

Elle s'éprit vite de sa nièce, et quand Boutemart lui parla de garder la jeune fille près de lui, elle l'en dissuada de toute sa force en lui représentant que Germaine deviendrait aux jours du mariage une personne fort recherchée. Il fallait avant tout achever son instruction et son éducation aussi parfaitement que possible. Cela ne pouvait se faire qu'à Paris. Elle serait un très beau parti et il fallait qu'elle n'ignorât rien de ce qu'elle devait savoir, comme connaissances sérieuses pour commencer, et puis comme arts d'agrément, danse, musique, et tant de choses encore qui complètent la dot d'une fille riche. Il la mettrait donc dans une grande maison d'éducation, et la tante se chargeait de l'aller voir souvent, très souvent, de la faire sortir toutes les semaines, et même de la garder quelques jours chez elle, de temps en temps.

Cette femme, dont le mari avait rempli de hautes fonctions au ministère des Travaux publics, garda dans son veuvage de belles relations, et elle était fort bien vue. Son frère, comprenant tous les avantages de cette combinaison, l'accepta donc, et la tante, au commencement du printemps, emmena sa nièce avec elle.

Elle la fit entrer dans une de ces élégantes pensions mondaines où l'on élève les orphelines bien nées, et où l'on garde des étrangères opulentes pendant que les parents voyagent. Elle y eut un joli logement, une femme de chambre et des professeurs de choix. Elle suivit aussi des cours en ville, ces cours de demoiselles où la moitié

des jeunes filles de Paris se rencontrent et font connaissance pour plus tard, celles de la bourgeoisie et celles de
la noblesse, les demi-riches, les riches et les très riches.

Sa tante la vint chercher pour faire des promenades,
la distraire, lui montrer la ville, les monuments, les
musées. La cruelle mélancolie dont Germaine demeurait
pénétrée depuis la mort de sa mère parut enfin s'atténuer
un peu. Ses jolis yeux violets, aux paupières devenues
souvent rouges de larmes par le souvenir de sa bien-
aimée maman, retrouvèrent leur fraîcheur violette.

Cependant elle pensait beaucoup à la maison de Dieppedalle, au père resté seul, et elle regrettait l'espace, la
campagne et la liberté.

Elle connut déjà cette petite nostalgie invincible des
dépaysés, dont souffrent, quand ils sont emprisonnés
dans les cités, par leur devoir ou leur profession, presque
tous ceux dont les poumons, les yeux et la peau ont eu
comme nourriture première le grand ciel et l'air pur des
champs et dont les petits pieds ont couru d'abord dans
les chemins des bois, les sentes des prés et l'herbe des
rives.

De même les enfants de Paris exilés en des professions
ou des fonctions provinciales souffrent, toute leur vie,
comme d'une privation physique, du besoin irrésistible
des trottoirs et des grandes rues peuplées de monde.

Quand vint le moment des vacances, Germaine partit
avec bonheur pour la Normandie, et ce fut une peine
pour son cœur, lorsque, à l'automne, elle revint à Paris.
Elle y passa trois hivers, de seize à dix-neuf ans. M. Boutemart la reprit alors afin d'adoucir son isolement de
veuf.

Puis un projet de mariage lui était venu pour sa fille.
Il savait son goût prononcé pour la campagne où elle
avait été élevée, et il trouvait lui-même un grand avantage, un avantage de bien-être, d'affection, de sentiment,
de gâteries, d'égoïsme satisfait jusqu'à la fin de sa vie, s'il

découvrait le moyen de la fixer et de la garder dans son voisinage.

Or il était d'ordinaire habile à les dénicher partout autour de lui, les moyens dont il avait besoin.

Il connaissait depuis longtemps par des relations de conseil général, dont ils étaient membres tous les deux, de voisinage et de chasse, un de ses voisins, le comte de Brémontal, propriétaire du château du Bec à Sahurs [10], en face de La Bouille, à quelques kilomètres seulement de Dieppedalle. C'était un homme de vingt-huit ans, orphelin de père et de mère, maître d'une très belle fortune foncière, fort bien de sa personne, excellent cavalier et grand chasseur. Toute son ambition et son plaisir dans la vie consistaient à bien administrer ses vastes propriétés, à faire de l'élevage et de la culture. Il s'y entendait fort bien, animé par cet amour du terroir si fort dans les cœurs normands. Il avait de l'esprit, l'esprit du pays, un peu lourd, mais gai, et un air très comme il faut, même distingué, de gentilhomme campagnard, capable de faire bonne figure partout.

Boutemart le choya, le cajola, le séduisit, devint son ami, son compagnon de chasse et de plaisir. Ils dînèrent l'un chez l'autre souvent, et quand la jeune fille rentra tout à fait chez son père, elle y trouva cet agréable voisin installé presque comme chez lui.

Il lui parut fort bien. Elle lui sembla charmante. Montant tous les deux à cheval ensemble ils firent de longues excursions dans la forêt de Roumare, toujours suivis d'un groom, pour respecter tous les préjugés.

On organisa des promenades, des parties de campagne, des fêtes champêtres avec toutes les familles convenables du pays. Il s'éprit d'elle enfin, fit sa cour et éveilla bientôt ce désir de plaire, de séduire, de conquérir, qui dort dans le cœur des jeunes filles. Elle fut aimable, puis coquette, et il l'aima très ardemment en homme simple qu'il était.

Il fit sa demande de mariage après six mois d'assiduités. Germaine consultée l'agréa, et le père dit « oui » de tout son cœur.

Ce fut un bon ménage à qui vint un fils seulement après cinq ans d'union. La comtesse s'éprit pour son enfant d'un amour maternel extrême. Ce fut en elle la révélation d'un instinct puissant, insoupçonné jusque-là dans sa chair, et elle en désira d'autres.

Elle avait envie surtout d'une fille, pour l'élever suivant son âme, ses goûts, son idéal de femme.

Son désir ne se réalisant pas vite, elle s'attrista, s'inquiéta, et, troublée devant cet insaisissable rêve, adressa au ciel sa plainte d'épouse. Une espèce de dévotion particulière et mystique la poussa vers Marie, patronne des mères. Elle ne l'implorait pas, comme implorent les fanatiques, avec des mots ou des formules, mais elle lui envoyait du fond du cœur une constante et tendre prière.

Ce n'était pas une dévote ; elle n'était pas même ardemment croyante, ayant été élevée entre un père indifférent à ces choses et une mère presque incrédule. Mme Boutemart, en effet, née à l'époque où les grandes luttes morales, philosophiques et religieuses de la Révolution avaient fait disparaître les croyances pieuses dans beaucoup de familles, garda toute sa vie les opinions indépendantes que lui inculqua son père.

Sa fille Germaine fut cependant baptisée et fit sa première communion, mais elle ne reçut ensuite de sa mère aucune doctrine et aucune ferveur religieuses.

Or, quand elle devint orpheline et alla passer trois ans dans l'élégante pension de Paris où elle compléta son éducation dans tous les genres, on lui donna de la Foi chrétienne comme de l'histoire et de la musique. Le prêtre directeur, chargé de conduire à Dieu les âmes de ces demoiselles, était un homme habile, insinuant, persuasif et dominateur. Quand il découvrit les croyances indécises et nonchalantes de Germaine, il s'attacha à la convertir avec une ténacité de missionnaire. Il réussit seulement à en faire une demi-fervente, qui crut bientôt de tout son cœur et de toute son imagination à la si touchante légende chrétienne. Elle eut des accès de tendresse sentimentale et de doux élans de piété vers le Sauveur et sa mère, la Vierge, mais elle ne fut jamais dominée par les pratiques du culte, qu'elle estimait faites pour le peuple. Elle s'y prêta cependant de bonne volonté, suivit la messe du dimanche, et remplit ses devoirs obligatoires autant par conscience que par tenue.

Donc, à la Vierge Marie, mère du Christ, elle demandait un enfant, une fille ; elle ne fut point exaucée, et la guerre de 1870 déclarée brusquement eut plus d'influence pour satisfaire ce vœu que ses implorations au ciel.

Quoique dégagé des obligations du service militaire, M. de Brémontal, patriote ardent, à la première nouvelle de la France en danger, voulut s'engager et partir. Germaine qui l'aimait bien, sans grande passion, mais en compagne fidèle et dévouée, bien plus mère que femme, eut une peur affreuse de le perdre, car elle ne désirait rien autre chose que de finir sa vie près de lui, dans ce château qui lui plaisait, dans ce pays qu'elle adorait, avec des enfants autour d'elle.

La pensée des dangers qu'il allait courir, la possibilité de sa mort, l'inquiétude dont elle souffrirait pendant cette absence périlleuse, lui firent décider de tout tenter, de tout faire, de tout inventer pour anéantir sa résolution.

Que fit-elle ? Ce que toute femme jolie et jeune eût essayé ; elle redevint tendre, avec des subtilités de coquetterie si souples qu'il y fut pris comme à un amour nouveau. Elle retrouva pour le mari, que son cœur poussait vers un grand devoir, des séductions inattendues d'épouse qui s'attache et se donne comme une maîtresse éprise.

Jamais elle n'avait été cela pour lui, jamais il n'avait senti venir d'elle cette séduction troublante, ce charme si captivant des baisers qui font tout oublier et consentir à tout. Et il découvrait soudain cet abandon passionné dans sa femme, avec un étonnement ravi. Conquis, il céda d'abord à toutes les tendresses, à toutes les caresses, à toutes les adresses d'amour dont elle l'enlaçait et l'enchaînait.

Mais quand la déroute des armées françaises devint irréparable, quand les grands désastres furent connus, quand la ruine du pays fut imminente, son cœur de gentilhomme patriote battit plus fort que son cœur d'amant. Fils d'anciens seigneurs normands, héritier de leur bravoure et de leur aventureuse audace, il sentit, il comprit qu'il devait donner l'exemple du courage autour de lui, et il s'en alla brusquement un matin, avec des larmes dans les yeux et du désespoir dans l'âme.

Pendant plusieurs semaines elle reçut des lettres de son mari, et elle apprit qu'il avait pu rejoindre l'armée du général Chanzy[11] qui luttait encore. Puis toute nouvelle cessa. Puis elle tomba malade, et voilà qu'un jour, ce qui à tout autre instant lui aurait été un si grand bonheur, lui fut révélé par le docteur Paturel appelé en consultation. Elle allait devenir mère.

Oh, quels mois terribles elle passa, cinq mois d'angoisses épouvantables pendant lesquels elle ne reçut rien de lui.

Était-il mort ou prisonnier ?

Cette phrase, toujours la même, hantait sa pensée, obsédait ses nuits et ses jours.

Et maintenant encore, elle la répétait en marchant d'un bout à l'autre du salon.

Les heures et les demies sonnaient l'une après l'autre sur le timbre du cartel, et la comtesse ne se décidait point à monter. Une détresse plus poignante que celle des autres soirs, une espèce de pressentiment sinistre opprimait son âme. Elle s'assit, se releva, se remit à songer, puis, lasse d'esprit comme de corps, elle apporta les coussins du divan et fit avec son grand fauteuil une sorte de lit devant le feu pour essayer de sommeiller là quelque temps encore, tant sa chambre lui faisait peur.

Ses yeux enfin s'alourdissaient et sa pensée s'engourdissait dans ce trouble de la vie qui s'endort, de l'être anéanti par le repos, quand un bruit bizarre, inconnu, la fit tressaillir et la redressa.

Elle écoutait, haletante. C'étaient des voix qui s'approchaient, des voix d'hommes. Alors, courant à la fenêtre, elle l'entrouvrit pour mieux entendre derrière l'auvent. Elle distingua des pas de chevaux dans la neige, un bruit de fer de sabres heurtés, et les voix, de plus en plus proches, prononçaient des mots étrangers.

Eux ! C'étaient les Prussiens ! Elle s'élança vers la sonnette et sonna, sonna de toute sa force, comme on sonne le tocsin dans les pressants périls. Puis l'image de son enfant, de son petit Henri, la frappant comme une balle au cœur, elle s'élança dans l'escalier vers sa chambre.

Les domestiques, réveillés, accouraient, une bougie à la main, à peine vêtus : le valet de pied, le cocher, une servante, une cuisinière et la bonne de l'enfant.

La comtesse criait :

– Les Prussiens ! les Prussiens !

Au même instant, un coup si fort ébranla la grande porte qu'on eût dit un choc de bélier ; et une voix puissante cria du dehors un commandement en allemand, que personne ne comprit au-dedans.

Alors Mme de Brémontal ordonna à ses deux vieux serviteurs :

– Il ne faut pas leur résister, pour éviter des violences. Allez bien vite leur ouvrir, et donnez-leur ce qu'ils voudront. Moi, je m'enferme avec mon fils. S'ils vous parlent de moi, dites que je suis malade, incapable de descendre.

Un autre coup ébranla la porte, et fit vibrer tout le château. Un autre encore le suivit, puis un autre, puis un autre. Ils sonnaient dans les couloirs comme le canon. Des voix hurlaient sous les murs ; on eût dit un siège commencé.

La comtesse disparut avec Annette dans la chambre du petit, tandis que les deux hommes descendaient à toutes jambes pour ouvrir aux envahisseurs, et que la cuisinière et la servante, éperdues de peur, restaient debout sur les marches de l'escalier afin d'attendre les événements, et de fuir par toute issue ouverte.

Quand madame de Brémontal ouvrit les rideaux du lit d'Henry, il dormait, n'ayant rien entendu dans son sommeil sans inquiétudes. Sa mère en l'éveillant ne savait quoi lui dire sans trop l'émouvoir ou le terrifier en lui annonçant la présence des vilains hommes qui étaient en bas avec des armes.

Lorsqu'il eut ouvert les yeux sous ses baisers, elle lui raconta que des soldats passant par le pays étaient entrés dans le château ; et comme il entendait souvent parler de la guerre, il demanda :

– C'est des soldats ennemis, maman ?

– Oui, mon enfant, des soldats ennemis.

– Sais-tu s'ils ont vu papa ?

Elle reçut au cœur une commotion terrible et répondit :

– Je ne sais pas, mon chéri.

Elle l'habillait avec Annette bien vite, en le couvrant de ses vêtements les plus chauds, car on ne pouvait rien savoir ni rien prévoir.

Les heurts de bélier avaient cessé. On n'entendait maintenant qu'une grande rumeur de voix et des cliquetis de sabres dans l'intérieur du château. C'était la prise de possession, l'invasion du logis, le viol de l'intimité sacrée de la demeure.

La comtesse tressaillait en les entendant, et sentait s'éveiller en elle une révolte furieuse de colère et d'indignation.

Chez elle. Ils étaient chez elle, ces Prussiens haïs, maîtres absolus, libres de tout faire, puissants jusqu'à tuer.

Des coups de doigt soudain heurtèrent sa porte.

Elle demanda :

– Qui est là ?

La voix de son valet de pied répondit :

– C'est moi, madame la comtesse.

Elle ouvrit. Le domestique parut, et elle balbutia :

– Eh bien ?

– Eh bien, ils veulent que madame descende.

– Je ne veux pas.

– Ils ont dit que si madame ne voulait pas, ils monteraient la chercher.

Elle n'eut pas peur. Tout son sang-froid lui était revenu, et un courage de femme exaspérée. C'était la guerre, eh bien, elle se conduirait comme un homme.

– Répondez-leur que je n'ai pas d'ordre à recevoir d'eux et que je reste ici.

Pierre hésitait, ayant compris que l'officier commandant était une brute.

Mais elle répéta d'un ton si ferme : « Allez », qu'il obéit. Elle ne tourna point la clef derrière lui, pour n'avoir pas l'air de se cacher, et elle attendit, palpitante.

Des pas pesants montèrent bientôt l'escalier, ceux de plusieurs hommes, et, de nouveau, on heurta sa porte.

Elle demanda :

– Qui est là ?

Une voix étrangère prononça :

– Un officier prussien.

– Entrez, dit-elle.

Un jeune homme de grande taille se présenta, salua, et, en bon français, presque sans accent :

– Je vous prie de m'excuser, madame, si j'exécute l'ordre de mon supérieur qui m'a chargé de vous amener près de lui. Voulez-vous descendre de bonne grâce, c'est ce que vous avez de mieux à faire, et pour vous, et pour nous.

Elle hésita une seconde, puis :

– Oui, monsieur, je vous suis.

Et appelant son domestique debout derrière l'officier :

– Prenez le petit dans vos bras et suivez-moi. Je ne veux pas nous séparer.

L'homme obéit et la suivit, portant son fils. Alors elle passa devant le Prussien et descendit à pas lents, gênée par sa taille, se soutenant à la rampe, et Annette demeura seule dans la chambre, trop paralysée de terreur pour faire le moindre mouvement.

En arrivant à l'entrée du salon elle aperçut sept ou huit officiers, installés déjà comme chez eux, la troupe étant au village. Ils fumaient, allongés dans les fauteuils, les sabres jetés sur la table, sur les livres, sur les poètes, tandis que deux plantons gardaient la porte. Du premier coup d'œil elle distingua le chef, le dos au feu, une semelle levée à la flamme. Il avait gardé sa casquette d'uniforme, et dans sa figure poilue de barbe rousse semblaient luire la joie de la victoire et le plaisir d'avoir chaud.

En la voyant entrer il fit de la main un léger salut militaire sans se découvrir, impertinent et bref, puis il dit avec cette prononciation allemande qui paraît grasse de choucroute et de saucisse :

– Fous êtes la tame de ce château ?

Elle était debout devant lui, sans avoir rendu son insolent salut, et elle répondit un « oui » si sec que tous les yeux allèrent de la femme au soldat.

Il ne s'émut pas et reprit :

– Gompien êtes-fous de bersonnes ici ?

– J'ai deux vieux domestiques, trois bonnes et trois valets de ferme.

– Fotre mari, qu'est-ce qu'il fait ? où est-il ?

Elle répondit hardiment :

– Il est soldat, comme vous ; et il se bat.

L'officier répliqua avec insolence :

– Eh pien, il est pattu alors.

Et il rit d'un gros rire barbu. Puis, quand il eut ri, deux ou trois rirent, aussi lourdement, avec des timbres différents, qui donnaient la note des gaietés teutonnes. Les autres se taisaient en examinant avec attention cette Française courageuse.

Alors elle dit, bravant le chef d'un regard intrépide :

– Monsieur, vous n'êtes pas un gentilhomme, pour venir insulter une femme chez elle, comme vous faites.

Un grand silence suivit, assez long, terrible. Le soldat germain demeurait impassible, riant toujours, en maître qui peut tout vouloir à son gré.

– Mais non, dit-il, fous n'êtes pas chez fous ; fous êtes chez nous. Il n'y a plus bersonne chez lui en France.

Et il rit encore, avec la certitude ravie d'affirmer là une vérité incontestable et stupéfiante.

Elle répondit exaspérée :

– La violence n'est pas un droit. C'est un forfait. Vous n'êtes pas plus chez vous qu'un voleur dans la maison dévalisée.

Une colère s'alluma dans les yeux du Prussien.

– Che fas fous proufer que c'est fous qui n'êtes pas chez fous. Car je fous ortonne de quitter cette maison, ou pien je fous en fais chasser.

Au bruit de cette voix méchante, dure et forte, le petit Henri, plus surpris jusque-là qu'effrayé par ces hommes, se mit à pousser des cris perçants.

En entendant pleurer l'enfant, la comtesse perdit la tête et l'idée des brutalités auxquelles cette soldatesque se pouvait livrer, des dangers que son cher petit pouvait

courir, lui mit au cœur subitement l'envie folle, irrésistible, de s'en aller, de fuir n'importe où, dans une chaumière du village. On la jetait dehors. Tant mieux [12] !

. . . .

Quand [13] j'ai passé par là en juillet 1882, avec une tem-
pérature de 40 à 45 degrés à l'ombre, et des haleines de
vent du sud, qui embaumait les souffles embrasés de
l'incendie d'un continent.

Sa figure rappelait un peu le masque maigre de Voltaire
et de Bonaparte. Il avait le nez coupant, courbé, aigu,
pointu, la mâchoire forte, aux os saillants sous les oreilles,
et le menton effilé. Un œil gris pâle, avec la tache noire de la
pupille au milieu, et un tel air d'autorité dans sa parole et
dans ses démonstrations professionnelles qu'il inspirait à
tout le monde une grande confiance. Il rétablit des gens
réputés depuis longtemps inguérissables, des rhumatisants,
des ankylosés des champs, les infirmes de l'humidité, par
des méthodes d'hygiène, de nourriture et d'exercice, et des
poudres qui leur redonnaient faim, il guérit les plaies
anciennes avec les antiseptiques nouveaux, et persécuta le
microbe selon les procédés les plus récents. Puis, quand il
avait soigné un malade, il semblait laisser derrière lui de la
propreté dans la maison. Il prospéra, on l'appelait de très
loin, et l'argent vint, car il y tenait, réglant le prix des visites
selon les distances et les fortunes [14].

. . . .

— Vous [15] êtes le premier médecin du département... la
fortune, tout.

— Mais j'habite ici, dit-il, j'y ronge, j'y perds ma vie,
tout ce que j'aime et tout ce que je souhaite, je ne l'ai
pas. Ah ! Paris, Paris !... Est-ce que je peux travailler
pour moi, ici, travailler pour la science ? Ai-je les labo-
ratoires, les hôpitaux, les sujets rares, toutes les maladies inconnues et connues du monde entier sous les
yeux ? Puis-je faire des expériences, des rapports, devenir

membre de l'Académie de médecine ? Ici, je n'ai rien, ni avenir, ni distractions, ni plaisir, ni femme à épouser ou à aimer, ni gloire à cueillir, rien, rien que de la gloire d'arrondissement. Je guéris, oui, je guéris du peuple, des bourgeois avares qui payent en argent, parfois en or, et jamais en billets. Je guéris la petite misère du commun des hommes, mais jamais les princes, les ambassadeurs, les ministres, les grands artistes, dont la cure retentissante est répétée jusqu'aux cours étrangères. Je soigne et je guéris, en un mot, au fond d'une province, le rebut de l'humanité.

Le prêtre l'écoutait d'un air un peu crispé, un peu fâché.

Il murmura :

– C'est peut-être plus noble et plus grand, et plus beau.

Mais le médecin rageur reprit :

– Je ne vis pas pour les autres, je vis pour moi, monsieur le curé.

L'abbé sentit tressaillir son âme d'apôtre. Il ajouta :

– Le Christ est mort pour les petits.

Et le médecin grogna :

– Mais je ne suis pas le Christ, nom d'un chien ! Je suis le docteur Paturel, agrégé de la Faculté de médecine de Paris.

L'abbé, calmé, répondit, ayant passé en quelques secondes par un cycle d'idées, touchant presque aux limites de la pensée humaine, car il aperçut toutes les grandeurs et toutes les petitesses de l'idéal. Et il conclut :

– Vous avez peut-être raison. À votre point de vue, vous êtes dans le vrai. Et pour vous, c'est le seul bon.

– Parbleu ! jeta le médecin d'une voix claire, qui sonna dans l'air sec.

Puis le prêtre ajouta :

– Vous êtes pourtant un grand cœur, car vous restez ici pour votre mère.

Le docteur tressaillit ; on avait touché sa plaie, sa peine, sa tendresse intimes.

– Oui, je ne la quitterai jamais.

Leurs yeux tombèrent ensemble sur l'Infirme qui les écoutait de toutes ses oreilles et les comprenait très bien.

Et les regards des deux hommes s'étant rencontrés ensuite se dirent des choses mystérieuses sur la destinée et l'avenir de cet enfant, en les comparant aux leurs. C'était lui le misérable.

Mais la pensée du Christ hantait l'abbé. Il reprit la conversation :

– Moi, j'adore le Christ.

Le médecin riposta :

– Monsieur le curé, depuis que ce monde existe tous les dieux conçus par la pensée humaine sont des monstres. Est-ce pas Voltaire qui a dit : « L'Écriture prétend que Dieu a fait l'homme à son image, mais l'homme le lui a bien rendu [16] » ?

Il accumulait les preuves, les injustices, les férocités, les méfaits de la Providence. Il ajouta :

– Moi qui suis médecin de pauvres gens, je les vois, ces méfaits, je les constate tous les jours. Vous aussi, d'ailleurs, qui soignez leurs âmes. Si j'avais à écrire un livre, un recueil de documents là-dessus, je l'intitulerais : « Le Dossier de Dieu » ; et il serait terrible, monsieur le curé.

L'abbé Marvaux soupira :

– Nous ne pouvons rien pénétrer de ces questions et de ces mystères en dehors de nos facultés cérébrales. Moi, je ne crois pas que je comprenne Dieu. Il est trop épandu et trop universel pour nos esprits. Le mot Dieu représente une conception et une explication quelconques, un refuge contre les doutes, un asile contre la peur, une consolation contre la mort, un remède contre l'égoïsme. C'est une formule de la phraséologie religieuse. Dieu, ce

n'est pas un Dieu. Nous autres hommes, nous ne pouvons aimer qu'un Dieu tangible et visible. L'autre,
l'Inconnu, l'Inconnaissable, l'Immense je ne sais quoi ne
nous ayant pas donné un sens pour le comprendre, par
pitié pour nos cœurs nous envoya le Christ.

Le prêtre, halluciné, se tut ; puis, suivant sa pensée
unique, murmura :

– Qui sait ? le Christ aussi a peut-être été trompé par
Dieu dans sa mission, comme nous le sommes. Mais il
est devenu Dieu lui-même pour la terre, pour notre terre
misérable, pour notre petite terre couverte de souffrants
et de manants. Il est Dieu, notre Dieu, mon Dieu, et je
l'aime de tout mon cœur d'homme et de toute mon âme
de prêtre. Ô Maître crucifié sur le Calvaire, je suis à toi,
ton fils et ton serviteur.

Le médecin, surpris, murmura :

– Comme c'est bizarre ce que vous me dites là !

– Oui, reprit le prêtre, le Christ doit être aussi une
victime de Dieu. Il en a reçu une fausse mission, celle de
nous illusionner par une nouvelle religion. Mais le divin
Envoyé l'a accomplie si belle, cette mission, si magnifique, si dévouée, si douloureuse, si inimaginablement
grande et attendrissante, qu'il a pris pour nous la place
de son Inspirateur. Qu'est-ce que Dieu, mot vague, avant
le Christ ? Nous autres qui ne savons rien et ne nous
attachons à rien que par nos pauvres organes, pouvons-
nous adorer ces lettres dont nous ne comprenons pas le
sens, ce Dieu ténébreux dont nous ne nous figurons rien,
ni l'existence, ni l'intention, ni le pouvoir, dont nous ne
connaissons qu'un petit essai de création maladroit,
méprisable, la terre, sorte de bagne pour les âmes tour-
mentées de savoir, et pour les corps en mauvaise santé.
Non, nous ne pouvons pas aimer ça. Mais le Christ, chez
qui toute pitié, toute grandeur, toute philosophie, toute
connaissance de l'humanité, sont descendues on ne sait
d'où, qui fut plus malheureux que les plus misérables,

qui naquit dans une étable et mourut cloué sur un tronc d'arbre, en nous laissant à tous la seule parole de vérité qui soit sage et consolante pour vivre en ce triste endroit, celui-là c'est mon Dieu, c'est mon Dieu, à moi.

Un soupir à côté de lui le fit taire. André pleurait dans sa voiture d'infirme.

Le prêtre le baisa sur le front. Le jeune homme balbutia :

– Comme j'aime vous entendre parler ! Je vous comprends parfaitement.

Et le prêtre lui répondit :

– Pauvre petit, toi aussi, tu as reçu de l'impitoyable destinée un triste sort. Mais tu auras au moins, je crois, en compensation de toutes les joies physiques, les seules belles choses qui soient permises aux hommes, le rêve, l'intelligence et la pensée [17].

. . . .

C'est [18] fini ma vie est ratée.

Le prêtre s'arrêta et les deux hommes se regardaient, dans la lumière de la pleine lune qui de là-haut semblait aussi les contempler.

L'abbé de Praxas ouvrit les bras.

– Frère, embrasse-moi, dit-il.

Ils s'étreignirent puis se séparèrent. Le curé continuait sa route vers le presbytère. Le médecin retournait à la veillée mortuaire [19].

Éternel [20] meurtrier qui semble ne goûter le plaisir de produire que pour savourer insatiablement sa passion acharnée de tuer de nouveau, de recommencer ses exterminations à mesure qu'il crée des êtres. Éternel faiseur de cadavres et pourvoyeur des cimetières, qui s'amuse ensuite à semer des graines et à éparpiller des germes de vie pour satisfaire sans cesse son besoin insatiable de destruction. Meurtrier affamé de mort embusqué dans l'Espace, pour créer des êtres et les détruire, les mutiler, leur imposer toutes les souffrances, les frapper de toutes les maladies, comme un destructeur infatigable qui continue sans cesse son horrible besogne. Il a inventé le choléra, la peste, le typhus, tous les microbes qui rongent le corps, les carnassiers qui dévorent les faibles animaux. Seules cependant les bêtes sont ignorantes de cette férocité, car elles ignorent cette loi de la mort qui les menace autant que nous. Le cheval qui bondit au soleil dans une prairie, la chèvre qui grimpe sur les roches de son allure légère et souple, suivie du bouc qui la poursuit, les pigeons qui roucoulent sur les toits, les colombes le bec dans le bec sous la verdure des arbres, pareils à des amants qui se disent leur tendresse, et le rossignol qui chante au clair de lune auprès de sa femelle qui couve ne savent pas l'éternel massacre de ce Dieu qui les a créés. Le mouton qui [21]

ANNEXE

LES SOIRÉES DE MÉDAN

COMMENT CE LIVRE A ÉTÉ FAIT

Monsieur le directeur,

Votre journal fut le premier à annoncer les *Soirées de Médan*, et vous me demandez aujourd'hui quelques détails particuliers sur les origines de ce volume. Il vous paraîtrait intéressant de savoir ce que nous avons prétendu faire, si nous avons voulu affirmer une idée d'école et lancer un manifeste.

Je réponds à ces quelques questions.

Nous n'avons pas la prétention d'être une école. Nous sommes simplement quelques amis, qu'une admiration commune a fait se rencontrer chez Zola, et qu'ensuite une affinité de tempéraments, des sentiments très semblables sur toutes choses, une même tendance philosophique, ont liés de plus en plus.

Quant à moi, qui ne suis encore rien comme littérateur, comment pourrais-je avoir la prétention d'appartenir à une école ? J'admire indistinctement tout ce qui me paraît supérieur, à tous les siècles et dans tous les genres.

Cependant, il s'est fait évidemment en nous une réaction inconsciente, fatale, contre l'esprit romantique, par cette seule raison que les générations littéraires se suivent et ne se ressemblent pas.

Mais, du reste, ce qui nous choque dans le romantisme, d'où sont sorties d'impérissables œuvres d'art, c'est uniquement son résultat philosophique. Nous nous plaignons de ce que l'œuvre de Hugo ait détruit en partie l'œuvre de Voltaire et de Diderot. Par la sentimentalité ronflante des romantiques, par leur méconnaissance dogmatique du droit et de la logique, le vieux bon sens, la vieille sagesse de Montaigne et de Rabelais ont presque disparu de notre pays. Ils ont substitué l'idée de pardon à l'idée de justice, semant chez nous une sensiblerie miséricordieuse et sentimentale qui a remplacé la raison.

C'est grâce à eux que les salles de théâtre pleines de messieurs véreux et de filles ne peuvent tolérer sur la scène un simple fripon. C'est la morale romantique des foules qui force souvent les tribunaux à acquitter des particuliers et des drôlesses attendrissants, mais sans excuse.

J'ai pour les grands maîtres de cette école (puisqu'il s'agit d'école) une admiration sans limites, jointe souvent à une révolte de ma raison ; car je trouve que Schopenhauer et Herbert Spencer[1] ont sur la vie beaucoup d'idées plus droites que l'illustre auteur des *Misérables*. – Voilà la seule critique que j'oserais faire, et il ne s'agit pas ici de littérature. – Littérairement, ce qui nous paraît haïssable, ce sont les vieilles orgues de Barbarie larmoyantes, dont Jean-Jacques Rousseau a inventé le mécanisme et dont une suite de romanciers, arrêtée, je l'espère, à M. Feuillet[2], s'est obstinée à tourner la manivelle, répétant invariablement les mêmes airs langoureux et faux.

Quant aux querelles sur les mots : réalisme et idéalisme, je ne les comprends pas.

Une loi philosophique inflexible nous apprend que nous ne pouvons rien imaginer en dehors de ce qui tombe sous nos sens ; et la preuve de cette impuissance, c'est la stupidité des conceptions dites idéales, des paradis inventés par toutes les religions. Nous avons donc ce seul objectif : l'Être et la Vie, qu'il faut savoir comprendre et interpréter en artiste. Si on n'en donne pas l'expression à la fois exacte et artistiquement supérieure, c'est qu'on n'a pas assez de talent.

Quand un monsieur, qualifié de réaliste, a le souci d'écrire le mieux possible, est sans cesse poursuivi par des préoccupations d'art, c'est, à mon sens, un idéaliste. Quant à celui qui affiche la prétention de faire la vie plus belle que nature, comme si on pouvait l'imaginer autre qu'elle n'est, de mettre du ciel dans ses livres, et qui écrit en « romancier pour les dames », ce n'est, à mon avis du moins, qu'un charlatan ou un imbécile. – J'adore les contes de fées et j'ajoute que ces sortes de conceptions doivent être plus vraisemblables, dans leur domaine particulier, que n'importe quel roman de mœurs de la vie contemporaine.

Voici maintenant quelques notes sur notre volume.

Nous nous trouvions réunis, l'été, chez Zola, dans sa propriété de Médan.

Pendant les longues digestions des longs repas (car nous sommes tous gourmands et gourmets, et Zola mange à lui seul comme trois romanciers ordinaires), nous causions. Il nous racontait ses futurs romans, ses idées littéraires, ses opinions sur toutes choses. Quelquefois il prenait son fusil, qu'il manœuvrait en myope, et tout en parlant, il tirait sur des touffes d'herbes que nous lui affirmions être des oiseaux, s'étonnant considérablement quand il ne retrouvait aucun cadavre.

Certains jours on pêchait à la ligne. Hennique alors se distinguait, au grand désespoir de Zola, qui n'attrapait que des savates [3].

Moi, je restais étendu dans la barque la *Nana*, ou bien je me baignais pendant des heures, tandis que Paul Alexis rôdait avec des idées grivoises, que Huysmans fumait des cigarettes, et que Céard s'embêtait, trouvant stupide la campagne.

Ainsi se passaient les après-midi ; mais, comme les nuits étaient magnifiques, chaudes, pleines d'odeurs de feuilles, nous allions chaque soir nous promener dans la *grande île* en face.

Je passais tout le monde dans la *Nana*.

Or, par une nuit de pleine lune, nous parlions de Mérimée, dont les dames disaient : « Quel charmant conteur ! » Huysmans prononça à peu près ces paroles : « Un conteur est un monsieur qui, ne sachant pas écrire, débite prétentieusement des balivernes. »

On en vint à parcourir tous les conteurs célèbres et à vanter les raconteurs de vive voix dont le plus merveilleux, à notre connaissance, est le grand Russe Tourgueneff, ce maître presque français ; Paul Alexis prétendait qu'un conte écrit est très difficile à faire. Céard, un sceptique, regardant la lune, murmura : « Voici un beau décor romantique, on devrait l'utiliser... » Huysmans ajouta : « ... en racontant des histoires de sentiment ». Mais Zola trouva que c'était une idée, qu'il fallait se dire des histoires. L'invention nous fit rire, et on convint, pour augmenter la difficulté, que le cadre choisi par le premier serait conservé par les autres, qui y placeraient des aventures différentes.

On alla s'asseoir, et, dans le grand repos des champs assoupis, sous la lumière éclatante de la lune, Zola nous dit cette terrible page de l'histoire sinistre des guerres, qui s'appelle *L'Attaque du Moulin*.

Quand il eut fini, chacun s'écria : « Il faut écrire cela bien vite. » Lui se mit à rire : « C'est fait. »

Ce fut mon tour le lendemain.

Huysmans, le jour suivant, nous amusa beaucoup avec le récit des misères d'un mobile sans enthousiasme.

Céard, nous redisant le siège de Paris, avec des explications nouvelles, déroula une histoire pleine de philosophie, toujours vraisemblable sinon vraie, mais toujours réelle depuis le vieux poème d'Homère. Car, si la femme inspire éternellement des sottises aux hommes, les guerriers qu'elle favorise plus spécialement de son intérêt en souffrent nécessairement plus que d'autres.

Hennique nous démontra encore une fois que les hommes, souvent intelligents et raisonnables, pris isolément, deviennent infailliblement des brutes, quand ils sont en nombre – c'est ce qu'on pourrait appeler : l'ivresse des foules. – Je ne sais rien de plus drôle et de plus horrible en même temps que le siège de cette maison publique et le massacre des pauvres filles.

Mais Paul Alexis nous fit attendre quatre jours, ne trouvant pas de sujet. Il voulait nous raconter des histoires de Prussiens souillant des cadavres. Notre exaspération le fit taire, et il finit par imaginer l'amusante anecdote d'une grande dame allant ramasser son mari mort sur un champ de bataille et se laissant « attendrir » par un pauvre soldat blessé. – Et ce soldat était un prêtre ! ! !

Zola trouva ces récits curieux et nous proposa d'en faire un livre. – Il va paraître.

Voilà, Monsieur le directeur, quelques notes vite griffonnées, mais contenant, je pense, tous les détails qui peuvent vous intéresser.

Veuillez agréer, avec mes remerciements pour votre bienveillance, l'assurance de mes sentiments les plus dévoués.

GUY DE MAUPASSANT.

LA GUERRE

Donc on parle de guerre avec la Chine[1]. Pourquoi ?
on ne sait pas. Les ministres en ce moment hésitent, se
demandant s'ils vont faire tuer du monde là-bas. Faire
tuer du monde leur est très égal, le prétexte seul les
inquiète. La Chine, nation orientale et raisonnable,
cherche à éviter ces massacres mathématiques. La
France, nation occidentale et barbare, pousse à la guerre,
la cherche, la désire.

Quand j'entends prononcer ce mot : la guerre, il me
vient un effarement comme si on me parlait de sorcelle-
rie, d'inquisition, d'une chose lointaine, finie, abominable, monstrueuse, contre nature.

Quand on parle d'anthropophages, nous sourions avec
orgueil en proclamant notre supériorité sur ces sauvages.
Quels sont les sauvages, les vrais sauvages ? Ceux qui se
battent pour manger les vaincus ou ceux qui se battent
pour tuer, rien que pour tuer ? Une ville chinoise nous
fait envie : nous allons pour la prendre massacrer cinquante mille Chinois et faire égorger dix mille Français.
Cette ville ne nous servira à rien. Il n'y a là qu'une question d'honneur national. Donc l'honneur national (singulier honneur !) qui nous pousse à prendre une cité qui
ne nous appartient pas, l'honneur national qui se trouve
satisfait par le vol, par le vol d'une ville, le sera davantage
encore par la mort de cinquante mille Chinois et de dix
mille Français.

Et ceux qui vont périr là-bas sont des jeunes hommes qui pourraient travailler, produire, être utiles. Leurs pères sont vieux et pauvres. Leurs mères, qui pendant vingt ans les ont aimés, adorés comme adorent les mères, apprendront dans six mois que le fils, l'enfant, le grand enfant élevé avec tant de peine, avec tant d'argent, avec tant d'amour, est tombé dans un bois de roseaux, la poitrine crevée par les balles. Pourquoi a-t-on tué son garçon, son beau garçon, son seul espoir, son orgueil, sa vie ? Elle ne sait pas. Oui, pourquoi ? Parce qu'il existe au fond de l'Asie une ville qui s'appelle Bac-Ninh[2] ; et parce qu'un ministre qui ne la connaît pas s'est amusé à la prendre aux Chinois.

La guerre !... se battre !... tuer !... massacrer des hommes !... Et nous avons aujourd'hui, à notre époque, avec notre civilisation, avec l'étendue de science et le degré de philosophie où est parvenu le génie humain, des écoles où l'on apprend à tuer, à tuer de très loin, avec perfection, beaucoup de monde en même temps, à tuer de pauvres diables d'hommes innocents, chargés de famille, et sans casier judiciaire. M. Jules Grévy[3] fait grâce avec obstination aux assassins les plus abominables, aux découpeurs de femmes en morceaux, aux parricides, aux étrangleurs d'enfants. Et voici que M. Jules Ferry[4], pour un caprice diplomatique dont s'étonne la nation, dont s'étonnent les députés, va condamner à mort, d'un cœur léger, quelques milliers de braves garçons.

Et le plus stupéfiant c'est que le peuple entier ne se lève pas contre les gouvernements. Quelle différence y a-t-il donc entre les monarchies et les républiques ? Le plus stupéfiant, c'est que la société tout entière ne se révolte pas à ce seul mot de guerre.

Ah ! nous vivrons encore pendant des siècles sous le poids des vieilles et odieuses coutumes, des criminels préjugés, des idées féroces de nos barbares aïeux.

N'aurait-on pas honni tout autre que Victor Hugo qui eût jeté ce grand cri de délivrance et de vérité[5] ?

Aujourd'hui, la force s'appelle la violence et commence à être jugée ; la guerre est mise en accusation. La civilisation, sur la plainte du genre humain, instruit le procès et dresse le grand dossier criminel des conquérants et des capitaines. Les peuples en viennent à comprendre que l'agrandissement d'un forfait n'en saurait être la diminution ; que si tuer est un crime, tuer beaucoup n'en peut pas être la circonstance atténuante ; que si voler est une honte, envahir ne saurait être une gloire.

Ah ! proclamons ces vérités absolues, déshonorons la guerre !

*

Un artiste habile en cette partie, un massacreur de génie, M. de Moltke[6], a répondu, voici deux ans, aux délégués de la paix, les étranges paroles que voici : « La guerre est sainte, d'institution divine ; c'est une des lois sacrées du monde ; elle entretient chez les hommes tous les grands, les nobles sentiments, l'honneur, le désintéressement, la vertu, le courage, et les empêche en un mot de tomber dans le plus hideux matérialisme ! »

Ainsi, se réunir en troupeaux de quatre cent mille hommes, marcher jour et nuit sans repos, ne penser à rien, ne rien étudier, ne rien apprendre, ne rien lire, n'être utile à personne, pourrir de saleté, coucher dans la fange, vivre comme les brutes dans un hébétement continu, piller les villes, brûler les villages, ruiner les peuples, puis rencontrer une autre agglomération de viande humaine, se ruer dessus, faire des lacs de sang, des plaines de chair pilée mêlée à la terre boueuse et rougie, des monceaux de cadavres, avoir les bras ou les jambes emportés, la cervelle écrabouillée sans profit pour personne, et crever au coin d'un champ tandis que vos vieux parents, votre femme et vos enfants meurent de faim ; voilà ce qu'on appelle ne pas tomber dans le plus hideux matérialisme !

Les hommes de guerre sont les fléaux du monde. Nous luttons contre la nature, contre l'ignorance, contre les obstacles de toute sorte, pour rendre moins dure notre misérable vie. Des hommes, des bienfaiteurs, des savants usent leur existence à travailler, à chercher ce qui peut aider, ce qui peut secourir, ce qui peut soulager leurs frères. Ils vont, acharnés à leur besogne utile, entassant les découvertes, agrandissant l'esprit humain, élargissant la science, donnant chaque jour à l'intelligence une somme de savoir nouveau, donnant chaque jour à leur patrie du bien-être, de l'aisance, de la force.

La guerre arrive. En six mois, les généraux ont détruit vingt ans d'efforts, de patience, de travail et de génie.

Voilà ce qu'on appelle ne pas tomber dans le plus hideux matérialisme.

Nous l'avons vue, la guerre. Nous avons vu les hommes redevenus des brutes, affolés, tuer par plaisir, par terreur, par bravade, par ostentation. Alors que le droit n'existe plus, que la loi est morte, que toute notion du juste disparaît, nous avons vu fusiller des innocents trouvés sur une route et devenus suspects parce qu'ils avaient peur. Nous avons vu tuer des chiens enchaînés devant la porte de leurs maîtres pour essayer des revolvers neufs, nous avons vu mitrailler par plaisir des vaches couchées dans un champ, sans aucune raison, pour tirer des coups de fusils, histoire de rire.

Voilà ce qu'on appelle ne pas tomber dans le plus hideux matérialisme.

Entrer dans un pays, égorger l'homme qui défend sa maison parce qu'il est vêtu d'une blouse et n'a pas de képi sur la tête, brûler les habitations de misérables gens qui n'ont plus de pain, casser des meubles, en voler d'autres, boire le vin trouvé dans les caves, violer les femmes trouvées dans les rues, brûler des millions de francs en poudre, et laisser derrière soi la misère et le choléra.

Voilà ce qu'on appelle ne pas tomber dans le plus hideux matérialisme.

Qu'ont-ils donc fait pour prouver même un peu d'intelligence, les hommes de guerre ? Rien. Qu'ont-ils inventé ? Des canons et des fusils. Voilà tout.

L'inventeur de la brouette, Pascal, n'a-t-il pas plus fait pour l'homme par cette simple et pratique idée d'ajuster une roue à deux bâtons que l'inventeur des fortifications modernes, Vauban ?

Que nous reste-t-il de la Grèce ? Des livres, des marbres. Est-elle grande parce qu'elle a vaincu ou parce qu'elle a produit ?

Est-ce l'invasion des Perses qui l'a empêchée de tomber dans le plus hideux matérialisme ?

Sont-ce les invasions des barbares qui ont sauvé Rome et l'ont régénérée ?

Est-ce que Napoléon Ier a continué le grand mouvement intellectuel commencé à la fin du dernier siècle par les philosophes révolutionnaires ?

*

Eh bien oui, puisque les gouvernements prennent ainsi le droit de mort sur les peuples, il n'y a rien d'étonnant à ce que les peuples prennent parfois le droit de mort sur les gouvernements.

Ils se défendent. Ils ont raison. Personne n'a le droit absolu de gouverner les autres. On ne le peut faire que pour le bien de ceux qu'on dirige. Quiconque gouverne a autant le devoir d'éviter la guerre qu'un capitaine de navire a celui d'éviter le naufrage.

Quand un capitaine a perdu son bâtiment, on le juge et on le condamne, s'il est reconnu coupable de négligence ou même d'incapacité.

Pourquoi ne jugerait-on pas les gouvernants après chaque guerre déclarée ? Pourquoi ne les condamnerait-on pas s'ils étaient convaincus de fautes ou d'insuffisance ?

Du jour où les peuples comprendront cela, du jour où ils feront justice eux-mêmes des gouvernements meurtriers, du jour où ils refuseront de se laisser tuer sans raison, du jour où ils se serviront, s'il le faut, de leurs armes contre ceux qui les leur ont données pour massacrer, la guerre sera morte. Et ce jour viendra.

*

J'ai lu un livre superbe et terrible de l'écrivain belge Camille Lemonnier, et intitulé *Les Charniers*[7]. Le lendemain de Sedan, ce romancier partit avec un ami et visita à pied cette patrie de la tuerie, la région des derniers champs de bataille. Il marcha dans les fanges humaines, glissa sur les cervelles répandues, vagabonda dans les pourritures et les infections pendant des jours entiers et des lieues entières. Il ramassa dans la boue et le sang « ces petits carrés de papier chiffonnés et salis, lettres d'amis, lettres de mères, lettres de fiancées, lettres de grands-parents ».

Voici, entre mille, une des choses qu'il vit. Je ne peux citer que par courts fragments ce morceau que je voudrais donner en entier :

« L'église de Givonne était pleine de blessés. Sur le seuil, mêlée à la boue, de la paille piétinée faisait un amas qui fermentait.

« Au moment où nous allions entrer, des infirmiers, le tablier gris maculé de placards rouges, balayaient par la porte d'entrée une sorte de mare fétide comme celle où clapote le sabot des bouchers dans les abattoirs.

« … L'hôpital râlait… Des blessés étaient attachés à leur grabat par des cordes. S'ils bougeaient, des hommes les tenaient aux épaules pour les empêcher de se mouvoir. Et quelquefois une tête blême se dressait à demi au-dessus de la paille et regardait avec des yeux de supplicié l'opération du voisin.

« On entendait des malheureux crier en se tordant quand le chirurgien approchait, et ils cherchaient à [8] se mettre debout pour se sauver.

« Sous la scie, ils criaient encore, d'une voix sans nom, creuse et rauque, comme des écorchés : « Non, je ne veux pas, non, laissez-moi… » Ce fut le tour d'un zouave qui avait les deux jambes emportées.

– Faites excuse, la compagnie, dit-il, on m'a ôté les culottes.

« Il avait gardé sa veste, et ses jambes étaient emmaillotées, vers le bas, dans des lambeaux où suintait le sang.

« Le médecin se mit à enlever ces lambeaux, mais ils collaient l'un à l'autre, et le dernier adhérait à la chair vive. On versa de l'eau chaude sur le grossier bandage, et, à mesure qu'on versait l'eau, le chirurgien détachait les loques.

– Qui t'a amidonné comme ça, mon vieux ? demanda le chirurgien.

– C'est le camarade Fifolet, major. – Ouf, ça me tire jusque dans les cheveux. – Il avait eu le… emporté et moi les jambes. Et je lui dis :

. . . .

« La scie, étroite et longue, laissait des gouttelettes, à chacune de ses dents.

« Il y eut un mouvement dans le groupe. On déposait à terre un tronçon.

– Encore une seconde, mon brave, dit le chirurgien.

« Je passais ma tête dans le créneau des épaules et je regardai le zouave.

– Allez vite, major, disait-il ; je sens que je vais battre la breloque.

« Il mordait sa moustache, blanc comme un mort et les yeux hors la tête. Il tenait lui-même à deux mains sa jambe et hurlait par moment d'une voix grelottante un « hou ! » qui vous faisait sentir la scie dans votre propre dos.

– C'est fini, mon vieux loup ! dit le chirurgien en abattant le second moignon.

– Bonsoir ! dit le zouave.

« Et il s'évanouit ».

*

Et je me rappelle, moi, le récit de la dernière campagne de Chine, fait par un brave matelot qui en riait encore de plaisir.

Il me raconta les prisonniers empalés le long des routes pour amuser le soldat ; les grimaces si drôles des suppliciés ; les massacres commandés par des officiers supérieurs, pour terroriser la contrée, les viols dans ces demeures d'Orient, devant les enfants éperdus, et les vols à pleines mains, les pantalons noués aux chevilles pour emporter les objets, le pillage régulier, fonctionnant comme un service public, dévastant depuis les petites cases du tout petit bourgeois jusqu'au somptueux palais d'Été[9].

Si nous avons la guerre avec l'empire du Milieu, le prix des vieux meubles de laque et des riches porcelaines chinoises va baisser beaucoup, messieurs les amateurs.

LE MARIAGE DU LIEUTENANT LARÉ

NOUVELLE

Dès le début de la campagne, le lieutenant Laré prit aux Prussiens deux canons. Son général lui dit : « Merci, lieutenant », et lui donna la croix d'honneur.

Comme il était aussi prudent que brave, subtil, inventif, plein de ruses et de ressources, on lui confia une centaine d'hommes, et il organisa un service d'éclaireurs qui, dans les retraites, sauva plusieurs fois l'armée.

Mais, comme une mer débordée, l'invasion entrait par toute la frontière. C'étaient de grands flots d'hommes qui arrivaient les uns après les autres, jetant autour d'eux une écume de maraudeurs. La brigade du général Carrel[1], séparée de sa division, reculait sans cesse, se battant chaque jour, mais se maintenait presque intacte, grâce à la vigilance et à la célérité du lieutenant Laré, qui semblait être partout en même temps, déjouait toutes les ruses de l'ennemi, trompait ses prévisions, égarait ses uhlans[2], tuait ses avant-gardes.

Un matin, le général le fit appeler.

– Lieutenant, dit-il, voici une dépêche du général de Lacère qui est perdu si nous n'arrivons pas à son secours demain au lever du soleil. Il est à Blainville[3], à huit lieues d'ici. Vous partirez à la nuit tombante avec trois cents hommes que vous échelonnerez tout le long du chemin. Je vous suivrai deux heures après. Étudiez la route avec soin ; j'ai peur de rencontrer une division ennemie.

Il gelait fortement depuis huit jours. À deux heures, la neige commença de tomber ; le soir, la terre en était couverte, et d'épais tourbillons blancs voilaient les objets les plus proches.

À six heures le détachement se mit en route.

Deux hommes marchaient en éclaireurs, seuls, à trois cents mètres en avant. Puis venait un peloton de dix hommes que le lieutenant commandait lui-même. Le reste s'avançait ensuite sur deux longues colonnes. À trois cents mètres sur les flancs de la petite troupe, à droite et à gauche, quelques soldats allaient deux par deux.

La neige, qui tombait toujours, les poudrait de blanc dans l'ombre ; elle ne fondait pas sur leurs vêtements, de sorte que, la nuit étant obscure, ils tachaient à peine la pâleur uniforme de la campagne.

On faisait halte de temps en temps. Alors on n'entendait plus que cet innommable froissement de la neige qui tombe, plutôt sensation que bruit, murmure léger sinistre et vague. Un ordre se communiquait à voix basse, et, quand la troupe se remettait en route, elle laissait derrière elle une espèce de fantôme blanc debout dans la neige. Il s'effaçait peu à peu et finissait par disparaître. C'étaient les échelons vivants qui devaient guider l'armée.

Les éclaireurs ralentirent leur marche. Quelque chose se dressait devant eux.

– Prenez à droite, dit le lieutenant, c'est le bois de Ronfé ; le château se trouve plus à gauche.

Bientôt le mot : « Halte ! » circula. Le détachement s'arrêta et attendit le lieutenant qui, accompagné de dix hommes seulement, poussait une reconnaissance jusqu'au château.

Ils avançaient, rampant sous les arbres. Soudain tous demeurèrent immobiles. Un calme effrayant plana sur eux. Puis tout près, une petite voix claire, musicale et jeune traversa le silence du bois. Elle disait :

– Père, nous allons nous perdre dans la neige.

Nous n'arriverons jamais à Blainville.

Une voix plus forte répondit :

– Ne crains rien, fillette, je connais le pays comme ma poche.

Le lieutenant dit quelques mots, et quatre hommes s'éloignèrent sans bruit, pareils à des ombres.

Soudain un cri de femme, aigu, monta dans la nuit. Deux prisonniers furent amenés : un vieillard et une enfant. Le lieutenant les interrogea toujours à voix basse :

– Votre nom !

– Pierre Bernard.

– Votre profession ?

– Sommelier du comte de Ronfé.

– C'est votre fille ?

– Oui.

– Que fait-elle ?

– Elle est lingère au château.

– Où allez-vous ?

– Nous nous sauvons.

– Pourquoi ?

– Douze uhlans ont passé ce soir. Ils ont fusillé trois gardes et pendu le jardinier ; moi, j'ai eu peur pour la petite.

– Où allez-vous ?

– À Blainville.

– Pourquoi ?

– Parce qu'il y a là une armée française.

– Vous connaissez le chemin ?

– Parfaitement.

– Très bien ; suivez-nous.

On rejoignit la colonne, et la marche à travers champs recommença. Silencieux, le vieillard se tenait aux côtés du lieutenant. Sa fille marchait près de lui. Tout à coup elle s'arrêta.

– Père, dit-elle, je suis si fatiguée que je n'irai pas plus loin.

Et elle s'assit. Elle tremblait de froid et paraissait prête à mourir. Son père voulut la porter. Il était trop vieux et trop faible.

– Mon lieutenant, dit-il en sanglotant, nous gênerions votre marche. La France avant tout. Laissez-nous.

L'officier avait donné un ordre. Quelques hommes étaient partis. Ils revinrent portant des branches coupées. Alors, en une minute, une litière fut faite. Le détachement tout entier les avait rejoints.

– Il y a là une femme qui meurt de froid, dit le lieutenant ; qui veut donner son manteau pour la couvrir ?

Deux cents manteaux furent détachés.

– Qui veut la porter maintenant ?

Tous les bras s'offrirent. La jeune fille fut enveloppée dans ces chaudes capotes de soldat, couchée doucement sur la litière, puis quatre épaules robustes l'enlevèrent ; et, comme une reine d'Orient portée par ses esclaves, elle fut placée au milieu du détachement, qui reprit sa marche plus fort, plus courageux, plus allègre, réchauffé par la présence d'une femme, cette souveraine inspiratrice qui a fait accomplir tant de prodiges au vieux sang français.

Au bout d'une heure on s'arrêta de nouveau et tout le monde se coucha dans la neige. Là-bas, au milieu de la plaine, une grande ombre noire courait. C'était comme un monstre fantastique qui s'allongeait ainsi qu'un serpent, puis, soudain, se ramassait en boule, prenait des élans vertigineux, s'arrêtait, repartait sans cesse. Des ordres murmurés circulaient parmi les hommes et, de temps à autre, un petit bruit sec et métallique claquait. La forme errante se rapprocha brusquement, et l'on vit venir au grand trot, l'un derrière l'autre, douze uhlans perdus dans la nuit. Une lueur terrible leur montra soudain deux cents hommes couchés devant eux. Une détonation rapide se perdit dans le silence de la neige, et tous les douze, avec leurs douze chevaux, tombèrent.

On attendit longtemps. Puis on se remit en marche. Le vieillard qu'on avait trouvé servait de guide.

Enfin une voix très lointaine cria : Qui vive !

Une autre plus proche répondit un mot d'ordre.

On attendit encore ; des pourparlers s'engageaient. La neige avait cessé de tomber. Un vent froid balayait les nuages, et derrière eux, plus haut, d'innombrables étoiles scintillaient. Elles pâlirent et le ciel devint rose à l'Orient.

Un officier d'état-major vint recevoir le détachement. Mais comme il demandait qui l'on portait sur cette litière, elle s'agita ; deux petites mains écartèrent les grosses capotes bleues, et, rose comme l'aurore, avec des yeux plus clairs que n'étaient les étoiles disparues, et un sourire illuminant comme le soleil qui se levait, une mignonne figure répondit :

– C'est moi, monsieur.

Les soldats, fous de joie, battirent des mains et portèrent la jeune fille en triomphe jusqu'au milieu du camp, qui prenait les armes. Bientôt après le général Carrel arrivait. À neuf heures les Prussiens attaquaient. Ils battaient en retraite à midi.

Le soir, comme le lieutenant Laré, rompu de fatigue, s'endormait sur une botte de paille, on vint le chercher de la part du général. Il le trouva sous sa tente, causant avec le vieillard qu'il avait rencontré dans la nuit. Aussitôt qu'il fut entré, le général le prit par la main et s'adressant à l'inconnu :

– Mon cher comte, dit-il, voici le jeune homme dont vous me parliez tout à l'heure ; un de mes meilleurs officiers.

Il sourit, baissa la voix et reprit :

– Le meilleur.

Puis, se tournant vers le lieutenant abasourdi, il présenta « le comte de Ronfé-Quédissac ».

Le vieillard lui prit les deux mains :

– Mon cher lieutenant, dit-il, vous avez sauvé la vie de ma fille, je n'ai qu'un moyen de vous remercier... vous viendrez dans quelques mois me dire... si elle vous plaît...

Un an après, jour pour jour, dans l'église Saint-Thomas-d'Aquin[4], le capitaine Laré épousait Mlle Louise-Hortense-Geneviève de Ronfé-Quédissac.

Elle apportait six cent mille francs de dot et était, disait-on, la plus jolie mariée qu'on eût encore vue cette année-là.

SOUVENIR

… Depuis la veille, on n'avait rien mangé. Tout le jour, nous restâmes cachés dans une grange, serrés les uns contre les autres pour avoir moins froid, les officiers mêlés aux soldats, et tous abrutis de fatigue.

Quelques sentinelles, couchées dans la neige, surveillaient les environs de la ferme abandonnée qui nous servait de refuge pour nous garder de toute surprise. On les changeait d'heure en heure, afin de ne les point laisser s'engourdir.

Ceux de nous qui pouvaient dormir dormaient ; les autres restaient immobiles, assis par terre, disant à leur voisin quelques mots de temps en temps.

Depuis trois mois, comme une mer débordée, l'invasion entrait partout. C'étaient de grands flots d'hommes qui arrivaient les uns après les autres, jetant autour d'eux une écume de maraudeurs.

Quant à nous, réduits à deux cents francs-tireurs, de huit cents que nous étions un mois auparavant, nous battions en retraite, entourés d'ennemis, cernés, perdus. Il nous fallait, avant le lendemain, gagner Blainville [1] où nous espérions encore trouver le général C… Si nous ne parvenions dans la nuit à faire les douze lieues qui nous séparaient de la ville ; ou bien si la division française était éloignée, plus d'espoir !

On ne pouvait marcher le jour, la campagne étant pleine de Prussiens.

À cinq heures il faisait nuit, cette nuit blafarde des neiges. Les muets flocons blancs tombaient, tombaient, ensevelissaient tout dans ce grand drap gelé, qui s'épaississait toujours sous l'innombrable foule et l'incessante accumulation des vaporeux morceaux de cette ouate de cristal.

À six heures le détachement se remit en route.

Quatre hommes marchaient en éclaireurs, seuls, à trois cents mètres en avant. Puis, venait un peloton de dix hommes que commandait un lieutenant, puis le reste de la troupe, en bloc, pêle-mêle, au hasard des fatigues et de la longueur des pas. À quatre cents mètres sur nos flancs, quelques soldats allaient deux par deux.

La blanche poussière descendant des nuages nous vêtait entièrement, ne fondait plus sur les képis ni sur les capotes, faisait de nous des fantômes, comme les spectres de soldats morts.

Parfois on se reposait quelques minutes. Alors on n'entendait plus que ce glissement vague de la neige qui tombe, cette rumeur presque insaisissable que fait l'emmêlement des flocons. Quelques hommes se secouaient, d'autres ne bougeaient point. Puis un ordre circulait à voix basse. Les fusils remontaient sur les épaules, et, d'une allure exténuée, on se remettait en marche.

Soudain, les éclaireurs se replièrent. Quelque chose les inquiétait. Le mot « halte ! » circula. C'était un grand bois, devant nous. Six hommes partirent pour le reconnaître. On attendit dans un silence morne.

Et tout à coup un cri aigu, un cri de femme, cette déchirante et vibrante note qu'elles jettent dans leurs épouvantes, traversa la nuit épaissie par la neige.

Au bout de quelques minutes, on amenait deux prisonniers, un vieillard et une jeune fille.

Le capitaine les interrogea, toujours à voix basse.

– Votre nom ?

– Pierre Bernard.

– Votre profession ?

– Sommelier du comte de Roufé[2].

– C'est votre fille ?

– Oui.

– Que fait-elle ?

– Elle est lingère au château.

– Comment rôdez-vous comme ça, la nuit, nom de Dieu ?

– Nous nous sauvons.

– Pourquoi ?

– Douze uhlans ont passé ce soir. Ils ont fusillé trois gardes et pendu le jardinier. Moi, j'ai eu peur pour la petite.

– Où allez-vous ?

– À Blainville.

– Pourquoi ?

– Parce qu'il y a là, dit-on, une armée française.

– Vous connaissez le chemin ?

– Parfaitement.

– Cela suffit, restez à mon côté.

Et la marche à travers champs recommença. Le vieillard silencieux suivait le capitaine. Sa fille se traînait près de lui. Tout à coup elle s'arrêta.

– Père, dit-elle, je suis si fatiguée que je n'irai pas plus loin.

Et elle tomba. Elle tremblait de froid, et paraissait prête à mourir. Son père voulut la porter. Il ne put même pas la soulever.

Le capitaine tapait du pied, jurait, furieux et apitoyé. « Nom de Dieu, je ne peux pourtant pas vous laisser crever là ! »

Mais quelques hommes s'étaient éloignés ; ils revinrent avec des branches coupées. Alors, en une minute, une litière fut faite.

Le capitaine s'attendrit : « Nom de Dieu ! c'est gentil, ça. Allons, les enfants, qui est-ce qui prête[3] sa capote maintenant ? C'est pour une femme, nom de Dieu ! »

Vingt capotes furent détachées d'un coup et jetées sur la litière. En une seconde la jeune fille, enveloppée dans ces chauds vêtements de soldat, se trouva soulevée par six bras robustes qui l'emportèrent.

On repartit, comme si on eût bu un coup de vin, plus gaillardement, plus joyeusement. Des plaisanteries couraient même, et cette gaieté s'éveillait que la présence d'une femme redonne toujours au sang français.

Les soldats maintenant marchaient au pas, fredonnaient des sonneries, réchauffés soudain. Et un vieux franc-tireur, qui suivait la litière, attendant son tour pour remplacer le premier camarade qui flancherait, ouvrit son cœur à son voisin. « Je n'suis pus jeune, moi, et bien, cré coquin, l'sexe, y a tout d'même que ça pour vous flanquer du cœur au ventre. »

Jusqu'à trois heures du matin on avança presque sans repos ; mais, brusquement, pareil à un souffle, le commandement : « Halte ! » fut de nouveau chuchoté. Puis, presque par instinct, tout le monde s'aplatit par terre.

Là-bas, au milieu de la plaine, quelque chose remuait. Cela semblait courir, et comme la neige ne tombait plus, on distinguait vaguement, très loin encore, une apparence de monstre qui s'allongeait ainsi qu'un serpent, puis, soudain, paraissait se rapetisser, se ramasser en boule, s'étendre de nouveau en prenant des élans rapides et s'arrêtait encore, et repartait sans cesse.

Des ordres murmurés couraient parmi les hommes étendus ; et, de temps en temps, un petit bruit sec et métallique claquait.

Brusquement la forme errante se rapprocha, et l'on vit venir au grand trot, l'un derrière l'autre, douze uhlans perdus dans la nuit.

Ils étaient si près maintenant qu'on entendait le souffle des chevaux, et le son de ferraille des armes, et le craquement du cuir des selles.

Alors, la voix forte du capitaine hurla : « Feu, nom de Dieu ! »

Et cinquante coups de fusil crevèrent le silence glacé des champs ; quatre ou cinq détonations attardées partirent encore, puis une autre toute seule, la dernière ; et quand l'aveuglement de la poudre enflammée fut dissipé, on vit que les douze hommes, avec neuf chevaux, étaient tombés. Trois bêtes s'enfuyaient d'un galop forcené, et l'une traînait derrière elle, pendu par le pied à l'étrier, et bondissant, le cadavre de son cavalier.

Le capitaine joyeux cria : « Douze de moins, nom de Dieu ! » Un soldat, dans le tas, répondit : « V'là des veuves ! » Un autre ajouta : « Faut pas grand temps tout d'même pour faire le saut. »

Alors, du fond de la litière, sous l'entassement des capotes, une petite voix endormie sortit : « Qu'est-ce qu'il y a, père ? pourquoi tire-t-on des coups de fusil ? » Le vieillard répondit : « Ce n'est rien ; dors, petite ! » On repartit.

On marcha encore près de quatre heures.

Le ciel pâlissait ; la neige devenait claire, lumineuse, luisante ; un vent froid balayait les nuages ; et une pâle roseur, comme un faible lavage d'aquarelle, s'étendait à l'orient.

Une voix lointaine soudain cria : « Qui vive ? » Une autre voix répondit. Tout le détachement fit halte. Et le capitaine partit lui-même en avant.

On attendit longtemps. Puis on recommença d'avancer. Bientôt on aperçut une masure et devant, un poste français, l'arme au bras. Un commandant à cheval nous regardait défiler. Tout à coup il demanda : « Qu'est-ce que vous portez sur ce brancard ? » Alors les capotes remuèrent ; on en vit sortir d'abord deux petites mains

qui les écartaient, puis une tête ébouriffée, toute ennua-
gée de cheveux, mais qui souriait et répondit : « C'est
moi, monsieur, j'ai bien dormi, allez. Je n'ai pas froid. »
Un grand rire s'éleva parmi les hommes, un rire de vive
satisfaction ; et un enthousiaste, pour exprimer sa joie,
ayant vociféré : « Vive la République ! » toute la troupe,
comme prise de folie, beugla frénétiquement : « Vive la
République ! »

. . . .

Douze ans se sont écoulés.

L'autre jour au théâtre, la fine tête d'une jeune femme
blonde éveilla en moi un confus souvenir, un souvenir
obsédant, mais indéterminable. Je fus bientôt tellement
troublé par le désir de savoir le nom de cette femme que
je le demandai à tout le monde.

Quelqu'un me dit : « C'est la vicomtesse de L…, la
fille du comte de Roufé. »

Et tous les détails de cette nuit de guerre se sont levés
en ma mémoire, si nets que je les ai immédiatement
racontés, afin qu'il les écrivît pour le public, à mon voisin
de fauteuil et ami, qui signe

MAUFRIGNEUSE.

NOTRE TEXTE

À l'exception de *L'Angélus*, tous les textes de ce volume ont paru du vivant de Maupassant. Étant donné la détérioration constante des textes de cet écrivain, commencée dès les rééditions et les reprises parues de son vivant – nous avons exposé ce problème dans l'introduction du *Horla* (GF-Flammarion, rééd. 2006) –, nous donnons, sauf indication contraire, la dernière publication en recueil et, pour les récits non recueillis par l'auteur, la première publication dans la presse périodique. En relevant les variantes, nous n'avons tenu compte que des préoriginaux.

SIGLES

Ms	manuscrit
G	*Le Gaulois*
GB	*Gil Blas*
M 4°, M 8°	*Clair de Lune*, Paris, Monnier, in-4° et in-8°, 1884.
1882	*Mademoiselle Fifi*, Bruxelles, Kistemaeckers, 1882.
1893	*Mademoiselle Fifi*, Paris, Ollendorff, 1893.
Pl	*Contes et nouvelles*, éd. de Louis Forestier, Paris, Gallimard, « Bibliothèque de la Pléiade », 2 vol., 1974 et 1979.

NOTES ET VARIANTES

BOULE DE SUIF

La nouvelle parut dans *Les Soirées de Médan* (Paris, Charpentier, 1880 ; notre texte), recueil collectif qui eut en 1890 une deuxième édition, pleine de fautes d'impression, d'omissions de mots, de phrases entières quelquefois, rendant illogique le texte de *Boule de suif*. Reprise : *Contes et nouvelles*, Paris, Charpentier, 1885.

Dans le tome I de l'édition Conard des *Œuvres complètes* figure un relevé de variantes, résultant du collationnement de l'original et d'un manuscrit confié à l'éditeur par M. et Mme Jean Ossola. (Cette dernière, fille d'Hervé de Maupassant, a hérité des papiers de son oncle.) Dans son livre *En regardant passer la vie* (Paris, Ollendorff, 1903, p. 44-45), Hermine Lecomte du Noüy fait mention d'un manuscrit en sa possession. L'un de ces deux manuscrits – à supposer que Hermine en possédait réellement un – se trouve actuellement au Pierpont Morgan Library, à New York. Nous reproduisons ci-dessous les variantes de l'édition Conard.

1. Début décembre, l'armée du Nord se replie vers Rouen devant les Prussiens. L'idée de soutenir un siège ayant été abandonnée, la ville sera investie par les vainqueurs le 6 décembre 1870 et sera occupée jusqu'au 21 juillet 1871.

2. *Ms* : allure traînée, éparpillée, sans

3. *Ms* : tranquilles, gênés d'un sabre ou d'un fusil

4. C'étaient les soldats de la garde nationale mobile, armée auxiliaire créée en 1868 et composée de jeunes gens qui avaient échappé au service régulier, et qu'on appelait familièrement « moblots ».

5. Jusqu'au début de la Première Guerre mondiale, l'infanterie française portait des culottes rouges.

6. *Ms* : division hachée dans

7. *Ms* : fantassins mélangés ; et,

8. Soldats de l'infanterie de ligne.

9. Compagnies fondées en 1792 – leurs noms « héroïques » rappellent leur origine révolutionnaire – et organisées à nouveau à la fin du second Empire, les francs-tireurs n'appartenaient pas à l'armée régulière, bien qu'ils fussent mis au service de l'autorité militaire. Leurs manœuvres imprévisibles les rendaient particulièrement redoutables pour l'ennemi.

10. Créée le 13 juillet 1789, la garde nationale sédentaire incorporait les citoyens de vingt à soixante ans pouvant payer leur équipement. Le 11 août 1870, elle s'ouvrit à tout citoyen et fut chargée de la défense des villes.

11. *Ms* : remuait sous un fourré, était

12. *Ms* : disparu. Dans quelle fosse d'aisances avez-vous plongé, ô fusils à tabatière. Les derniers

Dans sa lettre du 1er février 1880, Flaubert conseille à Maupassant de supprimer dans son texte la « chose » suivante qui ferait « crier les imbéciles » : « dans quelles frises, etc. ce jeune homme jette de la fange à nos armes ». Cette phrase est reproduite à l'identique dans l'édition Conard de la *Correspondance* de Flaubert et dans celle du Club de l'Honnête Homme, mais l'hypothèse d'une lecture fautive n'est pas à exclure : le mot « frises » n'ayant pas de sens dans le contexte, on suggère d'y substituer « fosses », ce qui permettrait de supposer que la proposition de Flaubert concernait la phrase de Maupassant citée ci-dessus.

L'appellation « fusil à tabatière » désignait, dans le langage familier, un fusil se chargeant par la culasse, dont le mécanisme s'ouvrait de la même façon qu'une tabatière.

13. Tous les noms de lieu désignent des agglomérations réelles ; la description des mouvements des troupes aussi est conforme à la réalité.

14. *Ms* : pied, escorté de deux

15. *Ms* : étaient fermées, la rue

16. *Ms* : mortes et inhabitées, tandis que

17. *Ms* : par le « monstrueux droit de la guerre ».

18. *Ms* : chambres closes, avaient

19. *Ms* : La ville même avait repris son aspect ordinaire. Les rues semblaient vivantes comme au temps des Français ; rien en apparence n'était changé que l'uniforme des soldats. Du reste,

20. *Ms* : Les Prussiens exigeaient

21. *Ms* : ramenaient chaque jour du

22. *Ms* : fleuve étaient pleine [*sic*] de ces vengeances

23. *Ms* : gloire. C'était le dévouement des pauvres à leurs misérables foyers qui travaillaient chaque nuit à l'ombre./Car

24. *L'original donne* assujétissant ; *nous corrigeons.*

25. *Ms* : envahisseurs, tout en faisant peser sur la ville le joug de leur discipline,

26. L'armée française occupa la « poche » du Havre jusqu'à la fin de la guerre.

27. La rue Grand-Pont, dans l'axe de l'actuel pont Boieldieu, était bordée de commerces de luxe.

28. *Ms* : commerce, à laquelle il donnait son activité

29. Le modèle du personnage de Carré-Lamadon est Pouyer-Quartier (1820-1891), riche fabricant de cotonnades, président de la chambre de commerce de Rouen. Tout en gardant de bonnes relations avec les milieux politiques du second Empire, il avait su prendre ses distances, ce qui lui permit de devenir ministre des Finances dans le gouvernement de Thiers et d'être choisi comme l'un des négociateurs du traité de Francfort. Aux yeux de Flaubert, qui le surnommait « l'Hercule de Martainville » et « l'Alcide du Ruissel » (lettre à Maupassant, entre le 5 et le 10 novembre 1877), il était le type parfait du bourgeois du XIXᵉ siècle.

30. Louis Forestier note (*Pl*, t. I, p. 1503), pour souligner l'importance d'une telle fortune, qu'un employé de ministère gagnait à l'époque de 1 800 à 2 400 francs-or par an.

31. *Ms* : l'autre, toute chétive,

32. Le modèle de Cornudet est « le communiste, communard et commun » Charles Cord'homme (lettre de Flaubert à sa nièce Caroline du 30 avril 1871), second époux de Louise de Maupassant, veuve d'Alfred Le Poittevin, tante de Guy.

33. Les commentateurs sont d'accord pour considérer comme modèle de Boule de suif Adrienne Annonciade Legay, née en 1842 à Életot, près de Fécamp. Venue à Rouen vers l'âge de dix-sept ans, elle devient l'amie d'un officier de cavalerie, puis d'un riche commerçant rouennais. Pendant la guerre, comme l'amant se trouve mobilisé au Havre, elle prend souvent la diligence pour aller le voir. Tombée dans la misère, elle se tuera en 1892. Maupassant aurait fait sa connaissance et soupé avec elle quelques années après la publication de *Boule de suif.*

Mais si le modèle du personnage semble être bien Adrienne Legay, l'incident qui forme le noyau de la nouvelle est arrivé à une autre femme. Richard Bolster (*Revue d'histoire littéraire de la France*, 1984/6, p. 901-908) a retrouvé la source de l'anecdote dans un article publié le 5 janvier 1871 dans *Le Journal du Havre*. En voici le texte :

UNE NOUVELLE ATROCITÉ DES PRUSSIENS

Havre, le 5 janvier 1871

Mes chers amis,

Sous le coup de l'indignation la plus vive, je viens vous raconter une infamie nouvelle des Prussiens, dont j'ai été témoin pendant mon voyage.

Vous savez, sans doute, que les Prussiens ont permis l'établissement d'un service de diligences entre Rouen et Dieppe. J'ai usé de ce mode de locomotion afin de me réfugier au Havre. Sauf quelques légers désagréments, tout alla bien jusqu'à Tôtes. Là, le conducteur reçut du poste prussien l'ordre de s'arrêter. L'Officier qui commandait ce détachement nous demanda brutalement nos papiers.

Parmi nos compagnons de voyage se trouvait une jeune et charmante femme, que les façons de l'officier prussien paraissaient fortement impressionner. À peine le blond germain eut-il jeté les yeux sur le passeport de la voyageuse, qu'une méchanceté diabolique se refléta sur ses traits. Il venait d'apprendre que notre compagne était artiste dramatique.

Dès lors, il n'accorda plus qu'une médiocre attention aux autres passeports, et dit à l'actrice :

Madame, vos papiers ne sont pas en règle : il faut me suivre. En vain l'actrice essaya des explications. Le Prussien ne voulut rien entendre, et cria au conducteur : « Vous ne repartirez que dans quatre heures. »

Plus morte que vive, l'actrice fut bien obligée de se soumettre à la force, et de suivre son insolent conducteur dans l'auberge voisine, sévèrement gardée par un poste nombreux.

Forcés d'interrompre notre voyage, nous attendîmes patiemment, pendant quatre mortelles heures, en nous garantissant du froid le mieux possible.

Cinq heures, six heures se passent : l'officier ne reparaît pas. Notre inquiétude devient telle, que nous prenons la résolution d'aller demander des explications au poste prussien qui, pour toute réponse, nous présenta la pointe de ses baïonnettes.

Bref, ce n'est que le lendemain matin, à neuf heures, que notre compagne de voyage nous fut rendue. Ses traits étaient défaits, elle pleurait à chaudes larmes, et c'est au milieu de sanglots qu'elle put s'écrier : « Mon Dieu ! Je suis perdue. » On comprendra que nous n'ayons pas voulu augmenter cette douleur en lui demandant des explications, trop faciles, d'ailleurs, à deviner.

L'officier, d'un air de triomphe bestial, ordonna au conducteur de partir, du même ton dont il aurait commandé la charge en douze temps. Enfin, nous pûmes arriver à Dieppe où nous avons laissé la pauvre jeune femme dans un état à faire pitié. Si violent était son désespoir, que nous craignions vraiment pour sa raison !

Cette jeune actrice appartenait au théâtre de Rouen, et même, si je ne me trompe, elle a dû faire partie, il n'y a pas bien longtemps, de la troupe du Havre, où elle s'était toujours fait remarquer par la régularité de sa vie.

VOTRE AMI.

34. *Ms* : tendue, un gros bedon qui

Cette correction semble répondre à une suggestion de Flaubert : « Elle est charmante, votre fille ! Si vous pouviez atténuer son ventre au commencement, vous me feriez plaisir. » (Lettre du 1er février 1880.)

35. Nom donné à Rouen à un pain très léger.

36. Nom vieilli de l'alouette grosse, bonne à manger.

37. *L'original donne* Pont-Lévêque ; *nous corrigeons.*

38. On raconte que le jour du défilé des envahisseurs, Adrienne Legay mit, comme d'autres habitants de Rouen, des drapeaux noirs à sa fenêtre. Pour punir ces personnes, les autorités prussiennes les obligèrent aussitôt à loger un grand nombre de soldats, et c'est ainsi que la femme galante reçut l'ordre d'héberger douze Prussiens ; plutôt que de les accueillir, elle a quitté son domicile... en laissant la clé sous le paillasson. (Cf. Gabriel Reuillard : « Sur les traces de Boule-de-Suif [*sic*] », *Le Monde illustré*, 26 avril 1930.)

39. Surnom de Napoléon III qui, en 1846, pour s'évader de la prison du fort de Ham, avait emprunté les vêtements d'un maçon nommé Badinguet.

40. Griotte, à partir de laquelle on fabrique le guignolet.

41. Onze et deux font treize, et non quatorze.

42. Flaubert avait choisi Tôtes comme premier lieu d'établissement de Charles Bovary. L'Hôtel du Cygne, modèle de l'Hôtel du Commerce de Maupassant, y existe encore.

43. *Ms* : voix dure d'un

44. *Ms* : blond si menu qu'on

45. *Ms* : sœurs en buvaient. Les autres

46. *Ms* : qui avait pris elle-même la nuance

47. *Ms* : jamais ça ! »/Cornudet

48. Tonneaux dont la capacité varie entre 114 et 140 litres.

49. *Ms* : Boule de suif, dont le ventre et les tetons se mêlaient sous

C'est Flaubert qui conseille à Maupassant, dans sa lettre du 1er février 1880, d'enlever le mot « tetons » qui risquerait de « faire crier les imbéciles ». (On respecte la graphie *tetons* encore en usage à l'époque.)

50. *Ms* : Boule de suif paraissait défendre

51. *Ms* : Elle semblait indignée

52. Mouchoir en madras – étoffe des Indes, en soie et coton – qui, noué sur la tête, servait de coiffure.

53. Eugène Louis Napoléon, fils de Napoléon III, avait quatorze ans en 1870. Il mourut en 1879, l'année où Maupassant écrivit *Boule de suif*.

54. Jeu de cartes où il faut réunir, sans les dépasser, trente et un points avec trois cartes.

55. Jeu de cartes appelé ainsi parce que les joueurs peuvent, avec l'accord des partenaires, écarter les cartes qui ne leur conviennent pas afin de les remplacer par d'autres.

56. Jaunes d'œufs battus avec de l'eau chaude sucrée.

57. Les exemples sont peu conformes à la situation. Héroïne biblique, pour sauver la ville de Béthulie assiégée par les Assyriens, Judith séduisit Holopherne, le général ennemi, et lui coupa la tête dans son sommeil. Lucrèce, dame romaine (?-509 av. J.-C.) violée par Sextus, fils du roi Tarquin le Superbe, se donna la mort ; l'événement fut à l'origine du soulèvement qui renversa la royauté et établit la république à Rome. Cléopâtre VII (69-30 av. J.-C.), reine d'Égypte, devint la maîtresse de César qui la rétablit au trône d'où elle avait été chassée, puis d'Antoine qui l'épousa et qui agrandit son royaume ; vaincus par Rome qui craignait leur puissance, Antoine et Cléopâtre se donnèrent la mort. Hannibal s'empara de Capoue en 215 av. J.-C., et y tint des quartiers d'hiver dont l'agrément – « les délices de Capoue » – risquait de compromettre la combativité de ses troupes.

58. *L'original donne* cela s'était raconté ; *nous corrigeons, suivant la leçon de l'édition de 1890.*

59. *Ms* : était détourné, habile

60. Jeu de cartes à plusieurs jeux de trente-deux cartes.

61. *La Marseillaise* ne devient hymne national qu'en 1879.

MADEMOISELLE FIFI

Publiée dans *Gil Blas* du 23 mars 1882, sous la signature de Maufrigneuse (Maupassant, qui signe de son nom ses écrits publiés dans *Le Gaulois*, utilise dans *Gil Blas* ce pseudonyme emprunté à un personnage de Balzac), la nouvelle est recueillie la même année dans un volume qui porte son nom (*Mlle Fifi*, Bruxelles, Kistemaeckers, 1882) et dont une nouvelle édition, augmentée de onze textes, paraîtra l'année suivante (*Mlle Fifi. Nouveaux contes*, Paris, Havard, 1883 ; notre texte), puis sera republiée chez Ollendorff en 1893.

Reprises : *Contes et nouvelles*, Paris, Charpentier, 1885 ; *La Semaine populaire*, 6 mai 1888 ; *Contes choisis*, Paris, Société des Bibliophiles contemporains, 1892.

1. Dans l'original comme dans toutes les éditions à l'exception de *GB*, le titre s'écrit *M*^{lle} *Fifi* ; nous rétablissons la graphie usuelle.

2. *GB* : le major-commandant prussien,

3. *GB donne partout* Falsberg

Tous les noms sont inventés par Maupassant. On notera qu'il se
contente de leur donner une consonance germanique sans se soucier de
leur conformité sémantique à la langue allemande.

4. *GB* : depuis deux mois

5. *1893* : mois qu'il occupait le

6. *GB donne partout* château de Barville.

Uville comme Barville sont des noms fictifs. Louis Forestier (*Pl*, t. I,
p. 1413) rapproche le premier d'Urville, nom qu'on rencontre dans la
Manche et dans le Calvados, et le second, de Cany-Barville, situé entre
Fécamp et Dieppe.

7. *GB* : regarda quelque temps les

8. L'Andelle, rivière de 54 km, prend sa source à Forges-les-Eaux et
se jette dans la Seine.

9. *GB donne partout* Kellveinghstein.

10. *GB* : barbe formant nappe sur sa poitrine, d'un regard bleu,
d'une joue fendue par un coup

11. Guerre entre l'Autriche et la Prusse qui se termina par la bataille
de Sadowa (3 juillet 1866) où s'est révélée la première fois l'efficacité
de l'armement prussien.

12. *GB* : ras un poil

13. *GB* : quand il se trouvait sous certains reflets, son menton frotté
de

14. *GB, 1882* : sans qu'il sût au

15. *GB* : il but d'un

16. *GB* : café, en

17. *GB, 1882* : le baron-capitaine, viveur

18. *GB* : depuis deux mois

19. *GB* : marquis Rego d'Anglesse, que ses camarades appelaient
Mlle Fifi, un *GB* donne partout Rego d'Anglesse. *1882* ainsi que l'original orthographient Wilhem au lieu de Wilhelm. On rencontre la même
faute dans *Deux Amis*.

20. *1882* : mademoiselle Fifi

21. *1882* : mademoiselle Fifi

22. *GB* : Arme à feu *[trois paragraphes plus haut]*. / Les glaces de
la salle à manger seigneuriale étaient étoilées de balles et les hautes
tapisseries des murs lacérées de coups de sabre, œuvres de Mlle Fifi en
ses heures de désœuvrement. Deux portraits de famille fumaient des
pipes en porcelaine, tandis qu'en son cadre antique, une noble dame à
toile serrée, montrait d'un air arrogant une étrange paire de moustaches, faite

23. *L'original donne* devenu solide comme ; *nous corrigeons suivant
la leçon de GB et de 1882*.

24. *GB* : bouteilles de liqueurs et de cognac passaient

25. *1882* : mademoiselle Fifi

26. *GB* : absorbaient *[milieu de l'avant-dernier paragraphe]* à petits traits, vidaient leur verre, et presque aussitôt le remplissaient avec un geste de lassitude résignée. Un brouillard

27. *GB* : baron se rapprocha : « Je

28. *GB* : tout, commandant, j'enverrai à

29. *GB* : des Dames, je

30. *GB* : épaules : « Vous

31. *GB* : quatre chevaux *[douze paragraphes plus haut]*. / *Signe de séparation.* / Tous les visages s'étaient animés, et la conversation s'éveilla. Le baron sortit pour s'occuper de la table ; et Mlle Fifi, tirant un revolver, creva, sans quitter sa place, les deux yeux de la dame à moustaches. Puis, tandis que ses compagnons continuaient à fumer en parlant avec calme, il versa de la poudre dans une mignonne théière de Chine restée sur une étagère, introduisit un long morceau d'amadou qu'il alluma, porta cette mine dans la pièce voisine, le grand salon, que l'ancien maître légitime, le comte Fernand d'Amoys de Barville, avait empli d'objets d'art, de tableaux et de statuettes, puis il revint tranquillement, attendant l'explosion./C'était sa manière de détruire ; et, chaque jour, après son déjeuner, il faisait sauter sa potiche, faïence rouennaise ou porcelaine de Sèvres, au milieu des collections précieuses, battant des mains avec délire quand la machine infernale avait brisé quelque pièce rare./Après le coup, il alla voir, rapporta des morceaux, qu'il examinait avec intérêt, s'étonnant aux dentelures bizarres des éclats, mais une telle trombe de fumée de poudre arriva par la porte ouverte, se mêlant à celle du tabac, qu'il devint absolument impossible de respirer. Le lieutenant Fritz ouvrit les fenêtres, et tous, instinctivement, s'en approchèrent./L'air humide s'engouffra dans la salle et ils regardaient les grands arbres accablés sous l'eau, la campagne vide, et là-bas, le clocher

32. Défendue par le colonel Denfert-Rochereau, la ville de Belfort a résisté cent trois jours (de novembre 1870 à février 1871) aux Prussiens, ce qui lui a valu de rester française lorsque l'Alsace a été cédée à l'Allemagne au traité de Francfort. Strasbourg a résisté près de deux mois, du 9 août au 28 septembre.

33. *GB* : n'avait *[début du paragraphe précédent]* point sonné, le curé s'obstinant à protester ainsi contre l'invasion ; et tout le monde à dix lieues aux environs vantait la fermeté du prêtre qui affirmait ce deuil public par le mutisme de son clocher. L'abbé nourrissait, il est vrai, des soldats ; deux fois même il avait accepté de boire un verre de bière avec le comte de Falsberg, mais il ne fallait pas lui demander un seul tintement de sa cloche ; il se serait plutôt laissé fusiller, et le village entier, enthousiasmé par cette résistance, était prêt à le soutenir jusqu'au bout, à tout braver, considérant le silence de l'église comme la sauvegarde de l'honneur national. Il semblait aux paysans qu'ils avaient ainsi résisté

mieux que Belfort et Strasbourg, que le nom du hameau en deviendrait immortel, et, hormis

34. *GB* : ensemble de cette manie, et

35. *1882* : mademoiselle Fifi

36. *GB* : volontiers ce patriotisme muet *[quatre paragraphes plus haut]*. / Vers deux heures ils se séparèrent pour s'occuper du service, et quand ils

37. *GB* : dix, le

38. *GB* : roulement ; tous *1882* : roulement : tous

39. *GB* : depuis deux mois

40. *GB* : de vaisselles riches et d'argenterie trouvée dans un mur, lui donnait l'aspect

41. *1882* : appréciant, les tâtant, les embrassant

42. *GB* : Le capitaine radieux *[huit paragraphes plus haut]* plaça les femmes en ligne, par rang de taille, les adjugeant, pour éviter toute discussion, suivant le grade de chacun, en commençant par la plus grande qui revenait au commandant./Toutes étaient jolies et grasses, sans physionomie d'ailleurs, faites pareilles par les habitudes semblables et la vie commune des maisons publiques./Elles s'appelaient Amanda, Pamela, Blondine, Éva, et Rachel, une brune toute jeune, à l'œil noir comme une tache d'encre, une juive dont le nez retroussé confirmait la règle qui donne des becs courbes à toute sa race./Étant la plus petite, elle fut cédée au marquis Rego, qui commença par lui souffler dans la bouche un jet de tabac, sous prétexte de l'embrasser. Elle le regarda fixement, et ne dit rien./Le commandant lui-même sembla enchanté. Il prit à sa droite Amanda, Pamela à sa gauche, et, s'asseyant :/– Vous

43. *GB* : monde, servant assidûment leurs voisines ; le

44. *L'original donne* Kelveinghstein ; *nous corrigeons.*

45. *GB* : rayonnait, les pinçait toutes, semblait

46. *GB* : cheveux ardents. Il

47. *GB* : salive *[fin du paragraphe précédent]*. Bientôt elles s'allumèrent, embrassant leurs voisins, redevenant elles, ouvrant la porte aux habitudes. Et elles riaient d'un rire furieux

48. *GB* : l'ennemi./Les hommes aussi, grisés par cette chair de femme, s'affolaient, hurlaient, brisaient la vaisselle,

49. *GB* : Le commandant seul conservait de la tenue./Mlle Fifi, plus pâle que d'habitude, avait

50. *GB* : son cou, tantôt il la pinçait avec fureur comme saisi

51. *GB* : ravage. Il appuyait parfois ses lèvres sur la bouche fraîche de la juive, la baisant à perdre haleine ; mais soudain, dans une étreinte, il

52. *GB, 1882* : jeune fille et

53. Épouse de Guillaume Ier, proclamé empereur d'Allemagne le 18 janvier 1871 à Versailles.

54. *GB* : dit-il./Au dessert, le commandant but « aux Dames », et une

55. *GB* : soudards *[dix paragraphes plus haut]*, mêlés de plaisanteries crues, rendues plus brutales par l'ignorance de la langue./Le capitaine, levant son verre, annonça : « À nos victoires sur les cœurs ! » Mais le lieutenant Otto se dressa, envahi brusquement de patriotisme alcoolique : « À nos victoires sur la France ! » Les cinq femmes, tout à coup, cessèrent de rire. Alors Rachel, frissonnante : « Tu sais, j'en connais, des Français, devant qui tu ne dirais pas ça. » Alors le marquis Rego se retourna, fixant sur elle ses yeux clairs comme il les fixait sur les tableaux dont il crevait la toile à coups de revolver : « Ah ! ah ! je n'en ai jamais vu, moi. Sitôt que nous paraissons, ils f... ichent le camp. » La fille, exaspérée, lui cria dans la figure : « Tu mens, salop ! » Mais, sans se fâcher, il la considérait en riant : « Ah ! oui, parlons-en, la belle ; serions-nous ici s'ils étaient braves ? » Et, se levant à son tour, il tendit son verre jusqu'au milieu de la table : « À nous la France, à nous les plaines, les maisons et les bois de France ! »/Tout à fait ivres, les cinq hommes saisirent leurs verres en vociférant et les vidèrent d'un seul trait. Et les filles ne protestaient plus réduites

Salop (de *salope*), attesté depuis 1834, s'emploie au sens de *salaud*.

56. *GB* : le marquis

57. *GB* : emplie de nouveau :

58. *GB* : elle lui jeta d'une

59. *GB* : « Ça, ça ce n'est

60. *GB* : est bien ponne, bien ponne. Qu'est-ce alors que tu fais là, bétite ? »/Étonnée, elle se tut d'abord, puis, comprenant tout à coup : « Moi ? moi ? Je

61. *GB* : une p..... ; c'est

62. *GB* : main, affolé de

63. *GB* : qu'il commençait fut

64. *1882* : mademoiselle Fifi

65. *L'original donne* en fonctions, restaient ; *nous corrigeons.*

66. *GB* : regard effroyable *[seize paragraphes plus haut]*, / On s'élançait vers elle ; elle courut vers la fenêtre, l'ouvrit et sauta dans le parc, sous la pluie./En deux minutes, mademoiselle Fifi fut morte. Alors commença dans le parc une chasse furieuse. Cinquante hommes, fouettés de menaces, furent lancés dans la nuit. Ils allaient sous l'eau torrentielle, et parfois un coup de fusil éclatait quelque part. Au bout de trois heures, quatre soldats avaient été tués par leurs camarades. Mais on ne retrouva point Rachel. Les autres femmes furent gardées en otages./ On la chercha le lendemain, et toute la semaine aussi, mais on n'en put jamais découvrir aucune trace./Les habitants furent terrorisés ; on fouilla les maisons, on battit tous les bois en vain./Alors le commandant, pour se venger, ordonna au prêtre de sonner sa cloche comme

autrefois, comptant sur un refus, pour sévir sans contrainte./Et, le lendemain, la cloche sonna ; elle tinta désormais tous les jours, car il ne fallait pas qu'on montât au clocher. Une femme était cachée dedans, que le curé nourrissait en cachette. *[Fin.]*

DEUX AMIS

Parue dans *Gil Blas* du 5 février 1883, sous la signature de Maufrigneuse, la nouvelle est recueillie aussitôt dans la 2ᵉ édition de *Mademoiselle Fifi* (*Mlle Fifi. Nouveaux Contes*, Paris, Havard, 1883 ; notre texte), volume qui sera republié chez Ollendorff en 1893.

Reprises : le supplément du *Gaulois*, 24 mars 1883 ; *La Vie populaire*, 8 avril 1883 ; *Contes et nouvelles*, Paris, Charpentier, 1885 ; *Contes choisis*, Paris, La Librairie illustrée, 1886 ; *Annales politiques et littéraires*, 18 mars 1888, sous la rubrique « Pages oubliées » ; *L'Écho de la semaine*, 11 novembre 1888 ; *L'Intransigeant illustré*, 5 novembre 1891 ; le supplément de *L'Écho de Paris*, 13 mars 1892 ; *Le Voleur*, 31 mars 1892 ; *La Vie de famille*, 3 avril 1892.

Dans *Annales politiques et littéraires*, le texte est précédé de ces lignes : « La mort de l'empereur Guillaume évoque le souvenir de la guerre. Nous empruntons à Maupassant l'admirable épisode qu'on va lire. »

1. Louis Forestier note (*Pl.*, t. I, p. 1512) que la première phrase est un alexandrin, et la rapproche de ce vers de Hugo, connu par tous à l'époque : « Nous mangeons du cheval, du rat, de l'ours, de l'âne » (*Lettre à une femme*, dans *L'Année terrible*, 1872).

2. M. Morissot porte l'uniforme de la garde nationale.

3. *GB* : arrivé dans ce

4. Nom populaire de l'absinthe.

5. *GB* : Une lande de

6. *GB et l'original donnent* dont est ; *coquille corrigée dans 1893*.

7. *GB* : dans ce ciel

8. *GB* : femmes, en des cœurs de mères

9. *GB* : briller un tas

10. Aussi bien *GB* que l'original orthographient Wilhem au lieu de Wilhelm ; on rencontre la même faute dans *Mademoiselle Fifi*.

11. *GB* : Et ce Prussien

LE PÈRE MILON

Parue dans *Le Gaulois* du 22 mai 1883 (notre texte), la nouvelle ne sera recueillie que dans le volume posthume qui porte son nom *(Le Père Milon, Contes inédits*, Paris, Ollendorff, 1899).
Reprise : *L'Écho de la semaine*, 7 octobre 1887.

1. Après Sedan, le général Faidherbe (1818-1889) commande l'armée du Nord qui, bien que constituée en grande partie de troupes inexpérimentées, remporte la victoire sur les Prussiens à Pont-Noyelles (3 décembre 1870) et à Bapaume (4 janvier 1871), mais sera vaincue le 19 janvier à Saint-Quentin.
2. *L'original donne* que leur *; nous corrigeons.*
3. *L'original donne* épis *; nous corrigeons.*

LA MOUSTACHE

Paru dans *Gil Blas* du 31 juillet 1883, sous la signature de Maufrigneuse, ce texte a été recueilli dans la deuxième édition de *Toine* (Paris, C. Marpon et E. Flammarion, s.d. [1886] ; notre texte).

1. Le lieu est imaginaire, la date, en revanche, est celle de la publication du texte : comme *Gil Blas* sortait la veille du jour dont il portait la date, le numéro du 31 juillet parut, en fait, le 30.
2. Sous le second Empire, les pièces de salon étaient fort à la mode. Maupassant lui-même en compose (*Une répétition* paraît dans *Saynètes et monologues* chez Tresse, en 1879) et organise des représentations dans la villa des Verguies, à Étretat.
3. *GB* : sans moustaches n'est
4. *GB* : moustache, oh ! la
5. Maupassant, qui a fait la connaissance chez Flaubert de « l'orateur préféré des dames élégantes », a beaucoup d'estime pour le père Henri Didon (1840-1900) à qui il rend visite en 1880 au monastère corse où ses supérieurs ont obligé le prédicateur célèbre à se retirer. (Cf. « Le Monastère de Corbara », *Le Gaulois*, 5 octobre 1880.)
6. Jules Méline (1838-1925), ministre de l'Agriculture depuis quelques mois à l'époque où paraît le texte de Maupassant, le restera jusqu'en 1885.
7. Les références aux *Scènes de la vie de bohème* (1847-1848) d'Henri Murger sont courantes à l'époque. Les personnages féminins principaux s'appellent Mimi et Musette.

8. *GB* : présent./*Signe de séparation.* / A

9. *L'original donne* mon ami barbu *; nous corrigeons suivant la leçon de GB, en rappelant que dans les textes de Maupassant la barbe est une des caractéristiques constantes des Prussiens.*

10. *L'original donne* reconnu *; nous corrigeons.*

11. *GB* : conforme :/MAUFRIGNEUSE.

UN DUEL

Paru dans *Le Gaulois* du 14 août 1883 (notre texte), ce texte n'a été recueilli qu'après la mort de Maupassant, dans *Le Colporteur* (Paris, Ollendorff, 1900).

Reprises : *Annales politiques et littéraires*, 6 septembre 1885, sous la rubrique « Pages oubliées » ; le supplément de *La Lanterne*, 22 juillet 1888.

1. La guerre franco-prussienne prend fin par le traité de Francfort, le 10 mai 1871 ; mais les luttes s'arrêtent à partir du 28 février, date de la signature des préliminaires de la paix.

2. Voir la note 10 de *Boule de suif.*

3. Pharsbourg n'existe pas. Le nom est calqué, selon Louis Forestier (*Pl*, t. I, p. 1579), sur celui de Phalsbourg, chef-lieu de canton de la Moselle, qui opposa une énergique résistance aux Prussiens. Mais l'hypothèse d'une coquille n'est pas à exclure : rappelons l'hésitation entre les graphies Falsberg et Farlsberg dans les différents états de *Mademoiselle Fifi.*

4. Pour la guerre entre l'Autriche et la Prusse, voir la note 11 de *Mademoiselle Fifi.*

5. Voir la note 4 de *Boule de suif.*

6. Prononciation déformée par l'accent germanique du mot « ville ».

7. En principe, Maupassant méprise le duel, le considérant comme un rite social hypocrite : « Si l'on se bat, c'est qu'on a été insulté, et quand on est insulté, c'est, la moitié du temps, parce qu'on l'a mérité. Un homme irréprochable ne va pas souvent sur le pré, comme on dit », écrit-il dans « Le Duel » (*Gil Blas*, 8 décembre 1881). Qui plus est, il loue, dans la même chronique, la sagesse du « peuple anglais [...], debout dans la vie », qui refuse le duel : « [...] le gentilhomme anglais ne se bat pas. Je veux dire qu'il ne se bat pas en duel et qu'il tient ce genre d'exercice en grand mépris, jugeant la vie humaine respectable, utile au pays. »

UN COUP D'ÉTAT

Le récit parut en 1884, dans le recueil *Clair de lune* (Paris, Monnier, deux éditions, in-4° et in-8°). Notre texte est celui de l'édition de 1888 (Paris, Ollendorff).

Repris dans *Le Voleur*, les 17 et 24 octobre 1889.

1. La IIIᵉ République a été proclamée le 4 septembre, deux jours après la défaite de Sedan.

2. *L'original donne* faisant fonctions de généraux *; nous corrigeons.*

3. *M 4°, M 8°* : rouges ; des petits

4. *M 4°, M 8°* : à systèmes affolait

Les fusils à système sont des fusils se chargeant par la culasse dont une partie mobile permet de mettre en place immédiatement la cartouche, sans avoir à l'introduire par la bouche.

5. Louis Forestier (*Pl*, t. I, p. 1592) rapproche ce nom fictif de celui de Canneville-les-Deux-Églises, localité située entre Rouen et Barentin.

6. *M 4°, M 8°* : se trouvant face

7. *M4°, M 8°* : les deux bras

8. *L'original donne* l'empereur *; nous corrigeons.*

9. *M 4°, M 8°* : en vêtements de

10. *L'original donne* l'empereur *; nous corrigeons.*

11. *M 4°, M 8°* : son Lefaucheux sur

Un lefaucheux est un fusil à système.

12. *M 4°, M 8°* : maître maçon

13. L'élection des maires a été instaurée par la IIIᵉ République ; auparavant, ils étaient nommés par le gouvernement.

14. *L'original donne* l'empereur *; nous corrigeons.*

15. *M 4°, M 8°* : docteur commanda d'une

LA MÈRE SAUVAGE

Paru dans *Le Gaulois* du 3 mars 1884, le récit est recueilli dans *Miss Harriet* (Paris, Havard, 1884 ; notre texte).

Reprises : *Annales politiques et littéraires*, 4 mai 1884, *La Vie populaire*, 17 juillet 1884 ; *La Librairie illustrée*, 1886 ; *Contes choisis*, Paris, sous le titre *Miss Harriet ;* le supplément de *La Lanterne*, 5 septembre 1889 ; le supplément du *Petit Parisien*, 6 octobre 1889.

1. *Pas de dédicace dans G.*

Georges Pouchet (1833-1894), fils du naturaliste rouennais Félix Pouchet, était professeur d'anatomie comparée au Muséum. Ami de Flaubert et ayant de nombreuses relations dans les milieux littéraires, il s'intéresse au jeune Maupassant qui lui consacre une chronique en 1881 (« Au Muséum d'histoire naturelle », *Le Gaulois*, 23 mars).

2. *Pas de divisions numérotées dans G.*

3. Lieu imaginaire.

4. *G* : poussaient, ainsi que des chevelures, sur

5. *G* : sobriquet ?/J'appelai Serval.

6. *G* : aventure./*Signe de séparation.*/Lorsque

7. *G* : vus./*Signe de séparation.*/Un

8. *G* : gîte./*Signe de séparation.* / Or

9. Le terme « piéton » désigne le facteur de campagne qui fait ses tournées à pied.

10. *G* : enfant à elle, comme

11. *G* : rendu l'autre, avec

12. *G* : sonores et divers des

13. *G* : effroyable. Un

14. *G* : sang./*Signe de séparation.* / Mon

L'HORRIBLE

Paru dans *Le Gaulois* du 18 mai 1884 (notre texte), le récit ne sera recueilli que dans le volume posthume *Le Colporteur* (Paris, Ollendorff, 1900).

1. *L'original donne* se réformer ; *nous corrigeons.*

2. Voir la note 4 de *Boule de suif.*

3. Le lieutenant-colonel Paul Flatters (1832-1881) a été chargé de deux missions (1880 et 1881) en vue de la construction du transsaharien, et a été, dans les circonstances relatées par Maupassant, tué par les Touareg. (Cf. Victor-Bertrand Derrécagaix, *Exploration du Sahara. Les deux missions du lieutenant-colonel Flatters*, Paris, édition de la Société de géographie, 1882.)

4. Oasis du Sahara algérien, Ouargla est le chef-lieu du département des Oasis.

5. Créés en Algérie en 1844 par le maréchal Bugeaud et organisés définitivement en 1867, les bureaux arabes servaient d'intermédiaires entre le commandement français et les chefs indigènes.

6. La phrase apparaît ainsi aussi bien dans l'original que dans *Le Colporteur*.

LES IDÉES DU COLONEL

Publié dans *Le Gaulois* du 9 juin 1884, le récit a été recueilli dans *Yvette* (Paris, Havard, 1885 ; notre texte).

Reprises : le supplément de *La Lanterne*, le 7 décembre 1884, puis, à nouveau, le 13 avril 1890 ; *Annales politiques et littéraires*, 14 décembre 1884 ; le supplément du *Petit Parisien*, 27 avril 1890.

L'anecdote a été utilisée par Maupassant dans une de ses premières nouvelles, *Le Mariage du lieutenant Laré* (*La Mosaïque*, 25 mai 1878) et dans *Souvenir* (*Gil Blas*, 16 février 1882). Nous reproduisons ces deux textes dans l'Annexe de notre recueil.

1. *G* : jambes roides comme
2. *G* : le piou-piou jusqu'aux
Onomatopée enfantine désignant les poussins à l'origine, « piou-piou » signifie jeune fantassin à l'époque de Maupassant.
3. Edme Patrice Maurice, comte de Mac-Mahon (1808-1898), qui avait reçu le bâton de maréchal à la suite de la victoire de Magenta (1859), fut placé à la tête de l'armée du Rhin au début de la guerre franco-prussienne. Battu à Wissembourg (4 août 1870) et à Froeschwiller (5-6 août), il fut encerclé à Sedan, blessé et fait prisonnier.
4. Le général Louis Jules Trochu (1815-1896), gouverneur de Paris depuis le 17 août 1870, présida le gouvernement de la Défense nationale, constitué le 4 septembre, après la chute de Napoléon III, et fut chargé de la défense de Paris.
5. Nom de lieu imaginaire.
6. *G* : plaçai derrière les plus solides, avec
7. *G* : baïonnette dans
8. *G* : que fait le
9. *G* : étaient soûls. Le
10. *G* : mes hommes, un
11. *G* : bois ; quelques
12. *G* : je donnais des
13. *G* : et j'entendais derrière
14. *G* : à l'Orient./Une
15. *L'original donne* vociférant : – « Vive la France ! »/Et, je *; nous corrigeons en adoptant la leçon du Gaulois.*
16. *G* : tambours ou des

17. Pour *La Marseillaise*, voir la note 61 de *Boule de suif*.
18. *G* : colonel./*Signe de séparation.*/Il

LE LIT 29

Publié dans *Gil Blas* du 8 juillet 1884 sous la signature de Maufrigneuse, le récit est recueilli dans *Toine* (Paris, Havard, 1885, daté de
1886 ; notre texte est celui de la 2ᵉ édition, parue en 1886).

À l'origine de l'intrigue se trouve une anecdote racontée à Maupassant par Céard, dont André Vial publie cette note inédite dans *Maupassant et l'art du roman* (Paris, Nizet, 1954, p. 314) :

C'est à bien longue distance qu'il se souvenait des récits qu'on lui faisait.
Ainsi une nouvelle, *Le Lit nᵒ 29*, histoire d'une femme syphilitique, mourant à
l'hôpital après avoir patriotiquement contaminé des Prussiens, vient d'une
aventure réelle que je lui avais contée en 1876, avant *Boule-de-Suif*. C'était
l'épisode de la fusillade d'une basse prostituée qui, condamnée à mort dans le
département de la Haute-Marne, pour ses distributions de vérole à l'armée
ennemie et ses infractions à des arrêtés l'expulsant de la ville où elle exerçait
son métier et, par vengeance, communiquait son virus, mourait en criant au
peloton d'exécution : « Je m'en fous ! Je vous ai fait plus de mal que l'artillerie. » Plus de dix ans après, il reprenait cette anecdote et la déformait singulière-
ment en même temps qu'il la compliquait d'un viol bien inutile. C'était par
représailles de ce viol par les Allemands que, maintenant, la femme pourrissait
les officiers d'une garnison : effet assurément moins beau et moins grand que
celui de la pierreuse donnant la corruption et la mort par amour pour la Patrie.
Chez Maupassant, l'héroïne des trottoirs est devenue une courtisane de
marque, refusant de se livrer aux vainqueurs, même contre argent, et est prise
de force, après les avoir insultés. Sans doute Maupassant craignit de recommencer une espèce de Rachel, de Boule-de-Suif et autres pensionnaires de *La Maison Tellier* ou du bouge du *Port* et donna de la dignité à la courtisane en la
haussant dans la galanterie, précaution qui détruit tout le grandiose d'un épisode réel.

1. La renommée du général Charles Bourbaki (1816-1897) date de la
guerre de Crimée (1854-1855) où il s'illustra par sa hardiesse. Nommé
commandant de la garde impériale au début de la guerre franco-
prussienne, puis organisateur de l'armée du Nord, il remporte la victoire de Villersexel (8-9 janvier 1871), mais, battu à Héricourt
(15-17 janvier) et réfugié en Suisse avec ses soldats qui y seront désar-
més, il tentera de se tuer par crainte d'une accusation de trahison.
2. *L'original donne* l'école polytechnique *; nous corrigeons.*
3. *GB* : manège féminin :/– Ce
4. *GB donne partout* Templier-Papou.

5. *GB* : commissionnaire, vieux homme
6. *GB* : tout le repas, il
7. Voir la note 5 de *Mademoiselle Fifi*.
8. *GB* : Elle murmura :/« Je
9. *L'original donne* pour faire moquer *; nous corrigeons, reprenant ainsi la leçon de GB.*
10. *GB* : de la ville.
11. *GB* : deviez les arrêter ; mais ils vous ont passé sur le corps. C'est ta faute, à toi, si je suis ici, moi, parce que c'est toi qui devais les arrêter, entends-tu.

LES PRISONNIERS

Publié dans *Gil Blas* du 30 décembre 1884, le récit a été recueilli dans *Toine* (Paris, Havard, 1885, daté de 1886 ; notre texte est celui de la 2ᵉ édition, parue en 1886).

Reprises : *Le Bon Journal*, 15 et 22 novembre 1885 ; *Annales politiques et littéraires*, 21 février 1886 ; *La Vie populaire*, 6 mai 1886 ; le supplément de *La Lanterne*, 8 août 1889 ; le supplément du *Petit Parisien*, 25 août 1889 ; *Histoire d'une fille de ferme*, choix de contes, Paris, Ernest Flammarion, coll. « Auteurs célèbres », nº 111, 1890.

1. *GB* : crainte ; fait
2. C'est en 1617, sous Louis XIII, et non sous Henri IV, que Rethel a soutenu le siège du duc de Guise qui prit la ville ; sous la Fronde, les Espagnols s'en emparèrent en 1650, mais Turenne la reprit en 1653. Pendant la guerre franco-prussienne, Rethel n'a pas été touché par les combats que l'armée de l'Est menait dans la région.
3. Nom fictif.
4. *GB* : – V'là qu'en marche *(coquille.)*
5. *L'original donne* le gros verrous *; nous corrigeons, suivant la leçon de GB qu'adopte aussi Louis Forestier en rappelant l'expression* les lourds verrous de la porte *qui figure au début du récit (Pl. t. II, p. 1458).*
6. *GB* : dans ce bouillon.
7. *GB* : et ce murmure
8. *GB* : bruit lourd, puis
9. *GB* : se remit à
10. *GB* : l'ombre pâle des neiges et
11. *GB* : attendit./*Pas de signe de séparation.*/Les
12. *GB* : il le somma, cet
13. *GB* : épouvantable./*Pas de signe de séparation.*/Personne

. 14. *GB* : un rire nouveau s'éleva.
  15. *GB* : maison et vite./En un
  16. *GB* : glissa tout le
  17. *GB* : à mosieur l'officié français
  18. Cette graphie, employée dans *GB* aussi, qui n'indique pas l'accent allemand de la prononciation, est inutile. Compte tenu de la correction, reproduite dans la note précédente, du même type d'inadvertance, on suppose que Maupassant a oublié de corriger ce mot.
  19. *GB* : l'autre portant Maloison

LES ROIS

Publié dans *Le Gaulois* du 23 janvier 1887, le récit est recueilli dans *Le Horla* (Paris, Ollendorff, 1887 ; notre texte).
Repris dans *La Vie populaire* du 20 octobre 1887, sous la rubrique « Histoire de la semaine ».

  1. Nom de lieu fictif.
  2. *G* : semaines, où il ne
  3. *L'original donne* jour de Rois ; *nous corrigeons.*
  4. *G* : hommes au monde (*coquille*).
  5. Remarque ironique, bien entendu.
  6. *G* : paysanne, tortue, ridée
  7. *G* : Marchas, et, montrant
  8. *G* : serviette autour du cou
  9. *G* : tout, Framoise a blessé
C'est peut-être cette leçon qui est la bonne : aucun des officiers n'est désigné par son prénom dans le récit.

L'ANGÉLUS

L'Angélus est la dernière œuvre entreprise par Maupassant. Début 1891, la rédaction est déjà en cours, et l'écrivain espère la publier bientôt, mais la maladie, de plus en plus envahissante, l'empêchera de terminer son roman.
  Le manuscrit, acheté par Artine Artinian en 1951, a été donné par lui au Harry Ransom Humanities Research Center (université d'Austin, Texas, U. S. A.), que nous remercions de nous avoir permis de le consulter. Il se compose d'une page de titre, suivie de cinq fragments : 1° 34 feuillets numérotés de 1 à 34 ; 2° 1 feuillet non numéroté ; 3° 5 feuillets

numérotés de 1 à 5 ; 4° 1 feuillet non numéroté ; 5° 1 feuillet portant le numéro 11. Comme les fragments ne comportent aucune indication concernant leur succession, c'est nous qui avons établi l'ordre dans lequel nous les présentons.

Dans l'intérêt de la lisibilité du texte, notre transcription ne tient pas compte des ratures et des surcharges, ni n'indique les ajouts. Par ailleurs, dans la mesure où Maupassant, à l'instar de nombreux autres écrivains, traite dans ses manuscrits la ponctuation avec désinvolture, nous avons introduit les signes qui manquent à la fin de certaines phrases, ainsi que des virgules dont l'absence aurait perturbé la compréhension du texte, et nous avons remplacé les points par des points d'interrogation lorsque le sens l'exigeait.

En tête de la liasse des feuillets, on trouve cette note, certainement de la main d'Artine Artinian :

MANUSCRIT DE L'ANGELUS

Décrit dans les notes de l'éd. Conard (*Œuvres posthumes*, II, p. 202-203 et 208-213) avec reproductions photographiques de quelques pages.

On lit dans ces notes (p. 211) : « Les ratures et les surcharges y sont nombreuses, mais la phrase, même avant d'être corrigée, est correcte, les épisodes s'enchaînent bien. L'écriture ferme et nette n'indique ni les souffrances de l'auteur, ni le malheur qui va l'anéantir. »

Cependant un examen attentif du manuscrit autorise, semble-t-il, des conclusions assez différentes : la première rédaction est souvent gauche et, malgré de multiples corrections, bien souvent n'est guère améliorée. Il subsiste bien des lourdeurs et des négligences dans le style. En bref, l'*inégalité* qui marque le manuscrit apparaît au contraire en elle-même fort émouvante.

Le texte a été publié la première fois dans *La Revue de Paris* du 1er avril 1891, puis dans le tome XXIX de l'édition Conard des *Œuvres complètes* de Maupassant.

Hermine Lecomte du Noüy note que « Maupassant [lui] avait raconté le plan de ce roman de façon très détaillée ; même il [lui] fit lire des chapitres qu'on ne retrouva pas » (*En regardant passer la vie*, Paris, Ollendorff, 1903, p. 50).

L'édition Conard reproduit, dans une note introductive (p. 212-213), le récit suivant d'Auguste Dorchain :

En août 1891, j'étais à Champel-les-Bains, près de Genève, pour demander aux eaux glacées de l'Arve et à l'air vivifiant des hauteurs la guérison d'une fatigue nerveuse, quand un jour on m'annonça la visite de Guy de Maupassant, que le docteur Cazalis – le poète Jean Lahor – amenait à l'établissement thermal.

Maupassant avait sous le bras une serviette d'avocat, pleine de papiers. Il l'ouvrit, me montra les feuilles :

– Voici les cinquante premières pages de *L'Angélus*. Depuis un an, je n'ai pu en écrire une seule autre. Si, dans trois mois, le livre n'est pas achevé, je me tue.

Telles furent ses premières paroles.

Dirai-je tout ce qu'il ajouta, tout ce que, dans une volubilité de langage et avec une fixité de regard également effrayantes, il me conta pendant les trois jours qu'on put le retenir à Champel ? Non, certes ! le souvenir m'en est trop cruel et ce n'est point celui qu'il doit laisser à personne. J'aime mieux me rappeler seulement une soirée admirable, où, pendant deux heures, je pus le croire guéri, sauvé, redevenu égal à lui-même. Nous l'avions, ma femme et moi, invité à dîner dans notre petit chalet, annexe de l'Hôtel des Bains : il apporta son manuscrit dont il ne se séparait qu'avec peine, ayant décidé que sa sentence était là, et il nous dit :

– Je vais vous raconter *L'Angélus*.

Il le conta avec une lucidité, une logique, une éloquence, une émotion extraordinaires. C'était l'histoire d'une femme, à la veille d'être mère, et que son mari, soldat, a laissée seule dans le château de famille pendant l'Année terrible. Un soir d'hiver, le soir de Noël, les Prussiens envahissent la maison ; sur une résistance ou une plainte, ils relèguent la malheureuse dans une étable, après l'avoir maltraitée et même blessée ; et, sur la paille, tandis qu'au loin sonnent les cloches de l'église, elle met au monde un fils, comme autrefois la Vierge Marie. Mais quel fils ! un fils blessé, estropié à jamais par le coup qu'a reçu sa mère, un fils aux jambes brisées et qui jamais ne marchera, et qui jamais ne sera un homme pareil aux autres hommes. Les années passent sur lui sans le guérir, mais en affinant son âme à l'amour infiniment tendre de sa mère, comme pour qu'il puisse souffrir davantage. Est-ce que, vraiment, Jésus est venu au monde pour y apporter de la joie ?... Un jour, quand il est devenu un jeune homme, une jeune fille passe et l'infirme l'adore avec son grand et tendre cœur, mais sans qu'il puisse le lui dire et sans qu'elle puisse l'aimer. C'est son frère aîné, son frère valide et beau qu'elle aime, et tous deux donnent au misérable le torturant spectacle de leur bonheur.

– Va, mon chéri, lui disait la mère en le berçant comme un petit enfant, je t'emmènerai dans de beaux pays, je te lirai de beaux livres, tu oublieras, tu seras heureux aussi, je le veux, je le veux...

Et le pauvre enfant secouait la tête. Et l'on s'en allait ; et partout, et toujours, il devait voir passer devant ses yeux, jusqu'au jour où il les fermerait à la lumière, ce fantôme charmant dont il n'approcherait jamais, jamais... une jeune fille.

Et Maupassant pleurait en finissant son récit, qui dura deux heures ; et nous aussi nous pleurâmes, voyant tout ce qui restait encore de génie, de tendresse et de pitié dans cette âme, qui jamais plus n'achèverait de s'exprimer pour se répandre sur les autres âmes.

1. Début du premier fragment du manuscrit (feuillets numérotés de 1 à 34). Le chiffre I figure en tête de ce fragment.

2. Village à une douzaine de kilomètres de Rouen en aval sur la Seine, très apprécié pour son beau site par les Rouennais.

3. Maupassant écrit d'abord *grand papa*, puis le corrige par surcharge en *gand papa*. Nous écrivons *g'and papa*, pour indiquer que ce n'est pas une faute d'impression.

4. Le général Guillaume Briand (1815-1894) – Maupassant écrit *Briant*, graphie fautive –, commandant de la division de Rouen, surprit et mit en déroute les Prussiens le 29 novembre à Étrépagny, mais, ayant reçu l'ordre de marcher sur Paris, il se mit en retraite. Un contrordre le fit revenir sur Rouen qu'il devait défendre, mais il était trop tard et il dut se replier sur Le Havre. (Cf. la poche de résistance du Havre dans *Boule de suif*.) Les Prussiens entrent dans Rouen le 6 décembre 1870.

5. Village près de Rouen, voisin de Croisset.

6. En 1859, les victoires franco-sardes chassèrent les Autrichiens de la Lombardie (victoires de Magenta, le 4 juin, et de Solférino, le 24 juin), permettant la réunion de l'Italie centrale au Piémont (mars 1860).

7. Dans *Boule de suif*, Maupassant écrit : « une masse noire descendit de la côte Sainte-Catherine, tandis que deux autres flots envahisseurs apparaissaient par les routes de Darnetal et de Bois-Guillaume. Les avant-gardes des trois corps, juste au même moment, se joignirent sur la place de l'Hôtel-de-Ville » (p. 47).

8. Village situé entre Rouen et Pont-Audemer.

9. L'armée de Faidherbe, c'est l'armée du Nord qui s'apprête à cette époque à prendre Amiens.

10. Village situé en bordure de la forêt de Roumare. Le château est imaginaire, mais les noms de lieu contenant le mot Bec sont fréquents dans la région.

11. L'armée de Chanzy est l'armée de la Loire.

12. Fin du premier fragment.

13. Début du deuxième fragment (feuillet non numéroté). Ce paragraphe est suivi d'une liste de noms :

Marvaux
Carmusel
de la Charlerie
Charlery   abbé Marvaux
M~~r~~ Parizot   Dr Paturel
~~Brémorin~~   Passeur Pichard
~~Fourville~~   Cocher Philippe
~~de Bretonnay~~
M~~r~~ Parizot
~~ete de Praxeville~~
Antoine de Praxas
Bremontal

Courmarin
Hiral
Marmelin
Boutemare
La famille de et les armoiries de Cerisaie

14. Fin du deuxième fragment.
15. Début du troisième fragment (feuillets numérotés de 1 à 5).
16. « Si Dieu nous a faits à son image, nous le lui avons bien rendu. »
(Voltaire, *Le Sottisier*, « Faits détachés ».)
17. Fin du troisième fragment.
18. Début du quatrième fragment (feuillet portant le numéro 11).
19. Fin du quatrième fragment.
20. Début du cinquième fragment (feuillet non numéroté).
21. Fin du cinquième fragment (feuillet non numéroté).

LES SOIRÉES DE MÉDAN

Article paru dans *Le Gaulois* du 17 avril 1880.
Le récit de la genèse des *Soirées de Médan* est de pure invention :
Maupassant crée une légende pour servir la promotion du livre (cf.
notre introduction).

1. Schopenhauer et Spencer resteront les références philosophiques
principales de Maupassant, qui tire de leurs œuvres des arguments pour
son agnosticisme pessimiste, fondé sur le principe de l'impossibilité de
connaître ce qui échappe aux sens.
2. Les récits moralisateurs – « idéalistes », selon le vocabulaire de
Maupassant – d'Octave Feuillet (1821-1890), en particulier *Le Roman
d'un jeune homme pauvre* (1858) et *Julie de Trécœur* (1872), chers à
l'impératrice Eugénie, connurent de grands succès à l'époque.
3. *G donne* savetiers *; nous corrigeons.*

LA GUERRE

Chronique parue dans *Gil Blas*, le 11 décembre 1883, sous la signature de Maufrigneuse. Maupassant y réutilise la plus grande partie du
texte d'une autre chronique, intitulée également « La Guerre », et qui
a été publiée dans *Le Gaulois* du 10 avril 1881. Il en utilisera de nouveau

de nombreux passages dans *Sur l'eau* (Paris, Marpon et Flammarion, 1888) et dans sa préface à *La Guerre* de Vsevolod Garchine (Paris, Havard, 1889).

1. Il s'agit de la guerre du Tonkin (1882-1885), menée pour la colonisation de l'Indochine et qui a provoqué un conflit entre la France et la Chine, terminé en 1885 par le traité de T'ien-tsin.

2. Ville du bas Tonkin.

3. Jules Grévy (1807-1891), président de la République de 1879 à 1887, menait une politique hostile au nationalisme revanchard et à l'expansion coloniale.

4. Jules Ferry (1832-1893), en dehors de son importante activité dans le domaine de l'organisation de l'enseignement et de l'administration locale, donna un essor considérable à la politique coloniale de la France. Président du Conseil pendant la guerre du Tonkin, il a dû présenter sa démission à la suite de l'échec militaire de Lang-Son (mars 1885).

5. Allusion à *L'Année terrible* (1872).

6. Le feldmaréchal Helmuth von Moltke (1800-1891) fut l'exécuteur de la réforme militaire conçue par Bismarck, fondement de l'efficacité extraordinaire de l'armée prussienne. Stratège important, il conduisit les opérations de la guerre de 1870.

7. *Les Charniers (Sedan)*, préface de Léon Cladel, Paris, A. Lemerre, 1881. Le livre parut d'abord sous le titre *Sedan* en 1871 (Bruxelles, Librairie C. Muquardt) et en 1875 (Bruxelles, « La Bibliothèque élégante »).

8. *GB donne* et il cherchait à *; nous corrigeons.*

9. *GB donne* palais d'été *; nous corrigeons.*

Ce fut l'expédition militaire sous les ordres du général Cousin-Montauban qui s'acheva par le sac du palais d'Été (1860).

LE MARIAGE DU LIEUTENANT LARÉ

Parue dans *La Mosaïque* du 25 mai 1878 (notre texte), sous la signature de Guy de Valmont (nom d'un personnage des *Liaisons dangereuses*, Valmont est aussi le nom d'une localité du pays de Caux), cette nouvelle ne sera pas recueillie par Maupassant qui en reprendra l'anecdote dans *Souvenir* et dans *Les Idées du colonel*. Elle sera publiée la première fois en volume dans le tome I (1908) de l'édition Conard des *Œuvres complètes*.

1. Tous les noms sont fictifs.
2. *La Mosaïque donne partout* hulan *; nous corrigeons.*
3. Peut-être Blainville-sur-Orne, commune du Calvados.
4. Saint-Thomas-d'Aquin était l'église du faubourg Saint-Germain, lieu de célébration des mariages aristocratiques.

SOUVENIR

Publiée dans *Gil Blas* du 16 février 1882 (notre texte), sous la signature de Maufrigneuse, cette nouvelle n'a pas été recueillie par Maupassant qui y reprend l'anecdote du *Mariage du lieutenant Laré*. Elle paraîtra la première fois en volume dans l'édition des *Contes et nouvelles* par Albert-Marie Schmidt (Paris, Albin Michel, 1964-1967).

1. Voir la note 3 du *Mariage du lieutenant Laré*.
2. Compte tenu de la graphie *Ronfé* dans *Le Mariage du lieutenant Laré*, on peut supposer que la graphie *Roufé* dans *Souvenir* est une coquille.
3. *L'original donne* qui est-ce prête *; nous corrigeons.*

	VIE DE MAUPASSANT	REPÈRES HISTORIQUES ET CULTURELS
1846	9 novembre : mariage de Gustave de Maupassant (né en 1821) et de Laure Le Poittevin (née en 1821), précédé, quelques mois auparavant, de l'obtention par le futur époux du droit de porter la particule. La mariée est la sœur d'Alfred Le Poittevin, ami proche de Flaubert.	
1848		Révolution de février, révolution de juillet. Fin de la monarchie de Juillet, IIᵉ République.
1850	5 août : naissance de Henry René Albert Guy de Maupassant, au château de Miromesnil, commune de Tourville-sur-Arques, près de Dieppe, ou dans une maison bourgeoise à Fécamp, rue Sous-le-Bois. On a avancé l'hypothèse, dépourvue de fondement, qu'il était le fils de Flaubert.	18 août : mort de Balzac. Richard Wagner, *Lohengrin*.
1851		2 décembre : coup d'État de Louis Napoléon Bonaparte.
1852		2 décembre : proclamation du second Empire. Grand succès au théâtre de *La Dame aux camélias* d'Alexandre Dumas fils. Leconte de Lisle, *Poèmes antiques*. Théophile Gautier, *Émaux et camées*.
1853		Giuseppe Verdi, *La Traviata*. Début des travaux d'Haussmann.
1853-1856		Guerre de Crimée.
1854	Les Maupassant s'installent au château de Grainville-Ymauville (Seine-Maritime).	Publication en France des *Mémoires d'un seigneur russe* d'Ivan Tourgueniev. Gérard de Nerval, *Les Filles du feu. Les Chimères*.
1855		Exposition universelle à Paris.

CHRONOLOGIE

1856	19 mai : naissance d'Hervé de Maupassant, le frère de l'écrivain.
1857	Procès de *Madame Bovary* de Flaubert et des *Fleurs du Mal* de Baudelaire, accusés d'outrage à la morale publique.
1858	Début de la séparation des époux Maupassant ; elle sera officialisée en 1863. Gustave de Maupassant vivra à Paris, Laure avec ses deux fils à Étretat, dans sa maison Les Verguies.
1859	Victor Hugo, *La Légende des siècles*. Charles Darwin, *De l'origine des espèces*. Jean-François Millet, *L'Angélus*.
1862	Victor Hugo, *Les Misérables*. Gustave Flaubert, *Salammbô*. Ivan Tourgueniev, *Pères et fils*. Eugène Fromentin, *Dominique*. Dominique Ingres, *Le Bain turc*.
1863	Théophile Gautier, *Le Capitaine Fracasse*. Ernest Renan, *La Vie de Jésus*. Salon des refusés. Édouard Manet, *Le Déjeuner sur l'herbe*.
1863-1868	Maupassant est élève à l'Institution ecclésiastique d'Yvetot ; à cause d'une pièce de vers jugée immorale, il finira par être reconduit chez sa mère. Au cours des vacances de 1866, il fait la connaissance du poète anglais Algernon Charles Swinburne.
1864	Hippolyte Taine, *Histoire de la littérature anglaise*.
1864-1867	L'aventure mexicaine.

	VIE DE MAUPASSANT	REPÈRES HISTORIQUES ET CULTURELS
1865		Edmond et Jules de Goncourt, *Germinie Lacerteux.* Claude Bernard, *Introduction à l'étude de la médecine expérimentale.* Édouard Manet, *Olympia.*
1865-1869		Léon Tolstoï, *Guerre et paix.*
1866		Fedor Dostoïevski, *Crime et châtiment.*
1867		Émile Zola, *Thérèse Raquin.* Henrik Ibsen, *Peer Gynt.* Karl Marx, *Le Capital.*
1868		Dr Prosper Lucas, *Traité philosophique et physiologique de l'hérédité.*
1868-1869	Maupassant est élève au lycée de Rouen. Il est reçu par le poète Louis Bouilhet (mort en 1869) et par Gustave Flaubert.	
1869	27 juillet : baccalauréat. Octobre : Maupassant s'inscrit à la faculté de droit de Paris.	Gustave Flaubert, *L'Éducation sentimentale.* Alphonse Daudet, *Lettres de mon moulin.* Comte de Lautréamont, *Les Chants de Maldoror.* Auguste Renoir, *La Grenouillère.* 17 novembre : inauguration du canal de Suez.
1870	Maupassant est appelé comme soldat. Il est affecté à la deuxième division de Rouen, dans l'Intendance. Il ne sera démobilisé qu'à l'automne 1871.	19 juillet : déclaration de la guerre entre la France et la Prusse. 2 septembre : défaite de Sedan, Napoléon III prisonnier. 4 septembre : proclamation de la République. Paul Verlaine, *La Bonne Chanson.*
1871		18 janvier : Guillaume, roi de Prusse, est proclamé empereur allemand à Versailles (naissance de l'Allemagne). 28 janvier : armistice. 18 mars-21 mai : Commune de Paris. 10 mai : traité de paix de Francfort, fin de la guerre.

CHRONOLOGIE

		Émile Zola, *La Fortune des Rougon*, premier volume des *Rougon-Macquart*.
1872	En mars, Maupassant entre au ministère de la Marine.	Émile Zola, *La Curée*.
1873	Maupassant est appointé 125 francs par mois, avec une gratification annuelle de 150 francs. Il passe son temps libre à canoter sur la Seine, en joyeuse compagnie.	Arthur Rimbaud, *Une saison en enfer*. Alphonse Daudet, *Contes du lundi*. Émile Zola, *Le Ventre de Paris*. Claude Monet, *Impression soleil levant*. Instauration du gouvernement dit de l'« ordre moral » de Mac-Mahon.
1874	Maupassant assiste aux dimanches de Flaubert, rue Murillo, où il rencontre Edmond de Goncourt, Zola, Daudet, Tourgueniev ; chez Zola, il fait la connaissance de Cézanne, Céard, Alexis, Huysmans.	Gustave Flaubert, *La Tentation de saint Antoine*. Jules Amédée Barbey d'Aurevilly, *Les Diaboliques*. Première exposition des impressionnistes à l'atelier de Nadar.
1875	En février, première publication de Maupassant : *La Main d'écorché* paraît dans *L'Almanach lorrain de Pont-à-Mousson*. 19 avril : représentation de *La Feuille de rose, maison turque*, pièce pornographique. Flaubert et Tourgueniev y assistent.	Georges Bizet, *Carmen*.
1875-1893		Hippolyte Taine, *Les Origines de la France contemporaine*.
1876	Maupassant publie des poèmes dans *La République des Lettres* et des articles sur la littérature dans *La Nation*.	Stéphane Mallarmé, *L'Après-midi d'un faune*. Mark Twain, *Les Aventures de Tom Sawyer*. Invention du téléphone par Alexander Graham Bell.
1877	Premiers signes de la syphilis chez Maupassant. 16 avril : dîner au restaurant Trapp, réunissant autour de Flaubert, Goncourt et Zola leurs jeunes disciples, Alexis, Céard, Hennique, Huysmans, Maupassant, Mirbeau. Août : cure à Loèche-les-Bains. 3 novembre : *Le Donneur d'eau bénite*. Premier projet d'*Une vie*.	Gustave Flaubert, *Trois Contes*. Émile Zola, *L'Assommoir*. Edmond de Goncourt, *La Fille Élisa*. Invention du phonographe par Thomas Alva Edison.

	VIE DE MAUPASSANT	REPÈRES HISTORIQUES ET CULTURELS
1878	Maupassant quitte la Marine pour l'Instruction publique.	
1879	19 février : première au Théâtre-Français d'*Histoire du vieux temps*, pièce de Maupassant.	Émile Zola, *Nana*. Henrik Ibsen, *Une maison de poupée*. Fin du régime de « l'ordre moral ». Invention de l'ampoule électrique par Thomas Alva Edison.
1880	Janvier : Maupassant, accusé d'outrage à la morale publique suite à la publication de son poème *Une fille*, est cité devant le tribunal d'Étampes. Le procès se termine par un non-lieu. 16 avril : publication de *Boule de suif* dans *Les Soirées de Médan*, considéré comme « le manifeste naturaliste ». La nouvelle de Maupassant a un succès retentissant. 25 avril : publication de *Des vers*. Mai : Maupassant commence une collaboration régulière au *Gaulois*, qui durera jusqu'en 1888. Juin : il obtient au ministère un congé avec traitement, puis sans traitement, qui sera renouvelé jusqu'en 1882, lorsqu'il quittera définitivement l'administration. Septembre : voyage en Corse, en compagnie de sa mère. Migraines, troubles oculaires et cardiaques tout au long de l'année.	8 mai : mort de Flaubert. Émile Zola, *Le Roman expérimental*. Paul Verlaine, *Sagesse*. Fedor Dostoïevski, *Les Frères Karamazov*. Arthur Schopenhauer, *Pensées, maximes et fragments*, traduction française par J. Bourdeau. Le 14 juillet devient fête nationale. Amnistie des communards. Expulsion des jésuites.
1881	Mai : *La Maison Tellier*. Juillet-septembre : voyage en Algérie, comme envoyé du *Gaulois*. Octobre : début de la collaboration de Maupassant à *Gil Blas*. Troubles de santé durant toute l'année. Ils iront en s'aggravant jusqu'à sa mort.	Anatole France, *Le Crime de Sylvestre Bonnard*. Auguste Renoir, *Le Déjeuner des canotiers*. Édouard Manet, *Le Bar des Folies-Bergère*. Henry James, *Un portrait de femme* ; *Washington Square*. Loi sur la gratuité de l'enseignement primaire.

CHRONOLOGIE

1882	Mai : *Mademoiselle Fifi.* Juillet : voyage en Bretagne.	Joris-Karl Huysmans, *À vau-l'eau.* Auguste Rodin, *Le Penseur.* Richard Wagner, *Parsifal.* Création de la première chaire mondiale de neurologie, pour Jean Martin Charcot. Loi sur l'enseignement laïque et obligatoire. Krach de l'Union générale.
1883	Janvier : Maupassant est soigné par le Dr Landolt qui entrevoit l'évolution de la maladie. Avril : *Une vie.* Juin : *Contes de la bécasse.* Juillet-août : cure à Châtelguyon. 1er novembre : François Tassart entre au service de Maupassant et y restera jusqu'à la mort de son maître ; il publiera deux volumes de *Mémoires.* Novembre : *Clair de lune.* Maupassant commence la construction de sa villa, *La Guillette*, à Étretat.	3 septembre : mort d'Ivan Tourgueniev. Auguste de Villiers de L'Isle-Adam, *Contes cruels.* Ferdinand Brunetière, *Le Roman naturaliste.*
1883-1885		Friedrich Nietzsche, *Ainsi parlait Zarathoustra.*
1884	Janvier : *Au soleil.* Mai : *Miss Harriet.* Juillet : *Les Sœurs Rondoli.* Octobre-novembre : *Yvette.* Maupassant emménage au 10, rue Montchanin, dans un hôtel particulier, signe d'ascension sociale. Correspondance avec Marie Bashkirtseff.	Joris-Karl Huysmans, *À rebours* ; l'auteur prend ses distances par rapport aux naturalistes. Edmond de Goncourt ouvre son « Grenier ». Loi sur le rétablissement du divorce.
1885	Mars : *Contes du jour et de la nuit.* Avril-mai : voyage en Italie, en Sicile. Mai : *Bel-Ami.*	Émile Zola, *Germinal.* Paul Bourget, *Cruelle Énigme* : triomphe du roman psychologique. Mort de Victor Hugo.

	VIE DE MAUPASSANT	REPÈRES HISTORIQUES ET CULTURELS
1885	Été : cure à Châtelguyon. Décembre : *Monsieur Parent.* La fréquentation des femmes du monde (Hermine Lecomte Du Nouÿ, Marie Kann, Emmanuelle Potocka, Geneviève Straus) prendra désormais une place de plus en plus importante dans la vie de Maupassant.	Mort de Jules Vallès. Pasteur met en utilisation le vaccin contre la rage.
1886	Janvier : *Toine.* Mai : *La Petite Roque.* Juillet : cure à Châtelguyon. Août : séjour en Angleterre.	Émile Zola, *L'Œuvre.* Arthur Rimbaud, *Illuminations.* Jean Moréas, *Manifeste du symbolisme.* 15 mai-15 juin : dernière exposition des impressionnistes. Eugène de Vogüé, *Le Roman russe.* Friedrich Nietzsche, *Par-delà le bien et le mal.* Richard von Krafft-Ebing, *Psychopathia sexualis.* Édouard Drumont, *La France juive.*
1887	Janvier : *Mont-Oriol.* Mai : *Le Horla.* 8-9 juillet : voyage en ballon. Été : premiers signes de la maladie d'Hervé de Maupassant. Octobre-décembre : voyage en Afrique du Nord.	Émile Zola, *La Terre.* Manifeste antinaturaliste des Cinq. Fondation du Théâtre-Libre d'Antoine. Gabriel Fauré, *Requiem.* Anton Tchekhov, *Ivanov.* Giuseppe Verdi, *Otello.* Début du mouvement boulangiste.
1888	Janvier : *Pierre et Jean.* Juin : *Sur l'eau.* Septembre-octobre : cure à Aix-les-Bains. Octobre : *Le Rosier de Madame Husson.* Novembre-décembre : voyage en Afrique du Nord.	Maurice Barrès, *Sous l'œil des barbares.* August Strindberg, *Mademoiselle Julie.* Theodor Fontane, *Dédale.*
1888-1896		Gustave Mahler, *Première Symphonie.*
1889	Février : *La Main gauche.* Mai : *Fort comme la mort.*	Gerhart Hauptmann, *Avant le lever du soleil.* Henri Bergson, *Essai sur les données immédiates de la conscience.*

CHRONOLOGIE

	Août : Maupassant fait interner son frère Hervé à l'asile de Lyon-Bron. Août-octobre : croisière sur la Méditerranée à bord de son yacht *Bel-Ami*. 13 novembre : mort d'Hervé.	Construction de la tour Eiffel.
1890	Mars : *La Vie errante*. Avril : *L'Inutile Beauté*. Juin : *Notre cœur*. Juillet : cure à Plombières. Préparation de *L'Âme étrangère*. Troubles de santé de plus en plus graves.	Émile Zola, *La Bête humaine*. Paul Claudel, *Tête d'or*. William James, *Principes de psychologie*.
1891	Mars : immense succès de *Musotte*, au Gymnase. La pièce sera jouée partout en France et à l'étranger. Maupassant essaie d'écrire *L'Angélus*, mais ses tentatives restent inabouties. Forte dégradation de sa santé, désormais les facultés intellectuelles aussi sont affectées. Cures à Divonne et à Champel-les-Bains. 14 décembre : Maupassant rédige son testament.	André Gide, *Les Cahiers d'André Walter*. Oscar Wilde, *Le Portrait de Dorian Gray*.
1892	La nuit du 1er au 2 janvier, Maupassant tente de se trancher la gorge. 8 janvier : sombré dans la psychose, Maupassant est interné à la clinique du Dr Blanche où il ne reprendra sa lucidité que pour de courts instants.	Émile Zola, *La Débâcle*.
1893	6 mars : *La Paix du ménage* est représentée par la Comédie-Française. Alexandre Dumas fils a surveillé les répétitions. 6 juillet : mort de Maupassant, à quarante-trois ans. 8 juillet : inhumation au cimetière du Montparnasse.	José Maria de Heredia, *Les Trophées*.

BIBLIOGRAPHIE

ÉDITIONS

Les œuvres auxquelles nous avons eu recours pour établir les textes de ce volume sont indiquées dans les notes.

Œuvres complètes

Œuvres complètes illustrées de Guy de Maupassant, Paris, Ollendorff, 1899-1904 et 1912. 29 vol. ; rééd. Albin Michel.

Œuvres complètes de Guy de Maupassant, avec une étude de Pol Neveux, Paris, Conard, 1907-1910. 29 vol.

Œuvres complètes illustrées de Guy de Maupassant, préface, notices et notes de René Dumesnil, Paris, Librairie de France, 1934-1938. 15 vol.

MAUPASSANT : *Œuvres complètes*, texte établi et présenté par Gilbert Sigaux, Lausanne, Rencontre, 1961-1962. 16 vol.

MAUPASSANT : *Œuvres complètes*, avant-propos, avertissement et préfaces par Pascal Pia, chronologie et bibliographie par Gilbert Sigaux, Évreux, Le Cercle du bibliophile, 1969-1971. 17 vol. À cette édition s'ajoutent 3 vol. de *Correspondance*, établie par Jacques Suffel, 1973.

MAUPASSANT : *Œuvre complète*, Paris, Jean de Bonnot, 1980, 12 vol.

Contes et nouvelles

MAUPASSANT : *Contes et nouvelles*, textes présentés, corrigés, classés et augmentés de pages inédites par Albert-Marie

Schmidt, avec la collaboration de Gérard Delaisement, Paris, Albin Michel, 1964-1967. 2 vol.

–, *Contes et nouvelles*, préface d'Armand Lanoux, introduction, chronologie, texte établi et annoté par Louis Forestier, Paris, Gallimard, « Bibliothèque de La Pléiade », 1974-1979. 2 vol.

–, *Contes et nouvelles*, éd. Brigitte Monglond, Paris, Robert Laffont, « Bouquins », 1988, 2 vol.

–, *Contes et nouvelles*, texte établi par John Robin Allen, avec le concours de Noëlle Benhamou, édition numérisée, http :// www.maupassantiana.fr/mots_passants

Édition originale et éditions commentées des « Soirées de Médan »

ZOLA, MAUPASSANT, HUYSMANS, CÉARD, HENNIQUE, ALEXIS, *Les Soirées de Médan*, Paris, Charpentier, 1880 ; 2ᵉ éd. 1890.

–, *Les Soirées de Médan*, Édition du Cinquantenaire, avec une préface de Léon HENNIQUE, Paris, Fasquelle, 1930.

–, *Les Soirées de Médan*, édition de Colette BECKER, Paris, Le Livre à venir, 1981.

–, *Les Soirées de Médan*, avant-propos de Georges POISSON, Grasset, « Les Cahiers rouges », 2003.

Éditions commentées de « Boule de suif » et d'autres récits de guerre de Maupassant

Boule de suif et autres contes normands, introduction, chronologie, bibliographie, appendice et notes de Marie-Claire BANCQUART, Paris, Garnier frères, « Classiques Garnier », 1971 ; 1983 ; 1986.

Boule de suif, éd. présentée, établie et annotée par Louis FORESTIER, Paris, Gallimard, « Folio », 1973 ; 1977 ; 1999.

Boule de suif, préface de Françoise d'EAUBONNE, Genève, Famot, 1981.

Boule de suif, préface, commentaires et notes de Marie-Claire BANCQUART, Paris, Librairie générale française, « Le Livre de Poche », 1984 ; 1997.

Boule de suif et autres récits de guerre, préface de Pascaline MOURIER-CASILE, commentaires de Claude AZIZA et Pascaline MOURIER-CASILE, Paris, Pocket, « Pocket Classiques », 1991 ; 1998.

Boule de suif, éd. Françoise SCELLIER-ROSE, Paris, Hatier, « Classiques Hatier : Œuvres et thèmes », 1995.

Boule de suif, présentation, notes, chronologie et dossier par Nathalie MEYNIEL, Paris, Flammarion, « Étonnants classiques », 1998 ; 2007.

Boule de suif, dossier et notes par Danièle MARIN, lecture d'image par Sophie BARTHÉLEMY, Paris, Gallimard, « Folioplus classiques », 1998 ; 2007.

Boule de suif et autres nouvelles de guerre, éd. présentée, annotée et commentée par Emmanuelle SEMPÈRE, Paris, Larousse, « Petits Classiques Larousse », 1999 ; 2007.

Boule de suif suivi de *La Maison Tellier*, postface de Chloé RADIGUET, Paris, Mille et une nuits, 2000.

Boule de suif et autres récits de guerre, éd. présentée par Joëlle IBERO et Isabelle SIGNORET, Paris, Bordas, « Classiques Bordas », 2005.

Boule de suif, notes, questionnaire et dossier par Stéphane GUINOISEAU, Paris, Hachette Éducation, « Bibliocollège », 2006.

Boule de suif, éd. présentée par Étienne BURAUD, Paris, Nathan, « Carrés classiques », 2006.

BIBLIOGRAPHIES DE MAUPASSANT

ARTINIAN Artine : *Maupassant Criticism in France, 1880-1940, with an Inquiry into his Present Fame and a Bibliography*, New York, Russel and Russel, 1941 ; 2e éd. 1969.

TALVART et PLACE : *Bibliographie des auteurs modernes de langue française*, Paris, La Chronique des Lettres françaises, t. XIII, 1956, p. 247-325.

DELAISEMENT Gérard : *Maupassant journaliste et chroniqueur, suivi d'une bibliographie générale de l'œuvre de Maupassant*, Paris, Albin Michel, 1956.

Index to the Short Stories of Guy de Maupassant, Boston, G. K. Hall, 1960.

MONTENS Frans : *Bibliographie van geschriften over Guy de Maupassant*, Leyde, Bange Duivel, 1976.

FORESTIER Louis : « Bibliographie » dans Maupassant : *Contes et nouvelles*, t. II, 1979, p. 1725-1745.

BENHAMOU Noëlle : *Bibliographie Guy de Maupassant*. Publication évolutive sur le site Internet *Maupassantiana*.

SITES INTERNET

Association des amis de Flaubert et de Maupassant :
  http ://www.amis-flaubert-maupassant.fr

Autour de Maupassant, site japonais par Kazuhiko ADACHI :
  http ://www.let.osaka-u.ac.jp/france/maupassant

Guy de Maupassant, site espagnol, par José Manuel RAMOS :
  http ://www.iesxunqueira1.com/maupassant

Maupassantiana, site et revue électronique, par Noëlle BENHAMOU : http ://www.maupassantiana.fr

Maupassant par les textes, site de l'Association des Amis de Guy de Maupassant, par Thierry SELVA :
  http ://maupassant.free.fr

ÉTUDES GÉNÉRALES, BIOGRAPHIQUES ET CRITIQUES, SUR MAUPASSANT

ARTINIAN Artine : *Pour et contre Maupassant, enquête internationale. 147 témoignages inédits*, Paris, Nizet, 1955.

BAYARD Pierre : *Maupassant, juste avant Freud*, Paris, Minuit, 1994.

BESNARD-COURSODON Micheline : *Étude thématique et structurale de l'œuvre de Maupassant : le piège*, Paris, Nizet, 1973.

BONNEFIS Philippe : *Comme Maupassant*, Presses universitaires de Lille, 1981 ; 1985 ; 1993.

–, *Parfums : son nom de Bel-Ami,* Paris, Galilée, 1995.

–, *Sept portraits perfectionnés de Guy de Maupassant*, Paris, Galilée, 2005.

–, *Maupassant : sur les galets d'Étretat*, Paris, Galilée, 2007.

BROCHIER Jean-Jacques : *Maupassant, jeudi 1er février 1880*, Paris, J.-C. Lattès, 1993.

BURY Mariane : *La Poétique de Maupassant*, Paris, SEDES, 1994.

CASTELLA Charles : *Structures romanesques et vision sociale chez Maupassant*, Lausanne, L'Âge d'homme, 1972.

COGNY Pierre : *Maupassant l'homme sans Dieu*, Bruxelles, La Renaissance du Livre, 1958.

DANGER Pierre : *Pulsion et désir dans les romans et les nouvelles de Guy de Maupassant*, Paris, Nizet, 1993.

DELAISEMENT Gérard : *La Modernité de Maupassant*, Paris, Rive droite, 1995.

DEMONT Bernard : *Représentations spatiales et narration dans les contes et nouvelles de Guy de Maupassant*, Paris, Honoré Champion, 2005.

DONALDSON-EVANS Mary : *A Woman's Revenge : the Chronology of Dispossession in Maupassant's Fiction*, Lexington, French Forum, 1986.

DUMESNIL René : *Guy de Maupassant*, Paris, Armand Colin, 1933 ; Paris, Tallandier, 1947.

FONYI Antonia : *Maupassant 1993*, Paris, Kimé, 1993.

FRATANGELO Antonio et Mario : *Guy de Maupassant scrittore moderno*, Florence, Olschki, 1976.

GIACCHETTI Claudine : *Maupassant : espaces du roman*, Genève, Droz, 1993.

GICQEL Alain : *Maupassant tel un météore,* Bègles, Le Castor astral, 1993.

GREGORIO Lawrence A. : *Maupassant's Fiction and the Darwinian View of Life*, New York, Peter Lang, 2005.

HAZELWINDT Bernard P. R. : *Guy de Maupassant : de l'anecdote au conte littéraire*, Amsterdam, Rodopi, 1993.

JAMES Henry : *Sur Maupassant*, Bruxelles, Complexes, 1987.

LANOUX Armand : *Maupassant le Bel-Ami*, Paris, Fayard, 1967.

LEMOINE Fernand : *Guy de Maupassant*, Paris, Éditions universitaires, 1957.

LETHBRIDGE Robert : « Maupassant : a centenary état présent », dans *Maupassant conteur et romancier* (actes du colloque du Van Mildert College, Durham, 1993), éd. Christopher Lloyd et Robert Lethbridge, University of Durham, 1994.

LUMBROSO Albert : *Souvenirs sur Maupassant. Sa dernière maladie. Sa mort*, Rome, Bocca, 1905.

MAC NAMARA Matthiew : *Style and Vision in Maupassant's Nouvelles*, Berne, Francfort, New York, Peter Lang, 1986.

MAYNIAL Édouard : *La Vie et l'œuvre de Guy de Maupassant*, Paris, Mercure de France, 1906.

MORAND Paul : *La Vie de Guy de Maupassant*, Paris, Flammarion, 1941 ; 1958 ; 1993 ; 1998.

PARIS Jean : « Maupassant et le contre-récit » dans *Le Point aveugle. Univers parallèles II. Poésie, Roman*, Paris, Seuil, 1975.

REDA Jacques : *Album Maupassant*, Paris, Gallimard, « Bibliothèque de la Pléiade », 1987.

SALEM Jean : *Philosophie de Maupassant*, Paris, Ellipses, 2000.

SATIAT Nadine : *Maupassant*, Paris, Flammarion, « Grandes Biographies », 2003.

SAVINIO Alberto : *Maupassant et l'« Autre »*, trad. Michel Arnaud, Paris, Gallimard, 1977.

SCHMIDT Albert-Marie : *Maupassant par lui-même*, Paris, Seuil, 1962.

STEEGMÜLLER Francis : *Maupassant*, Londres, Collins, 1950.

TASSART François : *Souvenirs sur Guy de Maupassant par François, son valet de chambre*, Paris, Plon-Nourrit, 1911.

–, *Nouveaux souvenirs intimes sur Guy de Maupassant* (inédits), texte établi, annoté et présenté par Pierre Cogny, Paris, Nizet, 1962.

THORAVAL Jean : *L'Art de Maupassant d'après ses variantes*, Paris, Imprimerie nationale, 1950.

THUMEREL Thérèse et Fabrice, *Maupassant*, Paris, Armand Colin, « Thèmes et œuvres », 1992.

TOGEBY Knud : *L'Œuvre de Maupassant*, Copenhague, Danish Science Press ; Paris, PUF, 1954.

TROYAT Henri : *Maupassant*, Paris, Flammarion, 1989.

VIAL André : *Guy de Maupassant et l'art du roman*, Paris, Nizet, 1954.

–, *Faits et significations*, Paris, Nizet, 1973.

WILLI Kurt : *Déterminisme et liberté chez Guy de Maupassant*, Zurich, Juris, 1972.

PUBLICATIONS COLLECTIVES SUR MAUPASSANT

Le Bel-Ami. Bulletin de l'Association des Amis de Maupassant, 1951-1958.

Europe, numéro spécial *Maupassant*, juin 1969.

Colloque de Cerisy, *Le Naturalisme*, Paris, Union générale d'édition, « 10/18 », 1978.

Flaubert et Maupassant écrivains normands, Rouen, Presses universitaires de Rouen ; Paris, PUF, 1981.

Bérénice, numéro spécial *Maupassant et il « Fantastico »*, anno V (1984), n° 11.

Magazine littéraire, numéro spécial *Maupassant*, janvier 1984.

Colloque de Cerisy, *Maupassant. Miroir de la nouvelle*, Saint-Denis, Presses universitaires de Vincennes, 1988.

Lendemains, dossier *Maupassant dénaturé*, n° 52, 1989.

Bulletin Flaubert-Maupassant, depuis 1993.

Colloque de Fécamp, *Maupassant et l'écriture*, Paris, Nathan, 1993.

L'École des Lettres II, numéro spécial *Maupassant I*, t. LXXXIV, n° 13 (1er juin 1993).

Europe, numéro spécial *Maupassant*, août-septembre 1993.

Le Magazine littéraire, numéro spécial *Maupassant*, mai 1993.

Revue des Deux Mondes, dossier *Guy de Maupassant*, juin 1993.

Colloque du Van Mildert College, *Maupassant conteur et romancier*, University of Durham, 1994.

L'École des Lettres II, numéro spécial *Maupassant II. Autour du « Horla »*, t. LXXXV, n° 12 (15 juin 1994).

Études normandes, numéro spécial *Maupassant. Du réel au fantastique*, 1994, n° 2.

Revue des sciences humaines, numéro spécial *Imaginer Maupassant*, 1994, n° 3.

Revue d'histoire littéraire de la France, numéro spécial *Maupassant*, 1994, n° 5.

Colloque de Toulouse, *Maupassant multiple*, « Les Cahiers de *Littératures* », Toulouse, Presses universitaires du Mirail, 1995.

Rencontre internationale de Marseille, *Maupassant au pays du soleil*, Paris, Klincksieck, 1999.

Bulletin Flaubert-Maupassant, numéro spécial *Maupassant 2000*, actes des colloques organisés à l'occasion du 150e anniversaire de la naissance de Maupassant, 2001, n° 9.

ÉTUDES SUR LA GUERRE DE 1870
DANS LA LITTÉRATURE

DIGEON Claude : *La Crise allemande de la pensée française, 1870-1914*, Paris, PUF, 1959.

Les Écrivains français devant la guerre de 1870 et la Commune (actes du colloque du 7 novembre 1970 de la Société d'histoire littéraire de la France), Paris, Armand Colin, 1972.

KOSCHWITZ Eduard : *Die französische Novellistik und Romansliteratur über den Krieg von 1870-1871*, Berlin, W. Gronom, 1893.

ÉTUDES SUR *LES SOIRÉES DE MÉDAN*

BAGULEY David, « L'envers de la guerre : *Les Soirées de Médan* et le mode ironique », *French Forum*, 1982/3.

DEFFOUX Léon, ZAVIE Émile : *Le Groupe de Médan*, Paris, Payot, 1920.

DUMESNIL René : *La Publication des Soirées de Médan*, Paris, Malfère, « Les grands événements littéraires », 1933.

FONYI Antonia : « *Les Soirées de Médan* : un livre à lire », *Romantisme*, 1999/1.

Marges, numéro spécial, *Les Soirées de Médan*, n° 9, 1930.

PAGES Alain : « Le mythe de Médan », *Cahiers naturalistes*, 1981.

THIBAUDET Albert : « Le groupe de Médan », *La Nouvelle Revue française*, 1er décembre 1920.

ÉTUDES SUR LES NOUVELLES DE CE RECUEIL

Boule de suif

BEGIN Marc : « La tension narrative dans *Boule de suif* », *Études littéraires*, 1983/1.

BEM Jeanne : « Le "travail" du texte dans *Boule de suif* », *Texte. Revue de critique et de théorie littéraire*, n° 10, 1990.

BOCHMAN Klaus : « Zur erzählerischen Funktion und semantischen Struktur sozialer Kategorien in Maupassants *Boule de suif* », *Wissenschaftliche Zeitschrift der Martin-Luther-Universität*, 1970/3-4.

BOLSTER Richard : « *Boule de suif*. Une source documentaire ? », *Revue d'histoire littéraire de la France*, 1984/6.

BOUREAU Alain : « *Boule de suif*, ou la république des ogres », *L'École des lettres*, 1er juin 1993.

CHAPLIN Peggy : *Maupassant, Boule de suif*, University of Glasgow French and German Publications, « Glasgow introductory guides to French literature », 6, 1988.

DENOMME Robert T. : « Maupassant's use of unanimism in *Boule de suif* », Revue de l'université d'Ottawa, n° 37, 1967.

DONALDSON-EVANS Mary : « The decline and fall of Elisabeth Rousset. Text and context in Maupassant's *Boule de suif* », *Australian Journal of French Studies*, 1981/1.

–, « Du mythe au fait divers : la genèse anti-zolienne de *Boule de suif* », *Plaisance*, numéro spécial *Maupassant, poésie fin de siècle. Hommage à Louis Forestier*, éd. Gabriele Aldo Bertozzi, n° 8, 2006.

DUBUC André : « Sur *Boule de suif* et les Rouennais », *Les Amis de Flaubert*, n° 48, 1976.

–, « Un autre modèle probable de *Boule de suif* », *Les Amis de Flaubert*, n° 68, 1986.

DVORAK Marta : *L'Image de la femme dans « Boule de suif » et « La Maison Tellier » de Maupassant*, thèse de l'université de Rennes, 1977.

FAUVEL Daniel : « *Boule de suif* : le cadre historique », *Bulletin Flaubert-Maupassant*, numéro spécial *Maupassant 2000*, actes des colloques organisés à l'occasion du 150ᵉ anniversaire de la naissance de Maupassant, 2001, n° 9.

FONYI Antonia : « La nouvelle de Maupassant : le matériau de la psychose et l'armature du genre », dans *Maupassant. Miroir de la nouvelle*, Saint-Denis, Presses universitaires de Vincennes, 1988.

FORESTIER Louis : « *Boule de suif* » et « *La Maison Tellier* » *de Guy de Maupassant*, Paris, Gallimard, « Foliothèque », 1995.

FORNASIERO F. J. : « Consommation et idéologie dans *Boule de suif* », *Essays in French Literature*, novembre 1993.

GELLERAU Michèle : *Boule de suif*, Paris, Bertrand Lacoste, « Parcours de lecture », 1991.

KARS Henk : « L'esclave dominante. La description des personnages dans *Boule de suif* de Maupassant », *Rapports*, 1986/2.

KILLICK Rachel : « Fiction and journalism in Maupassant. A footnote to *Boule de suif* », *French Studies Bulletin*, Winter 1986-1987.

KOWZAN Tadeusz : « Fortune théâtrale de *Boule de suif* », dans *Flaubert et Maupassant écrivains normands*, éd. Joseph-Marc Bailbé et Jean Pierrot, Paris, PUF, 1981.

LABBÉ Mathilde : « Ce que le cinéma a fait à *Boule de suif* », dans *Fabula LHT (Littérature, Histoire, Théorie)*, n° 2, numéro spécial, *Ce que le cinéma a fait à la littérature*, 1ᵉʳ décembre 2006 : http ://www.fabula.org/lht/2.

LACOSTE Francis : « Maupassant et la guerre : de *Boule de suif* à *Un duel* », dans *Écrire la guerre*, éd. Catherine Milkovitch-Rioux et Robert Pickering, Clermont-Ferrand, Presses universitaires Blaise Pascal, 2000.

LETHBRIDGE Robert : « *Boule de suif* ou les mésaventures d'un récit », *Bulletin Flaubert-Maupassant*, n° 5, 1997.

NINANE DE MARTINOIR Francine : « Étude de texte. Maupassant : *Boule de suif* (la conclusion) », *L'École des Lettres*, LXXI, n° 80, 15 janvier 1980.

PRIVAT Jean-Marie : « Le carnaval de *Boule de suif* », dans *Problèmes de l'écriture populaire au XIXᵉ siècle*, dir. Roger Bellet et Philippe Régnier, Limoges, Presses universitaires de Limoges, 1997.

–, « La parodia sacra dans *Boule de suif* », dans *Le Discours religieux en théologie et en littérature*, Paris, Le Cerf, Metz, université de Metz, 2001.

REUILLARD Gabriel : « Sur les traces de Boule de suif », *Le Monde illustré*, 23 avril 1930.

SCHOBER Rita : « Warum Maupassants *Fettklösschen* ein Welterfolg wurde oder : Zur literarischen Qualität der *Abende von Médan* », dans *Vom Sinn und Unsinn der Literaturwissenschaft. Essays*, Halle, Leipzig, Mitteldeutscher Verlag, 1988.

SILLAM Maguy : *Étude sur Guy de Maupassant, « Boule de suif »*, Paris, Ellipses, « Résonances », 1999.

VERUCCHI Isabelle : *Maupassant, « Boule de suif ». 40 questions, 40 réponses, 4 études*, Paris, Ellipses, « 40/4 », 2000.

VIEGNES Michel : *« Boule de suif ». « La Parure », analyses critiques*, Paris, Hatier, « Profil d'une œuvre », 1996.

Mademoiselle Fifi

BENHAMOU Noëlle : « *Les Rois*, ou *Mademoiselle Fifi* au miroir de la parodie », *Texte. Revue de critique et de théorie littéraire*, n° 37-38, 2005.

BOLSTER Richard : « *Mademoiselle Fifi* : an unexpected literary source », actes du colloque du Van Mildert College, *Maupassant conteur et romancier,* University of Durham, 1994.

ZAPPEL Kristiane : « Vainqueurs et vaincus. La structure argumentative de *Mademoiselle Fifi* », *Orbis Literarum*, 1988/1.

Deux Amis

BETTS Christopher J. : « Surface, structure and symmetry in Maupassant : an alternative view of *Deux Amis* », *Romanic Review*, march 1997.

CALLE-GRUBER Mireille : « Quand le mot d'ordre est : ne pas trahir. *Deux Amis* de Guy de Maupassant », *Revue des sciences humaines*, n° 221, janvier-mars 1991.

GREIMAS Algridas Julien : *Maupassant. La sémiotique du texte : exercices pratiques*, Paris, Seuil, 1976.

MARCOIN Francis : « Mutisme de Maupassant », dans *Maupassant. Miroir de la nouvelle*, Saint-Denis, Presses universitaires de Vincennes, 1988.

Études sur les autres nouvelles

BALMAS Enea : « In margine i racconti di guerra di Maupassant », *Culture française* XIII, n° 6, 1966.

BANCQUART Marie-Claire : « Maupassant, la guerre, la politique », *Le Magazine littéraire*, 1986 janvier.

BARON Philippe : « Les nouvelles de guerre de Guy de Maupassant », dans *Écrire la guerre*, éd. Catherine Milkovitch-Rioux et Robert Pickering, Clermont-Ferrand, Presses universitaires Blaise Pascal, 2000.

BUISINE Alain : « Prose tombale », *Revue des sciences humaines*, 1975/4.

–, « Paris-Lyon-Maupassant », dans *Maupassant. Miroir de la nouvelle*, Saint-Denis, Presses universitaires de Vincennes, 1988.

DEER Irving : « Maupassant's *La Mère Sauvage* », *The Explicator*, 1963/1.

DONALDSON-EVANS Mary : « Doctoring history. Maupassant's *Un coup d'État* », *Nineteenth Century French Studies*, 1987-1988 (XVI).

KILKER James Anthony : « Maupassant : patriot and pacifist », *Canadian Modern Language Review*, 1961/5.

KILLICK Rachel : « Mock heroics ? Narrative strategy in Maupassant's war story », *Modern Language Review*, 1987/2.

LECARME-TABONE Éliane : « Énigme et prostitution », dans *Maupassant. Miroir de la Nouvelle*, Saint-Denis, Presses universitaires de Vincennes, 1988.

LEDESERT R.P.L. : « Maupassant peintre de l'occupation allemande », *Modern Languages*, t. XXIII, n° 1, 1941.

LEWIS David W. : « L'uniforme ne fait pas le soldat. Deux conteurs satiriques de la guerre de 1870 », dans *Irony and Satire in French Literature*, University of South Carolina Press, « French Literary Series », n° 14, 1987.

LONG A.C. : *Le Rôle de la guerre de 1870 dans seize contes de Maupassant et « Les Soirées de Médan »*, thèse de l'université d'Exeter, 1977.

NONDIER Guy : « Deux écrivains témoins de la guerre en Normandie (Paul Toutain, dit Jean Revel ; Guy de Maupassant) », dans *La Guerre de 1870-1871 en Haute-Normandie*, éd. Georges Merlier, Rouen, Centre national de documentation pédagogique, 1972.

SCARPA Marie : « Sauvage, vous avez dit sauvage ? Lecture ethnocritique de *La Mère Sauvage* », *Littérature*, mars 2009.

TABLE

Introduction 7

BOULE DE SUIF
ET AUTRES HISTOIRES DE GUERRE

Boule de suif 45
Mademoiselle Fifi 91
Deux Amis 107
Le Père Milon 117
La Moustache 125
Un duel 131
Un coup d'État 137
La Mère sauvage 149
L'Horrible 159
Les Idées du colonel 167
Le Lit 29 175
Les Prisonniers 189
Les Rois 203
L'Angélus 219

Annexe 251
Notes et variantes 277
Chronologie 302
Bibliographie 310

Composition et mise en page

NORD COMPO
m u l t i m é d i a

N° d'édition : L.01EHPN000273.C004
Dépôt légal : Mars 2009
Imprimé en Espagne par Novoprint (Barcelone)